HANNA CYGLER

Grecka mozaika

DOM WYDAWNICZY REBIS

Redaktor
Elżbieta Bandel

Projekt i opracowanie graficzne okładki
Piotr Majewski

Fotografia na okładce
© Shutterstock

Wydanie I
Poznań 2014

ISBN 978-83-7818-488-1

Dom Wydawniczy REBIS Sp. z o.o.
ul. Żmigrodzka 41/49, 60-171 Poznań
tel. 61-867-47-08, 61-867-81-40; fax 61-867-37-74
e-mail: rebis@rebis.com.pl
www.rebis.com.pl

Dla Griga

Natura wyznaczyła granice ambicjom innych ludzi,
ale nie Greków, Grecy nie podlegali
ani nie podlegają prawom natury.

Beniamin z Lesbos

Niebo, a nie duszę, zmieniają ci,
co żeglują po morzach.

Horacy

Wszystkie przedstawione w książce osoby i zdarzenia są fikcyjne (nawet te prawdziwe), a ich podobieństwo do rzeczywistych osób i zdarzeń jest całkowicie przypadkowe.

Prolog

Korfu, lipiec 2010

Kiedy opuszczał niewielki budynek kliniki, czuł potworne znużenie. Zatrzymał się przed bujnym rododendronem, próbując wyrównać oddech. Raz, dwa, trzy. Niby lepiej, ale kiedy sięgał po kluczyk do jeepa, lekko drżały mu ręce. Nieoczekiwanie poczuł atak głodu i zakręciło mu się w głowie. Czyżby dlatego, że wyruszył do miasta na czczo? Niemożliwe. Od niepamiętnych czasów nie jadał śniadań.

Słońce tego dnia świeciło wyjątkowo ostro, co zapowiadało prawdziwy upał w południe, i pewnie dlatego na jego skroniach pojawiły się kropelki potu.

Naprawdę jestem chory, przyszło mu do głowy nie po raz pierwszy, ale ta myśl nieustannie go zdumiewała. Pewnie powinien zatrzymać się gdzieś na kawę i jakąś przekąskę, żeby wytrzymać jeszcze te dwie godziny do chwili, kiedy Ifigenia poda mu smakowity lunch w Eleotrivio.

Spojrzał na zegarek. Nie, nie ma czasu. Statek z Albanii za chwilę przypłynie, a na nim robotnicy, którzy mieli wykończyć mu dom. Gdyby nie zastali go na kei, ci wieśniacy zapewne wpadliby w panikę i rozleźliby się po mieście. A potem szukaj wiatru w polu! A dom trzeba było jak najprędzej skończyć. Ta kupa leżących kamieni, która psuła mu widok, powinna się w końcu przekształcić w coś sensownego. I tak za długo z tym zwlekał.

Jannis wyszukał w kieszeni spodni opakowanie gumy do żucia i wsadził do ust drażetkę. Przez chwilę poczuł ulgę. Wsiadł więc do samochodu i wycofał go z parkingu.

Mimo dość wczesnej pory w mieście panował spory ruch i kręciło się wielu turystów. Pewnie znakomita pogoda wygoniła ich wcześniej z łóżek. Miejscowi polewali wodą ze szlaucha place i zaułki, w których wszędzie poustawiano stoliki i krzesła, przygotowując się już do pory obiadowej. Mimo strajku firm wywożących śmieci stolica wyspy nie wyglądała na zaniedbaną i brudną. Sprzedawcy likieru z kumkwatu ustawiali stoiska do degustacji.

Jannis, czując, jak coraz mocniej wali mu serce, skrzywił się z niechęcią. Dla nich wabienie obcych było warunkiem przetrwania. Dla niego sezon letni i turyści stawali się stopniowo coraz większą uciążliwością. Może to był błąd, że wybrał na swoją siedzibę aż tak popularną i uczęszczaną wyspę? Miał jednak szczęście, że tylko czasami zmuszony był oglądać tę całą hałaśliwą komercję. Zresztą w tym roku było mniej odwiedzających. Pewnie kryzys i widmo bankructwa ich wystraszyły. Jannis słuchał obcojęzycznej telewizji i wiedział, co mówiono teraz o jego rodakach. Ich negatywny obraz wyłaniał się z każdego programu. Cwani naciągacze, lenie, niepłacący podatków. Nie powinien o tym myśleć, jeśli chciał uspokoić bicie serca.

Również na przystani promowej roiło się od turystów chcących koniecznie zwiedzać okoliczne wyspy. Przyjechali na kilka dni, a już ich niesie dalej, pomyślał Jannis. Stały niepokój, który nie pozwala cieszyć się tym, co jest. I byle naprzód, byle szybciej...

Osoby jadące do Albanii ustawiały się przy baraku kontroli paszportowej. Przechodzący obok samochodu funkcjonariusz rozpoznał go i pozdrowił.

– *Kalimera!* – odpowiedział mu przez otwartą szybę i podniósł dłoń. Chciał już nawet zagadać, ale ktoś zawołał tamtego z budynku, i tylko rozłożył bezradnie ręce.

Widać już było nadpływający mały statek. Błyszczące krople wody rozbryzgiwały się o jego burty. Jannis wypluł gumę, wsadził dłonie w kieszenie i ponownie przyjrzał się morzu. Znów go kusiło swym szmaragdem, jednak rozsądek podpowiadał mu, że jego obietnice są nie do spełnienia. On już to wszystko widział i przeżył. Koniec również można było przewidzieć.

Kilkanaście metrów dalej szykował się do odpłynięcia inny statek, na Paksos. Ten również był oblegany. I nagle Jannis, niczym kukiełka pociągana za niewidzialne sznurki, zrobił kilka kroków w przód.

Po trapie wchodziła właśnie szczupła, niewysoka kobieta. Miała na głowie słomkowy kapelusz, ale nagle zdjęła go, jakby w obawie przed silniejszym podmuchem wiatru na morzu. Jej włosy miały ciemnobrązowy kolor.

Odwróć się, błagał ją w myślach Jannis, a jego serce ponownie dało o sobie znać. To nie mogła być prawda, zdawał sobie sprawę, ale to był dokładnie ten sam gest, którym niegdyś odgarniała z twarzy niesforne loki. Stał jak zaklęty, a kiedy zrozumiał, że ona go nie słyszy, ruszył wolno w kierunku stateczku. Ani przez chwilę nie spuszczał z oczu sylwetki kobiety, która przesuwała się w tył, stale się od niego oddalając.

– Przepraszam, ale trap już wciągnięty – usłyszał czyjś głos. Dopiero wówczas się ocknął i zrozumiał, że stateczek już odbił od brzegu.

Nie, to niemożliwe. Ona nie może tak po prostu zniknąć!

Za wszelką cenę musi ją powstrzymać. Zaczerpnął powietrza, żeby wykrzyczeć jej imię, i nagle zaszumiało mu w uszach, a ziemia zakręciła się dokoła.

– Proszę pana! Co panu jest? – To były ostatnie słowa, które usłyszał.

Rozdział I

Dźwięk telefonu odbił się od wysokich murów salonu i wyrwał go z popołudniowej drzemki. Cholera, zapomniał przyciszyć! Sam sobie winien. Postanowił nie odbierać, bo bez okularów i tak nie był w stanie zobaczyć, kto go niepokoi o takiej porze. Ale wtem przyszło mu na myśl, że może to być Afrodyta, której czas w Stanach różnił się o wiele godzin od czasu europejskiego.

– *Daddy!* – W telefonie usłyszał suchy i zdecydowany głos swego najmłodszego dziecka. Zatem miał rację, że to ona. Ale nie był przekonany, że zrobił dobrze, odbierając. – Dzwonił do mnie Alex. Co ci się stało?

Jannis westchnął cicho. Znudziło go już powtarzanie tego samego. Od incydentu na kei przeprowadził kilkanaście rozmów na ten temat. Bożena, oczywiście Alex, ale też wszyscy krewni i znajomi, którzy usłyszeli o zdarzeniu i chcieli się dowiedzieć, jak się miewa. Każdy z nich oferował również pomoc i dobrą radę, a wszystko to zajmowało dość dużo czasu. I wystawiało na próbę jego cierpliwość. Na drugi raz nie będę tracić przytomności w miejscu publicznym, postanowił sobie solennie.

– To zwykły zawrót głowy. Bez paniki. Ani nie zawał, ani nie wylew. Może za dużo kawy.

– A byłeś u lekarza? Przebadałeś się dokładnie?

– Tak, Afi, tak – mówiąc to, podniósł się z kanapy i przeszedł do kuchni, gdzie nalał do szklanki wody i wydobył z szuflady baterię lekarstw.

– Bo ja się martwię, że za chwilę także lekarze zaczną strajkować, a ty zostaniesz bez żadnej opieki.

– Chyba jednak do tego nie dojdzie – powiedział Jannis, ale bez zbytniego przekonania.

Kryzys gospodarczy, który wybuchł w Grecji w końcu poprzedniego roku, przybierał coraz bardziej gwałtowne formy. To już nie były rozmowy o oszczędnościach i zaciskaniu pasa. Podczas majowego strajku generalnego w Atenach, na którym zgromadziło się przeszło pięćdziesiąt tysięcy demonstrantów, zginęli ludzie. Wszystko zmierzało do jakiegoś dramatycznego finału. Kolejna grecka tragedia?

Afrodyta zaczęła opowiadać o interesujących ludziach, których poznała ostatnio w Los Angeles podczas podróży służbowej. Ponieważ jej definicja interesującego człowieka różniła się znacznie od jego własnej, Jannis poczuł się znużony, kiedy mówiła mu o fuzjach, zyskach i planach inwestycyjnych. Powinien wykrzesać z siebie choć trochę zainteresowania, gdyż to właśnie dzięki córce i jej trzeźwej głowie ich firma lawirowała pośród raf kryzysu w całkiem udany sposób, ale nie był w stanie się do tego zmusić. To nie do wiary, jak szybko stracił serce do tych spraw. Hmm, no właśnie. Serce.

– Tato, mnie się jednak wydaje, że ty się źle leczysz. – Po chwili zmieniła temat. – Po południu zadzwonię do mojego lekarza i wszystko z nim skonsultuję. Wyślę ci listę z zaleceniami, ale będziesz musiał ich przestrzegać. Czy ty mnie słuchasz?

– Tak, oczywiście, słucham – odparł. Wziął do ust łyk wody i po raz kolejny zadał sobie pytanie, jak on i Jana mogli wydać na świat takie dziecko. Gdyby nie to, że pod względem urody Afrodyta była niemal kopią jego matki z młodości, można by podejrzewać, iż podrzucili ją kosmici. Z nieco spaczonym poczuciem humoru, dodał złośliwie w myślach.

– Dasz sobie radę sam w Eleotrivio? Stale się o ciebie martwię, a mam pojutrze zebranie rady nadzorczej. Nie mogę przyjechać.

Ciekawe, co by odpowiedziała, gdyby zaprzeczył. Kogo by mu tu przysłała do pomocy? Swego męża Marcusa? Uchowaj Boże!

– Oczywiście, córeczko. Ale ty też uważaj na siebie i się nie przepracowuj.

W odpowiedzi usłyszał coś, co nawet przypominało śmiech.

– Chyba wiesz, że ja mam zawsze wszystko pod kontrolą.

– Ale czasem trzeba nacieszyć się życiem – rzucił bezwiednie, mimo iż doskonale wiedział, że wszelka dyskusja z córką na te tematy jest bezsensowna.

– Tato, ja się cieszę. Naprawdę.

Obawiał się, że rzeczywiście tak jest. I że knucie, intrygi, roszady i nieustające użeranie się z korporacjami były jej prawdziwym żywiołem. Dlaczego bez przerwy jej się czepiał? Tej jedynej córki, która osiągnęła sukces w biznesie? Jedynej, która tak naprawdę nadawała się do prowadzenia firmy? Może dlatego, że nie okazywała żadnych emocji i chyba nigdy nie była w pełni szczęśliwa, nawet wówczas, kiedy prowadził ją do ołtarza, gdy wychodziła za mąż za tego idiotę Marcusa. Od wczesnego dzieciństwa narzucała sobie różne plany i projekty, które później z mozołem realizowała. Pewnie założyła już dawno, że w wieku dwudziestu dwóch lat powinna zostać mężatką, i tak się stało.

– Ona się nadaje na terapię – zauważył kiedyś Nick, gdy

siostra w wieku szesnastu lat dostała stypendium na Uniwersytet Harvarda. – To umysłowy robocop.

Jannis zakończył rozmowę z córką i połknął tabletki. Da sobie radę sam. Jak zawsze...

Kiedy wróciła mu przytomność, leżał w ambulansie z podłączoną kroplówką. Po parogodzinnej obserwacji okazało się, że może wrócić do domu, tym bardziej iż był pod stałą kontrolą kliniki. Zrezygnował więc z oferty podwiezienia i zdecydował się sam prowadzić jeepa. Da radę, głupie pół godziny i będzie u siebie. Był w tym bardzo stanowczy i nikt nie śmiał mu się sprzeciwić. Wymienił kilka zabawnych uwag z lekarzem odpowiedzialnym za jego zdrowie, po czym poklepali się po plecach jak najlepsi kumple i odjechał.

Nie był to chyba najmądrzejszy pomysł, bo miał jeszcze pewne kłopoty z koncentracją, a kiedy zaparkował pod domem, czuł, że jego koszula z krótkim rękawem jest mokra od potu.

Dopiero po lunchu, kiedy siedział w zacienionym i klimatyzowanym salonie, popijając wodę z kruszonym lodem i listkiem mięty, zaczął sobie przypominać, co w zasadzie wydarzyło się na przystani promowej i kogo wówczas zobaczył. Był pewien, że się nie pomylił. To musiała być ona.

Udało mu się o niej zapomnieć na tyle lat. Wydawało się nieprawdopodobne, że to do niego wróci. Nauczył się panować nad swoimi myślami i odsuwać te niewygodne daleko, w zapomnienie. Nie miał też zupełnie żadnych inklinacji, by w tym wieku, mając więcej wolnego czasu, przywoływać obrazy z przeszłości. To strata czasu, myślał niejednokrotnie, otrzymując od dawnych znajomych zaproszenia na spotkania czy zjazdy. Jesteśmy już innymi ludźmi. Ale widok kobiety ze statku nie dawał mu spokoju. Stawał się coraz bardziej wyraźny, tak jakby jego umysł próbował jak obiektyw przybliżać jej obraz.

W końcu zirytowany siadł przy biurku i sięgnął po swoje najnowsze cacko, iPada. Stary idiota, przeklął się w myślach, uważając, że staje się tym samym podobny do swych rówieśników, z których jeszcze niedawno szydził. Ale jego palce wystukiwały już jej imię i nazwisko. Miasto, w którym mieszkała...

Kretyn! Wydawało mu się, że po tylu latach ona nie zmieni nazwiska?

Rzeczywiście, wujek Google pokazał mu figę, nawet kiedy dodał mu jej wymarzony zawód. Zniechęcony odłożył tablet i sięgnął po ciśnieniomierz. Siedział nieruchomo, słuchając mruczenia aparatu, kiedy do pokoju weszła Ifigenia. Musiała już skończyć sprzątanie, bo zmieniła sukienkę i poprawiła fryzurę. Włożyła też buty na dość wysokim obcasie. Jak jej się udaje jeździć w nich na skuterze?

– Dobre ciśnienie? – spytała, zanim zdążył sam zobaczyć.

– Nie najgorsze – odpowiedział. – Poczekaj, dzisiaj ci zapłacę. – Chciał się zerwać z fotela.

– Jutro też jest dzień. – Kobieta machnęła ręką i dopiero wówczas odkryła, że trzyma w niej listy. – Oj, poszłabym z nimi do domu. Z moją głową już całkiem nie tak.

– Nie przesadzaj – odparł. Musiał zaprzeczyć. Ifigenia była od niego młodsza zaledwie o cztery lata. – Po prostu myśli ci uciekają. – Nie wiedział, dokąd mogłyby uciec, bo jego pracownica była osobą samotną, bezdzietną i podobnie jak on sam, niezbyt chętną do nawiązywania kontaktów międzyludzkich.

Ku jego zdziwieniu Ifigenia się zarumieniła jak nastolatka.

– To ja już lecę. – Zmieszana niemal rzuciła listy na biurko, zawróciła na pięcie i dopiero przy drzwiach bąknęła coś, że jutro o dziesiątej przyjdzie zmienić pościel.

Jannis popatrzył za nią nieco zdziwiony, a potem przeniósł wzrok na listy. Jakieś urzędowe i bankowe bzdety. Już chciał je odłożyć, do przeczytania na później, gdy nagle jego uwagę zwróciła koperta adresowana odręcznym pismem. Kto jeszcze dziś pisze listy, i to w dodatku tu, na wyspie? Koperta miała miejscowy stempel. Dziwne jakieś... W zasadzie to stwierdzenie powinno przygotować go na czekającą wewnątrz niespodziankę, ale zaskoczyły go już pierwsze słowa tego listu.

„Szanowny Panie". Złożona kartka A4 zapisana była po polsku. Pismo było tak wyraźne, że bez najmniejszego problemu łączył litery w te na pół zapomniane słowa. I kiedy dotarł do najważniejszej kwestii, nagle zdało mu się, że rozszyfrował tajemnicę kobiety na kei. To musiała być ta sama osoba, pomyślał z bijącym, tym razem z radości, sercem. Przez chwilę przez jego głowę przemknęły urokliwe obrazy przyszłości. A potem odwrócił kartkę i spojrzał na podpis. Nazwisko. I znów się zdziwił. Coś mu się nie zgadzało.

– Nina, dokąd lecisz? Mogę iść z tobą? – pytała drobna, nieco zahukana dziewczyna, z którą dzieliła pokój i pracę.

– Mam spotkanie – odparła krótko, stwierdzając, że chyba za dużo matkowała Mireli, gdyż ta za bardzo się od niej uzależniła.

– Z facetem? Kiedyś go poznała? – Mirela z wrażenia aż usiadła na poplamionym tapczanie.

Nina poczuła dużą irytację. Nie znosiła osób ciekawskich i wtykających nos w nie swoje sprawy. Była też zła na siebie, że pozwoliła koleżance wtrącić się w swoje życie. Trzeba skończyć z tą inwigilacją.

– Dopiero mam zamiar go poznać – odpowiedziała, usiłując zachować spokój. – I tyle na ten temat.

Nina wyczuła, że dziewczyna jest zawiedziona i dotknięta,

gdyż odwróciła się do ściany i udawała, że drzemie. Skąd taki wrażliwiec mógł wpaść na pomysł wyjazdu do pracy za granicę? I to w dodatku do Grecji pogrążonej w największym kryzysie gospodarczym w historii.

Zganiła się w myślach. Za chwilę oprócz Mireli sprawi sobie jeszcze kotka i pieska! Coś dziwnego działo się z nią w tej wysokiej temperaturze. Topiła się! Spojrzała na siebie w lustrze. Nie zamierzała się malować. Nie dla niego. Jej usta złączyły się w gniewną linię.

– Domyśliłam się – usłyszała głos Mireli, kiedy naciskała już na klamkę.

– Czego?

– Musiałaś poznać go w Internecie. Ja też się zapiszę na serwis randkowy.

Z głębokim westchnieniem, ale bez słowa komentarza Nina opuściła kwaterę.

W mieszkaniu nie było klimatyzacji, jedynie bardzo głośny i bardzo słaby wentylator, więc gdy na zewnątrz owionęła ją łagodna morska bryza, poczuła się bardziej rześko. Mgła, która zdawała się osnuwać jej umysł od paru tygodni, zaczęła się rozwiewać. Teraz już nie było miejsca na żadne wątpliwości. Nadszedł czas działania.

Kiedy jednak zaczęła się zbliżać do umówionej kawiarni „Libro d'oro" na eleganckim bulwarze Liston, miała wrażenie, że jej nogi stają się coraz bardziej miękkie, jak z waty. Na szczęście wybrał zwykły lokal, w którym było pełno turystów, ale również miejscowych. Kiedy przez telefon usłyszała jego chropawy głos z tym dziwnym obcym akcentem, wpadła w panikę. Odpowiadała krótkim: „tak", „dziękuję", „do widzenia". Na szczęście on również nie rozwodził się nad niczym, jedynie ograniczył rozmowę do wyznaczenia czasu i miejsca spotkania. Pewnie jej nienawidził. Tak, była tego całkiem pewna. Ludzie, którzy burzą spokój, nie cieszą się sympatią innych.

– Nina?

Drgnęła z zaskoczenia. Szukała go wzrokiem przy którymś z dalszych stolików, ale on ją zaskoczył. Prawdopodobnie stał przy wejściu i obserwował wszystkich wchodzących do kawiarnianego ogródka.

– To ja. – Odwróciła się w stronę głosu.

A to był on! Dobrze, że zacisnęła mocno zęby. Tak bardzo zdziwił ją jego wygląd. Przez chwilę chciała tylko patrzeć i odszukać podobieństwa pomiędzy tym mężczyzną a zdjęciem, które widziała. Ten był starszy, z twarzą pooraną wyraźnymi pionowymi bruzdami i widać było, że już dawno skapitulował w nierównej walce z nadwagą. Tamten...

– Dzień dobry. – Wyciągnęła do niego rękę, a on odpowiedział jej mocnym, zdecydowanym uściskiem.

Przeszli w stronę jedynego wolnego stolika.

– Dziękuję, że pan przyszedł. Myślę, że to wymagało odwagi. Mógł mnie pan posłać do wszystkich diabłów.

On również jej się uważnie przyglądał. I pewnie oceniał. Była stuprocentowo przekonana, że wie, co o niej myśli. Cholera, zaczęła się denerwować.

– Odwaga? – Zaśmiał się jakby do siebie. – Nie ma tu żadnych podstaw do lęku, więc nie może być mowy o odwadze. Myślę, że to pani jest odważna. Ale może będziemy się do siebie zwracać bez tych „pań" i „panów", choć to zabawne. Szczerze mówiąc, trochę mi ich brakowało. – Widząc zdziwienie na twarzy Niny, szybko dodał: – Dawno nie mówiłem po polsku.

Rzeczywiście miał dziwny akcent, a poza tym próbował starannie dobierać słowa, tak jakby tłumaczył je z obcego języka.

– Mów do mnie Jannis.

– Jannis?

– Tak, w Polsce wołali na mnie Janek – przyznał. – Na co miałabyś ochotę? – spytał, zauważając, że zbliża się kelner.

– Frappé i wodę – odparła.

Sobie zamówił tylko wodę. Widać nie zamierzał marnować z nią zbyt wiele czasu. Powinna się streszczać. Powinna to jakoś sensownie wyjaśnić. Powinna... A ona czuje się tak, jakby język stanął jej kołkiem. Ma w głowie chaos i po raz pierwszy od bardzo dawna czuje niepewność i strach. Po co ona się w to wpakowała? Widzi, że Jannis przygląda się jej z coraz większym zniecierpliwieniem i unosi brwi.

– Napisałaś mi, Nino, że masz mi do przekazania informację od twojej matki.

Coraz większy chaos. Źle to wszystko ujęła. Wiedziała, że tak będzie. Od matki to ona się niczego nie dowiedziała. Ale, ale... czy to nie wszystko jedno? Jego przy tym nie było.

– Moja matka już nie żyje. Przed śmiercią powiedziała, że Janek Kassalis jest moim ojcem. To wszystko.

Umarła, ale dwadzieścia lat temu. Opowiedziała o tym nie jej, tylko cioci. A ciocia... Dopiero w zeszłym roku postanowiła się rozstać z sekretem.

Mężczyzna o imieniu Jannis patrzył na nią uważnie ciemnymi oczami, ale jego twarz nie zdradzała żadnych emocji. Za to w niej rodziły się coraz większe. Ten facet ją wkurzał!

– Ja tu przyszłam tylko po to, żeby się dowiedzieć, jak to było. I jeśli to możliwe, poznać prawdę. Natomiast nie pretenduję do żadnego majątku i jeśli chodzi o sprawy prawne, to mi to wisi.

– Wisi? – upewnił się Jannis i zrobił tak dziwną minę, że Ninę to rozśmieszyło.

– Tak. Lata mi to! Nie dbam o to. Nie zależy mi na tym.

– W imię prawdy? I to ode mnie chcesz tę prawdę usłyszeć, tak? A możesz mi powiedzieć, jak mam to zrobić? Uważasz, że jesteś do mnie podobna?

Nina zacisnęła usta. Wyjęła z torebki kilka euro i położyła je na stoliku. Jannis dogonił ją dopiero przy fortecy.

– Chcesz mnie wykończyć? – wydyszał, trzymając jej ramię w żelaznym uścisku.

– Niczego od ciebie nie chcę – wysyczała jak żmija.

– O nie. Kłamiesz. Sama mi powiedziałaś. Chcesz prawdy. A chyba wiesz, że to najcenniejszy towar. I z pewnością trzeba się trochę lepiej targować, żeby go nabyć. W każdym razie nie tak jak zbuntowana nastolatka. Ile ty masz lat?

– Trzydzieści cztery.

Twarz mężczyzny pobladła. Pewnie sobie obliczył, pomyślała mściwie. Zobaczy więc, że nie kłamię. A matka?

Nina myślała o tym tak wiele razy. Matka nie miała żadnego interesu, by kłamać. Nie miała z tym „Jannisem" żadnego kontaktu ani też najmniejszego pojęcia, gdzie mieszka i czy jest zamożny. Jednak takie pochodzenie mogło rzeczywiście tłumaczyć tę egzotyczność, dziwność i odmienność, jaką Nina czuła w sobie od dziecka. Inna sprawa, że matka mogła się pomylić. Nigdy wcześniej jednak nie zmyślała, trzeba było więc przynajmniej założyć, że historia może być prawdziwa. A ponieważ rzeczywistość Niny od wczesnego dzieciństwa falowała jak wody oceanu, to to wyznanie stało się dla niej najbardziej konkretnym faktem jej życia. Uczepiła się go tak kurczowo jak ostatniej deski ratunku.

– To aż dziwne, że w tym wieku jeszcze o takich rzeczach nie wiesz – mruknął Jannis i zgiął się wpół.

– Au – jęknęła, bo nadal ściskał jej ramię.

– Mogę się z tobą potargować, ale najpierw zawieź mnie do kliniki. To niedaleko... – usłyszała i nagle jego ręka zwolniła ucisk.

– Przyjechała tu ta na skuterze. – Ifigenia wydęła pogardliwie usta.

– O sobie mówisz? – Mrugnął do niej Jannis, ale ona nie była dziś w nastroju do żartów.

– Wiesz, o kim mówię. Ta, co cię przywiozła z kliniki – prychnęła. – Ja rozumiem, że z jednej strony to ma baba łeb na karku, bo wiedziała, jak się zachować. Ale jak ona wygląda!

Konkursu piękności pewnie by nie wygrała. Wysoka i przeraźliwie chuda. Cera trupio blada. Włosy niemal zgolone przy skórze i do tego workowate ciuchy. Gdyby miała czternaście lat, to wyglądałoby to jeszcze naturalnie, ale trzydzieści cztery? Coś z nią było nie w porządku. Może leczyła się psychiatrycznie? Za nic by nie chciał, żeby była jego córką. O mało trupem nie padł, gdy ją zobaczył. No nie, nie była żadną jego córką. Taki dziwoląg. Wprawdzie Afrodyta też odbiegała od normy, ale przynajmniej można było na nią popatrzeć z prawdziwą przyjemnością.

– Cześć, Jannis! – Pojawiła się w pokoju jak duch, aż poczuł ciarki na plecach. Czy ona nie zdaje sobie sprawy, że wygląda obrzydliwie? Tym razem w ciemnoszarej koszuli zamiast w czarnej!

– Cześć. – Z niechęcią podniósł się z kanapy. – Miło, że zgodziłaś się przyjechać na lunch. Ja chwilowo nie mogę się zbyt daleko ruszać. Ciągle skacze mi cukier.

– Nie wiedziałeś, że masz cukrzycę?

– Skąd! Zastanawiałem się przez chwilę, czy nie powinienem podać do sądu tego idioty mojego lekarza. Robił mi tyle badań, ale zapomniał o podstawowych. Ale znam go od tylu lat... Podobno mało brakowało, bym wpadł w śpiączkę.

Teraz był już pod opieką szpitala i wydawało się, że lekarze tam wiedzą, co robią. Chociaż nie bardzo mu się to podobało. Te wszystkie drastyczne diety. Bezwzględny nakaz ruchu. I szczegółowy opis tego, co się będzie działo, kiedy on zignoruje ich zalecenia. Może jednak mieli rację. Od tego kilkudniowego pobytu w klinice, gdy ustabilizowali mu cukier, czuł się lepiej niż kiedykolwiek od wielu miesięcy. Na przykład dziś po raz pierwszy popływał w basenie. Wirowanie w głowie i siódme poty też ustąpiły.

Ich rozmowę przerwało pojawienie się Ifigenii z wózkiem. Z nadętą miną, niepozostawiającą żadnych wątpliwości, co sądzi o gościu, postawiła na stole wyśmienite potrawy. Nawet grillowane warzywa Jannisa wyglądały tak, że ślinka ciekła. Nina dostała niewielkie rożki z fetą i szpinakiem, spanakopitę, i do tego dość sporą porcję sałatki. Zamówiła wegetariańskie danie, to proszę!

Przez chwilę rozmawiali o nieistotnych sprawach. Kobieta opowiedziała mu, że przebywa na wyspie od paru miesięcy i pracuje jako pokojowa w jednym z najbardziej eleganckich hoteli, którego właścicielem jest rosyjski miliarder. Jannis przez chwilę ważył jej słowa w myślach, zastanawiając się, jak na miłość boską ta firma może zatrudniać tak mało reprezentacyjną osobę. Ale może do zmieniania pościeli nie potrzeba się pokazywać gościom?

– Wysoko mieszkasz. – Nina odłożyła sztućce i serwetkę. – Mój skuter aż dostał zadyszki.

Uważnie obserwował jej zachowanie. Do tego nie mógł mieć zastrzeżeń. Gdzieś się wyuczyła. Choć dałby głowę za to, że nie od matki. Z niej to był numer! Nic więc dziwnego, że ta biedna dziewczynina... No nie, chyba nie zacznie jej żałować.

– Nie narzekam – odparł. – Chcesz zobaczyć dom? To jest właśnie Eleotrivio. Nazwa bardzo praktyczna, oznacza prasę do wyciskania oliwy.

Lunch jedli na zewnątrz na osłoniętym dachem tarasie. Może to jednak zły pomysł pokazywać jej dom, pomyślał. Zobaczy, że jestem bogaty, i może wpadnie jej coś głupiego do głowy?

Ponieważ Nina wzruszyła obojętnie ramionami, Jannis natychmiast poczuł, że musi jej zaimponować. Już po chwili oprowadził ją po wszystkich pomieszczeniach, pokojach gościnnych, luksusowych toaletach z wymyślnymi spłuczkami, błyszczącymi chromem prysznicach z misternymi mozaikami na posadzce. Oprócz biblioteki wypełnionej po sufit książkami musiała również zobaczyć bogato zaopatrzoną piwniczkę na wino. A teraz Jannis patrzył na nią, oczekując komplementów. Nerwowo dodał:

– Dobudowuję właśnie pawilon, po drugiej stronie sadu oliwnego. Będzie dla dzieci i wnuków, kiedy się do mnie zjadą. W przyszłości. Tu jest tylko moje królestwo.

– Bardzo duże jak na jedną osobę. Taka przestrzeń powiększa pustkę – zauważyła tylko i podeszła do stolika, na którym leżała muszla sporych rozmiarów. Ostrożnie wzięła ją do ręki.

– To jest róg trytona – objaśnił Jannis. Nieudolnie dmuchnęła w otwór. Podszedł do niej i wyjął jej go z ręki. – Patrz, tak się to robi.

Donośny basowy dźwięk rozległ się w całym domu.

– Widziałam kiedyś taką fontannę – zauważyła Nina, rozcierając przedramiona, jakby rozmasowywała powstałe pod wpływem dźwięku ciarki. – Jakiś bóg trzymał muszlę, a z niej lała się woda. To było...

– W Rzymie – odpowiedział zdziwiony Jannis.

– Ano właśnie. Byłam tam rok temu. Czas tak szybko leci.

Jannis pokiwał głową, przyznając w duchu, że nie ma w tym żadnej sprawiedliwości.

– Kiedy ostatni raz byłeś w Polsce? – zapytała.

– Trzydzieści pięć lat temu – odpowiedział bez zawahania, spoglądając uważnie na swą domniemaną córkę. Widział, jak zmrużyła powieki. Ale arytmetycznie i nawet medycznie mogło się to wszystko zgadzać. Nie można było o niczym przesądzać, przyznał z niechęcią.

Nie chciał o tym myśleć. Te wszystkie książki na temat historii zarówno starożytnej, jak i nowożytnej, które zbierał, miały za zadanie sprawić, by nie musiał myśleć o sobie ani o swoim życiu. Kim on zresztą był w porównaniu z tymi miliardami ludzi, którzy przewinęli się do tej pory przez ten padół? Rodzili się, kochali, cierpieli i na koniec, wszyscy bez wyjątku, umierali. No właśnie, kim on właściwie był?

– I tam się urodziłeś, prawda? – spytało nagle to dziwadło, ta cała zaskakująca Nina, jakby potrafiła czytać jego myśli.

– Tak – odpowiedział. – W Bieszczadach. W Ustrzykach Dolnych. Tam był szpital...

Rozdział II

Bieszczady, 1955

Chłopiec wyciągnął głowę do góry i niczego nie zobaczył. Promienie słoneczne próbowały się przebić przez cienkie wierzbowe witki. Gdzie mieszkał ten głos? Z pewnością dochodził z tamtej strony. Zawsze, kiedy Jannis przechodził tą ścieżką, głos odzywał się do niego. Był taki dziwny, nieco skrzekliwy, niczym głos starej kobiety mieszkającej w chałupie po drugiej stronie strugi. Ale to nie ona. Tamtej nie lubił, bo wrzeszczała, kiedy zbliżał się do jej koguta. A on tylko chciał mu się przyjrzeć z bliska. A ten głos był miły. Opowiadał o zaklętych boginiach i walecznych herosach. On też był dzielny i niczego się nie bał. Może trochę ojca. Kiedy wracał do domu i zachowywał się tak dziwnie. Albo kiedy bił Nastka.

– Jannis, czy mnie słyszysz?

– Tak, pani – odpowiedział z lekkim drżeniem w głosie.

Zachciało mu się siusiu. Pobiegłby w pole, ale chyba nie wypadało tak nagle zostawić głosu. Jeszcze by się obraził. I już nigdy nie zrzuciłby mu złotówki, jak poprzednim razem. Mama kupiła mu za nią piłeczkę.

– Czy byłeś grzecznym chłopcem?

– Tak.

– Karmiłeś kury, jak obiecałeś mamie?

Jannis nerwowo przestępował z nogi na nogę.

– Prawie zawsze.

– Prawie? – Ton był karcący. – A jakby tobie matka zapomniała dać obiadek?

– Poprawię się – obiecał.

– Musisz być dobry dla zwierząt. I dla słabszych. Nigdy o tym nie zapominaj.

W tej samej chwili za plecami usłyszał zbliżający się warkot. Samochód? Jedzie ich drogą? Może ojciec? Nie wiadomo skąd pojawiła się przy nim matka. Złapała go na ręce i przytuliła do siebie. Samochód minął ich z zawrotną, jak mu się wydawało, szybkością. Siedzieli w nim żołnierze i jakiś pan.

– Jacyś obcy przyjechali – wyjaśniła matka i postawiła go na ziemi, a on czym prędzej pomknął w pole.

– Pójdziemy do szkoły po Nastka. Już niedługo kończy lekcje. Muszę jeszcze zrobić zakupy.

– A dostanę ciastko?

Matka wzięła go za rączkę. W drugiej ręce miała dość duży koszyk, który sama wyplotła. Chłopiec spojrzał jeszcze w górę na wierzbę, ale nie zauważył na niej nic dziwnego. Witki lekko się pochylały pod wpływem słabego wiatru. Głos pewnie poszedł spać, pomyślał.

Ismena szła raźnym krokiem i machała koszykiem, nucąc pod nosem piosenki z czasów młodości. Od czasu do czasu kątem oka spoglądała na synka, który mężnie próbował dotrzymać jej kroku. Jego ciemne loki zachęcały do pogłaskania go po głowie, ale nie chciała go zbyt mocno rozpieszczać. Najchętniej jednak obsypywałaby go stale pocałunkami. Jej skarb. Taki zupełnie niespodziewany. Kiedy już myślała, że wszystko stracone, jej życie nagle się odmieniło. Znów nabierało blasku. Wciągnęła do płuc ożywcze górskie powietrze.

Na początku nie było jednak aż tak ożywcze, gdyż to nie były takie góry, do jakich byli przyzwyczajeni. Tu powietrze było o wiele wilgotniejsze niż u nich. A niebo? Niebo niemal nigdy nie miało tego błękitnego koloru, za którym tak bardzo tęskniła. Wzdrygnęła się. Dopiero początek września, ale noce bywały już bardzo chłodne. Niedługo przyjdzie mróz. Przeżyła w Bieszczadach już cztery zimy, lecz z obawą myślała o następnej. Znów przez kilka miesięcy będzie się zajmować tylko utrzymaniem ciepła w chacie i bez przerwy przynosić naręcza drewna, które momentalnie spalały się jak zapałka. Znowu pranie będzie zamarzało na sznurku. Jorgos bąkał coś o węglu. O, to by było rozwiązanie. Gdyby jeszcze bywał częściej w domu... Nie przypuszczała nawet, że będzie jej go tak brakować.

– Lepiej, jak dzieci wychowują się ze swoimi – tłumaczył jej. – Uczą się języka, obyczaju. A razem jesteśmy silniejsi.

Powiedzmy, pomyślała z goryczą. Co też ją dzisiaj opętało? Bez przerwy czarne myśli, kiedy na dworze jest tak pięknie. Świeci słońce. Spiżarnia pełna zapasów. Grzyby przygotowane do suszenia, nawet trochę drobnych odłożonych za sprzedaż koszy. A jej ciągle mało!

Jannis maszerował z poważną miną. Ismena zastanawiała się, kiedy syn się wreszcie zorientuje, kim jest głos. Podobało jej się, że potrafi dochować tajemnicy. Jednak zbyt długo nie wytrzymał iść powoli. Za zakrętem puścił jej rękę i pobiegł naprzód.

Do wsi było daleko, ale dobra, sucha droga. Malec zaś lubi długie spacery, a ona powinna kupić chleb.

Mieszkali w większym oddaleniu niż inni uchodźcy z Grecji. Zdecydowanie za daleko, żeby mieć poczucie bezpieczeństwa, jakie dawało życie we wspólnocie, jednak gdy na samym początku Jorgos wybrał właśnie tę smętną opuszczoną pożydowską chatę, nie protestowała. Wiedziała, że robi to z myślą o niej.

Kiedy jesienią 1951 roku przyjechała tu ze Zgorzelca, mąż wkrótce do niej dołączył, więc ta pierwsza zima, gdy oboje próbowali dostosować dom do swoich potrzeb, była bardzo pracowita. Wszędzie pół metra śniegu, temperatura dochodziła do minus dwudziestu. Dla niej śnieg nie był zaskoczeniem, ale Grecy z południa widzieli go po raz pierwszy. Niektórzy wpadali w panikę na taki widok. Była wówczas w zaawansowanej ciąży z Jannisem. Do wsi zaczęła więc przychodzić sama dopiero na wiosnę. Pola zostały już wówczas oczyszczone z min i rozkładających się gdzieniegdzie zwłok, pozostałych tam jeszcze po walkach z UPA. Przez moment miała nadzieję na nowe życie, jednak wkrótce, z rozpaczą – dlaczego Jorgos jej o tym nie powiedział? – rozpoznała wśród mieszkańców wioski swych dawnych wrogów.

Co za pech! Dlaczego nie mogli pojechać gdzie indziej? Nie bała się ani Polski, ani Polaków. Już po pół roku mówiła dość płynnie w tutejszym języku. Zadziwiła wszystkich. Może dlatego, że wcześniej znała też macedoński. Polacy wydawali się tacy mili i gościnni. Kiedy byli w Zgorzelcu, a właściwie ona sama z Nastkiem, bo Jorgos przebywał na szkoleniu wojskowym w Grudziądzu, sąsiadka, dowiedziawszy się o jej ciąży, codziennie przynosiła im do mieszkania ciepłe mleko z masłem i miodem.

Gdyby to od niej zależało, Ismena wyjechałaby gdzieś nad morze. Do Szczecina albo Gdańska. Może podjęłaby pracę? Tu była samotna jak palec, a jej mąż pojawiał się i znikał z kolejną ważną misją, która miała im zapewnić powrót do domu. Do komunistycznej Grecji, bo domu przecież od dawna nie było.

Ta sąsiadka od mleka poinformowała ją w sekrecie, co sądzi o nowym ustroju w Polsce. Była starsza, bez rodziny i nie bała się kapusiów. Poza tym doskonale pamiętała przedwojenne czasy. Również Ismena, która nauczyła się czytać po polsku, stopniowo zaczęła wyłapywać różnice pomiędzy teorią a obserwowaną rzeczywistością.

Mimo wszystko najlepszym rozwiązaniem wydawało się trzymanie ust na kłódkę i niezadawanie żadnych pytań, jak na przykład o losy poprzednich mieszkańców ich wioski. Wyglądało na to, że Żydów wymordowano w obozach, Ukraińców przesiedlono, a w zamian sprowadzono Polaków z innych regionów, no i przede wszystkim ich – uciekinierów z własnego kraju po wojnie domowej.

– U nas mało brakowało, by do tego samego doszło – opowiadała z poważną miną Krajewska, sąsiadka ze Zgorzelca. – Walczyli ci młodzi, tyle krwi spłynęło. I na nic to. Życia nikt nie wróci. A świat już możni między siebie podzielili. Was tak samo zawiedli.

Ismena, która całe życie stroniła od polityki, musiała w ostatnich latach ukończyć jej przyspieszony kurs.

– To zło kiedyś zniknie. Możemy się tylko modlić, żeby to się stało za naszego życia. Ale młodość ci, moja droga, zmarnują.

Ismena grzecznie potaknęła, ale prawdę mówiąc, wcale nie chciała już być młoda. Chętnie zamieniłaby się z tą Krajewską. Nic dobrego z tej młodości nie miała, jedynie udrękę. Gdyby była starsza, wszyscy by się z nią liczyli i ją szanowali. Jej synowie byliby już dorośli, mieli dobre posady, a ona sama nadzieję na spokój i dobrobyt.

Dwóch już mam, pomyślała teraz z półuśmiechem na twarzy. Oj, ale jeszcze dużo pracy przed nią, żeby zapewnić te „dobre posady" synom. Muszą skończyć szkoły. Koniecznie. Może takie jak Ralph? Na to pytanie nie ważyła się odpowiedzieć sobie nawet w myślach. Jorgos nie może się dowiedzieć o jej tajnym planie, bo może go zniweczyć u zarania. Również ona sama powinna wyrzucić imię Ralpha z myśli, by nie wypowiedzieć go przypadkiem przez sen czy w gorączce. Ale czy można aż tak zdyscyplinować swoje myśli? Bywało, że budziła się nad ranem, z obrazem jego twarzy pod powiekami i z uczuciem niemal doskonałego szczęścia. Po chwili, gdy jej wzrok padał na ciemną głowę męża u jej boku, uczucie to ulatniało się jak kamfora.

To nie wróci. Nie można tak cierpieć. Muszę myśleć o dzieciach.

– Janek! Poczekaj na mamę. Masz takie szybkie nóżki!

Stanął natychmiast jak wryty w ziemię. Głos wiele razy ostrzegał go przed pędzącymi końmi i samochodami. Ismena podeszła do niego i ponownie wzięła za rękę. Razem minęli prawosławną cerkiew, leżący obok cmentarz, a potem zabudowania greckiej spółdzielni Nowe Życie. Ismena poprawiła chustkę na głowie, wsuwając pod nią niesforne loki.

Najpierw kupili chleb, a Jannis dostał małą paczkę herbatników. Druga miała być dla Nastka. Włożył ją do kieszeni spodenek, by dać ją bratu.

Przed sklepem rzeźniczym stała dość długa kolejka. Ismena pozdrowiła czekających po polsku i po grecku i ustawiła się na końcu. Jannis ukucnął przed sklepem i zaczął się bawić wyciągniętymi z kieszeni kamykami. Przynajmniej choć przez chwilę czymś się zajmie podczas dłuższego oczekiwania.

Kolejka jednak szybko się przesuwała, a Ismena, choć była ostatnia, miała nadzieję, że tym razem uda jej się kupić coś dobrego. Na szczęście, bo spodziewała się tego dnia męża, a fasolada, którą jedli przez ostatnie tygodnie, już jej się znudziła. Ale do wszystkiego człowiek musiał przywyknąć. Również do tej ubogiej diety, w której tak bardzo im wszystkim doskwierał brak świeżych owoców, warzyw i ryb smażonych na oleju z oliwek. Och, ileż by dała za dojrzały, ociekający sokiem arbuz! Na samą myśl o tym ciekła jej ślinka. Poza tym dopiero od niedawna przestała rozmyślać nad tymi tak bardzo różniącymi się - i tu, i tam - porami roku.

- Pani, dwa metry ta kiełbasa - usłyszała nagle przy ladzie.

- Że co? - zdziwiła się ekspedientka.

- Może być metr - zgodziła się pokornie obsługiwana Greczynka i uśmiechnęła się szeroko.

- Dwa kilogramy - podpowiedziała usłużnie Ismena.

Greczynka odwróciła głowę. Kiedy ją zobaczyła, natychmiast przestała się uśmiechać.

- To ostatnie dwa kilo - zauważyła ekspedientka. - Jeśli pani kupi kilogram, to dla pani sąsiadki też zostanie.

Kobieta zacisnęła usta.

- Dwa kilometry kiełbasa - oświadczyła ostro. A potem z nieukrywanym triumfem na twarzy włożyła do siatki swą zdobycz. Nadęła się tak, jakby miała zamienić się w balon, i z miną zwycięzcy opuściła sklep.

Ekspedientka spojrzała na Ismenę i wzruszyła bezradnie ramionami.

- Wędliny już nie ma, ale - pomyślała przez chwilę i zauważywszy, że zostały tylko we dwie, szepnęła: - mam wędzony boczek i trochę schabu.

Wiosną Ismena sprzedała jej niemal za grosze piękny duży koszyk na zakupy i od tej pory zyskała w niej sprzymierzeńca.

Filipa, szczęśliwa zdobywczyni dwóch „kilometrów" kiełbasy, do nich nie należała. W Grecji mieszkały niedaleko siebie, a Filipa była wyjątkowo ciekawską i wścibską kobietą. Ismena była przekonana, że to ona rozniosła po okolicy historię o niej i o Ralphie. Ciotka od razu ją ostrzegała, że tak się stanie, ale Ismena nie chciała jej wierzyć. Była wówczas taka młoda, naiwna i tak bardzo zbuntowana przeciwko „średniowiecznym" obyczajom. Ralph miał być dla niej ratunkiem, jej rycerzem, wybawcą.

– Po wojnie wszystko się zmieni, Ismi – obiecywał.

– Skąd wiesz?

– Zawsze tak jest po wojnach.

– Ale takiej wojny jeszcze do tej pory nie było.

– Dlatego zmiany będą jeszcze większe.

Pewnie miał rację, bo przecież studiował historię. Mogła godzinami słuchać, jak opowiadał. Mimo iż ciotka nazywała ją molem książkowym, *vivliofagos*, wiedział znacznie więcej niż ona. Jak zahipnotyzowana słuchała opowieści o Aleksandrze Macedońskim, o bohaterach spod Termopil, o teatrze. Jego grecki był również znacznie bardziej literacki. Początkowo nie mogła zrozumieć, jak to możliwe, szczególnie jeśli miało się do czynienia z wysokim, niebieskookim blondynem.

– Moja matka miała greckie korzenie, a ojciec pracował jako konsul w Atenach. Chodziłem tam do szkoły – westchnął Ralph, zapewne wspominając te szczęśliwe chwile, kiedy wraz z braćmi podczas przyjęć dyplomatycznych ukrywali się pod nakrytymi stołami, by podglądać kobiece łydki, i spijali resztki alkoholi. – Po wyjeździe ciągle tęskniłem za Grecją. Za tą specyficzną atmosferą, życzliwością, ludźmi. To jest moja prawdziwa ojczyzna.

Ismena spuściła głowę. Gdyby chodził do szkoły w górskiej wiosce, może nie byłby tego taki pewny i chciałby uciec podobnie jak ona. Wiedziała, że jest niesprawiedliwa. Ale była młoda, niecierpliwa i nie chciała żyć w takim ustalonym przez wieki trybie jak jej sąsiedzi.

– Teraz będę tęsknił za tobą – dodał, biorąc jej dłoń i podnosząc ją do ust. – I też wrócę. Jak najprędzej.

I dotrzymał słowa, pomyślała Ismena, stojąc z siatką przed sklepem rzeźniczym, pogrążona w myślach. Dopiero gdy Jannis pociągnął ją za spódnicę, ocknęła się.

– *Màna!*

– Oj. – Przyłożyła dłoń do ust. – Nastek! On już pewnie czeka przed szkołą i się niepokoi. – Ismena przyspieszyła kroku, niemal ciągnąc za sobą Jannisa.

Obraz, który zobaczyła po chwili, natychmiast uświadomił jej, że nie zdążyła na czas.

Anastazy minął już piętrowy budynek szkoły i szedł w kierunku domu. Jego twarz była umorusana, a łzy cieknące z oczu jeszcze dodatkowo rozmazały brud. Na fartuszku szkolnym widać było błoto, a kołnierzyk został porwany niemal na strzępy.

– Synku – jęknęła Ismena. Rzuciła na ziemię siatkę z zakupami i podbiegła do chłopca. – Co się stało?

Siedmiolatek ze szlochem rzucił się w jej ramiona i zastygł w nich na dłuższą chwilę.

– *Màna! Màna!* – zabuczał Jannis i musiała objąć również jego.

– Pobiłeś się z chłopcami? Kto zaczął? – próbowała ustalić, ale daremnie. Nastek płakał.

Był zupełnie inny niż Jannis, który bez wahania potrafił wskoczyć do zimnej wody, gonić rozdrażnionego koguta czy odważnie rozmawiać z głosem. Anastazy, jak to mówią, bał się swojego cienia. Nie znosił żadnych zmian ani niespodzianek. Ismena to rozumiała. Już jako małe dziecko przeżył dramat i widział zbyt wiele. Próbowała sprawić, by zapomniał o tamtych czasach. Tuliła go i całowała, a kiedy przyszedł na świat Jannis, starała się, by w żaden sposób nie widział w bracie rywala. Ale nic nie pomagało, bo kiedy Nastek poszedł do szkoły, jego lęki jeszcze bardziej się nasiliły.

W tej chwili Ismena miała ochotę wziąć to płaczące dziecko na ręce tak jak kiedyś i zanieść je daleko stąd, aby już nigdy nie poczuło się nieszczęśliwe. Wiedziała jednak, że nie powinna tego robić. Tak się nie wychowuje chłopców. Oni powinni być silni i męscy. Ale co zrobić z dzieckiem, które najchętniej siedzi za piecem i tylko się przygląda wszystkiemu bez słowa?

– Idziemy, dzieci. Porozmawiamy o tym w domu.

I tak się domyślała, że za pobiciem krył się młodszy syn Filipy Lakides, który chodził z Nastkiem do jednej klasy. Widać w domu rodzinnym nasiąkł już za młodu nienawiścią. Nie mogli znieść, że Anastazy, rozpoczynając pierwszą klasę, znał już wszystkie litery greckie i umiał czytać. Miała ochotę sprać tego szczeniaka na kwaśne jabłko. Ale przecież to dziecko. To Filipę powinna wytargać za te jej rzadkie kłaki.

Ismena była tak wściekła, że aż nie mogła normalnie oddychać.

– Jannis, daj bratu ciasteczka – nakazała, mając nadzieję, że trochę słodyczy go pocieszy.

Młodszy brat wyjął z kieszeni rozkruszone herbatniki.

– Dziękuję – odparł Nastek i wpakował wszystkie naraz do buzi.

I co ma zrobić, żeby to dziecko nie jadło tak żarłocznie? To prawda, że najlepszy uczeń, ale również najgrubszy w całej klasie.

– A czy tata dziś przyjedzie? – zapytał Jannis, kiedy opuszczali wieś.

– Mam nadzieję – odparła Ismena, świadoma, że na te słowa Nastek aż się skulił.

Podczas drogi powrotnej starsze dziecko się uspokoiło, a Jannis odzyskał wigor i biegał wkoło, wymachując patykami. W domu Ismena zdjęła z Nastka porwany mundurek, obmyła mu twarz i ręce. Wysłała chłopców, aby przyprowadzili kozy, sama zaś zabrała się do szycia.

To już trzeci raz od początku roku szkolnego, westchnęła zmartwiona. Za chwilę fartuch nie będzie się nadawał do użytku. Lepiej, żeby Jorgos się o tym nie dowiedział. A może powinna sama coś z tym zrobić? Pójść do Filipy i się z nią rozmówić? Na samą myśl o tym robiło się jej słabo. Dlaczego akurat tu musieliśmy przyjechać, pomyślała ponownie. Jednocześnie zdawała sobie sprawę, że dopóki się całkowicie nie odizolują od społeczności greckiej, zawsze będzie narażona na spotkanie z kimś, kto za dużo wie. Byli skazani na życie odmieńców, na uboczu, bez rodziny. Nawet siostra Jorgosa wolała mieszkać z dala od nich.

Skończyła szyć i zmieniwszy kołnierzyk na czysty, powiesiła fartuszek na wieszaku w szafie. Była niewielka, podobnie jak cała chata, ale i tak z powodzeniem mieściła ubrania ich czwórki. Ismena starała się, żeby dom, choć ubogi, cieszył oko barwami i zapachami. Na ścianach wisiały kolorowe, zrobione z gałganków makatki. W kątach izby postawiła owinięte sreberkiem słoje, w których tkwiły zasuszone gałązki z owocami i kwiatami. Dla ozdoby Ismena poprzetykała je czerwonymi wstążkami, kuchenne okno od strony drogi udekorowała skrzynką z kwiatami. Ci nieliczni Grecy, którzy do nich zachodzili, za każdym razem zachwycali się umiejętnościami artystycznymi młodej kobiety. „Powinna uczyć w szkole", sugerowali, ale Jorgos tylko kręcił gniewnie głową. „Dzieci są za małe".

Kiedy już zmierzchało, a w kuchni unosił się aromat mielonych kotlecików, pod dom zajechał samochód i po chwili Ismena usłyszała znajomy odgłos ciężkich kroków.

– Podwieźli nas z Ustrzyk – powiedział, a potem zauważył, że obiad jest już gotowy. – A to się dobrze składa. Aż mi w brzuchu burczy.

Jorgos rzucił czapkę na półkę i rozsiadł się za stołem. Mimo iż stała odwrócona do niego plecami, czuła na sobie jego wzrok.

– Dobrze, że wcześniej przyjechałeś – powiedziała, stawiając garnek na stole.

– Tata!

Jannis z radością wbiegł do kuchni. Nie widział ojca od paru tygodni. Za nim powoli, prawie ukradkiem wślizgnął się Anastazy.

– I jak mój synek? – ucieszył się Jorgos i sięgnął po dzbanek ze zsiadłym mlekiem. Pił łapczywie prosto z dzióbka, a potem otarł wąsy wierzchem dłoni. Natrafił na wzrok Ismeny.

– No i co takiego? Znowu jakieś przesądy bogaczy?

Potrząsnęła energicznie głową. Wiedziała, że nie ma co się z nim spierać. Jego i tak musiało być na wierzchu. Poza tym widziała, że jest lekko podchmielony. Czuć było od niego anyżek i spirytus, polski wariant ouzo, którym ostatnio raczono się w gospodzie greckiej we wsi.

– Dzieci, siadajcie.

Jorgos jadł tak samo łapczywie, jak pił. Białymi zębami rozprawiał się z każdym kęsem mięsa i Ismena miała wrażenie, że gdyby zaszła taka potrzeba, poradziłby sobie nawet z kośćmi. Im zachłanniej jadł on, tym bardziej ona traciła apetyt. Lata głodu i partyzantki zrobiły swoje i z pewnością nie wpłynęły korzystnie na jego maniery, tłumaczyła w myślach męża i podsuwała mu chleb.

– A ty co się tak gapisz? – Wzrok Jorgosa spoczął nagle na Nastku, którego palce wolno zbliżały się po stole do pozostawionego w garnku ziemniaka. – Głodny? Nie dość ci obiadu? W ogóle nie powinieneś nic dostać.

– Jorgos, chciałabym spytać, czy twoja siostra...

Mężczyzna wyciągnął rękę w stronę Ismeny, nakazując jej milczenie.

– Prze...przepraszam – wyjąkał chłopiec.

– Dostał dzisiaj znowu piątkę. Z matematyki.

Cały czas próbowała odwrócić uwagę męża.

– I co z tego! Sama zobacz, ile on je! Czy ja mam zarabiać tylko na niego? Odejdź od stołu, gówniarzu, i nie pokazuj mi się na oczy, pókim dobry.

Nastek w ułamku sekundy zniknął za drzwiami, ale oddech Ismeny wrócił do normy dopiero po chwili. Na szczęście tym razem się udało. W przyszłości się wszystko ułoży. A ona pójdzie do lekarza, żeby coś poradził.

Jorgos po skończonym posiłku wyszedł z chałupy, by zajrzeć do kóz i wypalić papierosa na ławce. Był to dobry czas na zajęcie się dziećmi i położenie ich do łóżka.

– Zimno się robi – powiedział po powrocie. – Zbierz z ogródka, co się da. Idą przymrozki. Mówili we wsi, że w okolicy pojawiły się wilki. Trzeba się będzie tym zająć. Zgłosili to już do powiatu. – Pokręcił się chwilę po izbie. Łypnął też wzrokiem na Nastka zasłoniętego pierzyną po czubek głowy, ale zostawił go w spokoju. Był jakiś nieswój. – Przejrzysz te papiery? – spytał żonę.

Ismena wytarła ręce i podkręciła lampę naftową. W pokoju zrobiło się jaśniej.

– To są wykazy zaginionych z Czerwonego Krzyża.

– Dzieci – zauważyła i nagle jej serce zaczęło bić szybciej.

– Trzeba porównać je z naszymi listami. Daty urodzenia, krewni. Może ktoś się znajdzie żywy.

– Dobrze. – Za każdym razem, gdy patrzyła na te listy, trzęsły jej się ręce.

– Tylko nie siedź nad tym za długo. Możesz skończyć jutro. Zmęczony jestem i światło mi przeszkadza – odpowiedział Jorgos, który mimo wszystko nie zamierzał wyjść z kuchni i zostawić jej samej. Pracowałoby się jej wtedy znacznie szybciej niż pod jego czujnym i mrocznym wzrokiem.

Wypalił jeszcze dwa papierosy, a potem nakazał jej odłożyć papiery. Kiedy umyła się w misce w przedsionku i przyszła do izby, nie spał i czekał na nią. Po chwili poczuła na piersi jego gorącą dłoń.

– Ściągaj tę koszulę – nakazał i za chwilę wpełzł na nią.

Powinna się do tego przyzwyczaić – i do jego oddechu, do chrapliwych jęków, do rozgniatania jej ciała, do bolesnego wtargnięcia – ale nie mogła. Pocieszała się tylko tym, że jest w stanie to przetrzymać. Czasem też trwało to bardzo krótko.

– Wiesz, że ja dla ciebie... wszystko – usłyszała, gdy gryzł ją w płatek ucha.

Ona to wiedziała i dlatego pokornie pod nim leżała. Poza tym był przecież jej mężem. Rytmiczny zgrzyt sprężyn materaca wkrótce ucichł, a on z lubością opadł na nią. Poczekała, aż zaśnie, i wstała, żeby się podmyć.

Może i tym razem się uda, myślała. Jannis miał już trzy i pół roku, a ona nadal nie zachodziła w ciążę. Miała taki ciężki poród w szpitalu w Ustrzykach Dolnych. Lekarze stanowczo odradzali kolejny w najbliższym czasie. Prostymi słowami powiedzieli to nawet samemu Jorgosowi. Bardzo się przejął. Wiedziała, że mu na niej zależy, i dał jej kilka miesięcy spokoju. Jednak któregoś dnia pojawił się w domu z dziwnymi zawiniątkami. Z triumfującą miną wytłumaczył jej, jak działają. Za ich pomocą mógł znów bezpiecznie korzystać z jej ciała. Jednak parę miesięcy temu oznajmił jej, że dostawca tych „zawiniątek" trafił do więzienia, ale to chyba nie szkodzi, bo przecież nadszedł czas na kolejne dziecko.

Ismena modliła się w duchu, żeby do tego nie doszło. Mimo nieregularnych wizyt męża udawało się jej tak niemal od roku i zaczęła już nawet wierzyć, że narodziny Jannisa musiały ją wewnętrznie uszkodzić.

– Po coś już wychodziła? – usłyszała jego głos, kiedy bezszelestnie wróciła do łóżka. – Mam dziś taką ochotę na moją żonę – dodał i przesunął ręką w górę jej uda.

Nie czekając na jego rozkaz, ponownie zdjęła koszulę. Tak, był jej mężem. I wszystko mu zawdzięczała.

Rozdział III

Grecja

Ismena pamiętała swoich rodziców jak przez mgłę. Czasami wydawało jej się, że ten obraz, który widzi, to zasługa licznych opowieści ciotki opisujących jej matkę, zielonooką piękność, w której zakochał się na zabój syn kupca z Salonik, Konstantin Zarras. Matka Ismeny była uciekinierką ze Smyrny po masakrze urządzonej tam przez Turków w 1922 roku. Nikt nie był w stanie pojąć, jak tej trzynastoletniej dziewczynce udało się dotrzeć do Salonik. Jej rodzice zginęli w pożarze miasta. Andrea zapamiętała tylko adres w Salonikach, pod który w razie nieszczęścia miała się zgłosić. Kiedy po miesiącu tułaczki, przebrana za chłopca, pojawiła się na progu domu wspólnika ojca, nikt nie chciał jej wpuścić. Dopiero gdy pokazała pamiątkę rodzinną – wysadzany diamentami krzyżyk, jakimś cudem odnaleziony w zgliszczach – uwierzono jej.

Parę lat później pożałowano tej decyzji. Młody Konstantin, którego los wydawał się przypieczętowany niemal od dzieciństwa, gdyż miał się ożenić z najstarszą córką bogatych sąsiadów, parę miesięcy przed ślubem zerwał zaręczyny. Początkowo tłumaczył to bardzo mętnie, bo jak wyjaśnić to nagłe ukłucie w sercu, jakiego doznał pewnego dnia na widok Andrei w rozpuszczonych włosach. Wyjmowała wówczas coś z szafy. Wyciągnęła do góry dłoń o długich zgrabnych palcach, a materiał sukienki opiął mocno jej kształtne piersi.

I wtedy się odwróciła, czując czyjąś obecność, i spojrzała Konstantinowi prosto w oczy. To jest spojrzenie przyszłej żony, stwierdził młody mężczyzna. Zerwał zaręczyny jeszcze przed rozmową z Andreą. Kiedy jednak w końcu poprosił ją o rękę i powiedziała „tak", wszelkie groźby i prośby ze strony rodziny nie były istotne. Zrzekł się prowadzenia firmy na rzecz młodszego brata i wyprowadził z ukochaną do innego miasta, do Kastorii położonej w zachodniej Macedonii. Tam rozkręcił z sukcesem handel futrami. Był to wyczyn nie lada, gdyż to miasto położone na cyplu jeziora Orestiada zawdzięczało swoją nazwę mieszkającym tam bobrom, a handel futrami stał się głównym filarem tamtejszej gospodarki. Wślizgnąć się na rynek było więc trudno przy takiej konkurencji, ale Konstantinowi się udało. Kiedy więc urodziła się Ismena, życie młodych Zarrasów było wspaniałą bajką, pełną miłości, szczęścia i bogactwa.

I to właśnie tą bajką od czwartego roku życia raczyła Ismenę ciotka. Skrzętnie omijała późniejsze tragedie, jak zatonięcie statku, którym podróżowali rodzice dziewczynki, czy szalejąca w mieście epidemia grypy. Ta ostatnia dotknęła dotkliwie resztę rodziny. Przyrodnia siostra Konstantina, która zajmowała się małą sierotą, chcąc ją uchronić przed chorobą, wyjechała z nią na wieś i tam osiadła na dłużej.

Na tych kwestiach ciotka Kira nie chciała się koncentrować, by nie zasmucać dziecka, i odwracała jego uwagę czytaniem książek.

Jej samej zawsze to pomagało. To była odtrutka na złamane serce, staropanieństwo, utratę rodziny, wreszcie na przeprowadzkę w nieznane. Kira potrafiła być zadowolona z życia w każdych okolicznościach. Zajmowała się nauczaniem dzieci w wiosce i okolicy, umiała rozpoznać chorobę i doradzić, jak ją leczyć. Jej dom był zawsze wypełniony ludźmi poszukującymi pomocy. Ona również jako jedyna w wiosce przepowiedziała wybuch wojny. Nie przewidziała tylko jej rozmiarów. Ale tego nikt nie był w stanie przewidzieć.

Kiedy jesienią 1940 roku Grecji udało się powstrzymać inwazję znacznie liczniejszej armii włoskiej, niektórym wydawało się jeszcze, że wszystko jest możliwe. Ale upokorzony Mussolini poprosił o pomoc niemieckiego sojusznika i po kilku miesiącach wioska o wdzięcznej nazwie Kerasia, w której mieszkały Kira i Ismena, znalazła się pod jego okupacją.

– Ciociu, dlaczego robisz takie zapasy? Przecież sklepy w mieście są pełne towarów – dopytywała się Ismena.

Kira jednak jak zawsze miała rację. Wkrótce można było w nich znaleźć jedynie „chleb z trocin" na kartki. Zapas pieniędzy przeznaczony na zakupy na czarnym rynku, gdzie ceny były horrendalne, szybko topniał.

– Jest przecież jeszcze krzyżyk mamy – zauważyła Ismena.

Jakimś cudem Andrea nie wzięła go ze sobą w tragiczną podróż.

– Dziecko, z tego kiedyś zrobimy użytek. Ale jeszcze nie teraz. Jakoś sobie poradzimy. Pomyśl, jak głodują ludzie w miastach. A ci biedni Żydzi... – Zasłoniła usta, nie chcąc ujawniać przed Ismeną wszystkiego, co wie.

Dziewczyna postanowiła nie wypytywać, tylko próbowała łączyć wszystkie informacje w całość. Na przykład od razu zauważyła, że Kira zbyt często odwiedza dom braci Kassalisów na skraju wioski. Ciotka zawsze się tłumaczyła, że starszy Kassalis cierpi na bóle nogi, ale Ismena poważnie w to wątpiła. Pewnego dnia widziała, jak żwawo tańczył w miejscowym kafenionie. W końcu nie wytrzymała i przycisnęła ciotkę do muru.

Przysięgła na krzyżyk matki i dowiedziała się, że Kira wraz

z Kassalisami organizuje pomoc dla uciekinierów z okupacyjnej strefy bułgarskiej, gdzie armia, mszcząc się za demonstracje przeciw polityce bułgaryzacyjnej, pustoszyła całe wsie i zabijała ich mieszkańców.

– Pamiętaj, nigdy nikomu nie wolno ci ani słowem pisnąć – ostrzegła ciotka.

Któregoś dnia, latem 1943 roku, w domu Kassalisów pojawił się jeszcze jeden mężczyzna. Był to Jorgos, syn ich najmłodszego, zmarłego brata, który przybył z Aten. Ismena, przechadzając się po wiosce ze swą najlepszą przyjaciółką Filipą, zauważyła, że przybysz przygląda jej się z nieukrywanym zainteresowaniem. Wkrótce ich drogi się przecięły.

Jorgos przyniósł Kirze kawałek świeżej sarniny z ostatniego polowania. Ciotka zajęta była opatrywaniem chorego, więc Ismena sama wprowadziła tego młodego, czarnookiego mężczyznę do domu.

Chmurnym, ale zaciekawionym spojrzeniem powiódł po półkach z książkami.

– Wszystkie panienka przeczytała?

– Mam na imię Ismena. – Uśmiechnęła się do niego.

Wiedziała, że nie powinna się tak zachowywać w stosunku do nieżonatego mężczyzny, ale nie dbała o to. Nie była ciemną wieśniaczką, która nie miała pojęcia o myciu zębów czy o ubikacji w domu, i nie zamierzała się przystosowywać do wiejskich norm. Już i tak postanowiła, że jak tylko wojna się skończy, ona wyjedzie do dużego miasta, by dalej się uczyć. Jak będzie potrzeba, to się upokorzy i poprosi o pomoc któregoś z pozostałych przy życiu Zarrasów.

– Prawie. A niektóre po kilka razy. Lubisz czytać?

– Niezbyt. Jak ktoś pracuje, to nie ma czasu na takie... – Nie skończył, ale Ismena wiedziała, co ma na myśli. Nie tylko on miał taką opinię. Filipa, mimo że Ismena wciskała jej w ręce swoje ulubione lektury, też nie umiała dzielić jej entuzjazmu. „I co ci z tego przyjdzie? To są nieprawdziwe bzdury".

– A lubisz pracować w polu? – Wdzięczna za świeże mięso, postanowiła mimo wszystko podtrzymać rozmowę.

– Nie. Lubię polować. – Brzmiało to jak wyzwanie. Odwrócił głowę i spojrzał na nią przenikliwym wzrokiem.

Dziewczyna się zarumieniła. Miała dopiero piętnaście lat, ale wiedziała doskonale, że niewiele starsze od niej dziewczęta ze wsi wychodziły już za mąż. A ten Jorgos patrzył na nią tak... tak dziwnie. Nie powinna go była ośmielać. To chyba był błąd.

– Może kiedyś przyniosę ci jeszcze więcej mięsa. Jak będziesz chciała. Ja dobrze strzelam.

Potaknęła ze spuszczonymi oczami. A może on nie umiał czytać? Jak mogła o tym nie pomyśleć. Biedny chłopak. Może powinna mu pomóc i go nauczyć. Ismena coraz bardziej zapalała się do tego pomysłu. I już chciała go przedstawić swojemu gościowi, gdy Jorgos, wycofując się, wziął do ręki jedną z książek i przeczytał:

– *Wichrowe wzgórza*. Co to za tytuł? Dla kobiet to dobre, ale w czasie wojny prawdziwi mężczyźni zajmują się czymś innym. Walczą. Ja jestem *andarte*, partyzant – powiedział i zostawiając Ismenę z otwartymi ustami, wyszedł wyprostowany z domu.

Parę dni później pojawiła się u niej dziwnie podekscytowana Filipa. Dziewczyna była starsza od Ismeny o rok, ale bardzo do niej przylgnęła. Okazywała jej tyle uczucia i zainteresowania, że Zarassówna znosiła jej hałaśliwe i wścibskie towarzystwo.

Krążyła po pokoju przyjaciółki, co chwila brała do ręki jakiś należący do niej przedmiot i tarmosiła go w rękach.

Ismenę to denerwowało. Postanowiła poruszyć temat, który zawsze interesował Filipę, czyli chłopców. Był to dobry wybór, bo przyjaciółka zaraz się ożywiła i nie wiadomo kiedy namówiła Ismenę do wyjścia z domu i do podglądania siedzących w gospodzie mężczyzn.

– Oszalałaś! Jeszcze nas tam ktoś zobaczy i najemy się wstydu.

– Nikt nas nie zobaczy, mówię ci. Ja mam od wujka klucz do takiego składziku obok. Zauważyłam, że jest tam niewielki otwór w ścianie, przez który wszystko widać.

A to co innego. W domu nie było nikogo. Ciotka poszła do umierającego, by mu swymi ziołowymi wywarami ulżyć w bólu. Ismena narzuciła więc na siebie chustę i wyszły.

– Podobno najmłodszy z Lakidesów ma się ze mną żenić – oznajmiła Filipa.

Najmłodszy czy najstarszy – nie było żadnej różnicy. Według Ismeny wszyscy byli beznadziejni. Ale Filipa już od paru lat wyszywała na wyprawę ślubną wszystko, co znalazła pod ręką.

– A podoba ci się?

– A czy mam coś do powiedzenia? Nikt inny mi się nie trafił... – odpowiedziała pragmatycznie Filipa.

Ismena dała przyjaciółce kuksańca w bok i ta o mały włos nie wpadła do rowu. Potem obie tak zanosiły się od śmiechu, że z trudem trzymały się na nogach.

– Cicho, nie możemy się tak drzeć, bo nas usłyszą – pierwsza oprzytomniała Filipa i otworzyła kłódkę.

W ścianie były nawet dwa otwory, i to dość spore, bo wpuszczały światło z gospody.

– Coś tam mieli przytwierdzić i im nie wyszło. – Ismena zobaczyła wyszczerzone w uśmiechu zęby przyjaciółki. – Patrz, ilu chłopaków!

Przyłożyła oko do drugiego otworu.

Słychać było donośne dźwięki buzuki. Mężczyźni bawili się świetnie i zaczynali tańczyć sirtaki.

– Znasz tego wysokiego z lewej? – spytała Filipa.

– O tak.

To był Jorgos. W śnieżnobiałej rozpiętej na piersiach koszuli. Pod nią widać było rozbudowane mięśnie. Trzymając rękę na ramieniu towarzysza, poruszał się zgrabnie i rytmicznie. Za chwilę cała gospoda drżała od stukotu stóp. Wyglądało to tak pięknie i dynamicznie, że Ismena żałowała, iż jest dziewczyną i nie może uczestniczyć w takim ciekawym życiu jak mężczyźni. Też by chciała tak tańczyć.

– Podoba ci się? – odpowiedziała pytaniem Ismena, mając na myśli taniec, ale w odpowiedzi usłyszała:

– Gdyby poprosił o moją rękę, to nie kończyłabym wyprawy. Pobiegłabym za nim tego samego dnia.

W głosie Filipy słychać było nutę tęsknoty, więc Ismena zrozumiała, że to wcale nie żart. Pojęła też, dlaczego przyjaciółce tak bardzo zależało, aby tego dnia podglądać mężczyzn w gospodzie.

– Lakides nie miałby żadnych szans – zachichotała, pochłaniając wzrokiem tańczącego mężczyznę.

Kilka dni później obie dziewczyny postanowiły wybrać się na wędrówkę, by nazbierać dla Kiry ziół rosnących w wyższych partiach gór. Żeby uchronić się przed pomyłką, Ismena skopiowała obrazki roślin z książki ciotki. Zabrały ze sobą wodę i torbę na zioła.

– Prawdę mówiąc, wolałabym iść nad jezioro – marudziła nieco Filipa, gdyż dzień należał do upalnych. – Marzę o tym, by mieszkać w Kastorii.

Kilkanaście kilometrów stanowiło jednak różnicę. I zamiast przebywać w mieście noszącym ślady wielu kultur: otomańskiej, bułgarskiej, serbskiej i greckiej, włóczyły się po górskim pustkowiu. Ismenie nie wystarczałaby Kastoria, którą dzięki ciotce dość często odwiedzała. Pragnęła wyjechać do Salonik, do Aten, a nawet dalej, by przeżyć coś wyjątkowego.

Jak zwykle pofantazjowały sobie, z tym że potem Ismena zabrała się do poszukiwania ziół, a Filipa leniwie wlokła się za nią, zastanawiając się na głos, czy Jorgos Kassalis ma już jakąś ukochaną.

– Może zostawił ją w Atenach. – Ismena postanowiła sprowadzić przyjaciółkę na ziemię. – Ma już swoje lata.

– No, ma – przyznała Filipa. – *Thija* Kassalis mówiła, że skończył dwadzieścia jeden lat.

– A gdzieś ty to wyszpiegowała?

Po chwili obie śmiały się tak, że nie mogły przestać. I gdyby ktoś zapytał je dlaczego, nie umiałyby tego wyjaśnić. I co z tego, że gdzieś toczyła się wojna. Życie po prostu było takie piękne.

Ismena ocierała spłakane oczy i w pierwszej chwili nie zauważyła, co się dzieje. Poczuła nagle, że coś ją łapie od tyłu i unieruchamia w objęciu.

– Zamknijcie się – usłyszała czyjś głos mówiący po grecku i zobaczyła, jak oczy Filipy robią się okrągłe z przerażenia.

Ismena nie mogła się wyrwać. Nie mogła też zobaczyć swego napastnika. Widziała tylko jego rękę, w której trzymał broń wycelowaną w Filipę. I czuła jego zapach. Okropny smród niemytego od dawna ciała, które zaczęło napierać na nią od tyłu. Napastnik wyjął z jej torby bukłak z wodą i zaczął łapczywie pić. Obróciła lekko głowę i zobaczyła tylko poruszającą się grdykę zarośniętego mężczyzny. Nagle zerknęło na nią oko. Lekko się uśmiechało. Napastnik odrzucił bukłak w krzaki i Ismena ze zgrozą poczuła, jak podnosi jej spódnicę.

– Proszę nas zostawić. Jesteśmy biedne – wyjąkała, patrząc na Filipę, która była zielona na twarzy.

Ręka jednak przesuwała się w górę jej uda i wślizgiwała pod bieliznę.

– Nie! – wykrzyknęła, rozdrapując dłoń mężczyzny, i w tym samym momencie poczuła mocne uderzenie w ucho. Zawirowało jej w głowie i upadła. Na chwilę straciła przytomność. Kiedy ją odzyskała, zobaczyła, że leży na ziemi, natomiast mężczyzna – teraz z kolei widziała tylko jego plecy – kładzie się na sparaliżowanej ze strachu Filipie. Ona otwiera usta, ale nie dobiega z nich żaden dźwięk.

Co robić, pomyślała, szukając wzrokiem czegoś, czym mogłaby uderzyć napastnika. Zanim będzie za późno. Mężczyzna uniósł się, żeby poluzować spodnie, i w tym momencie rozległ się strzał.

Ismena zobaczyła, jak jego ciało opada na bezradną Filipę. Podniosła się z ziemi i nadal czując zawroty głowy, na czworaka podpełzła do przyjaciółki.

– Nie bójcie się. Już wszystko w porządku – rozległ się czyjś głos.

Z zagajnika z bronią w rękach szedł w ich stronę Jorgos Kassalis.

Wszystko było dobrze. Na skroni mężczyzny ziała wielka rana. Ismena, nie czekając na pomoc Jorgosa i pokonując obrzydzenie, zepchnęła go z Filipy, która wyglądała na obłąkaną z przerażenia. Gdy tylko została uwolniona od ciężaru, zerwała się z ziemi i bez słowa uciekła.

– Czy on? – spytał Jorgos, nerwowym ruchem poprawiając na głowie czarną czapkę.

– Nie – pokręciła głową Ismena i zaczęła wstawać z kolan. Kassalis podał jej rękę.

– Kto to jest?

– Pewnie jakiś włoski dezerter. Nikt go nie powinien szukać – oznajmił i obrócił trupa nogą, by lepiej zobaczyć miejsce, w które trafiła kula. – Niezły strzał. – Był z siebie dumny, ale dla Ismeny brzmiało to mimo wszystko okrutnie. Może jednak nie powinna tak myśleć. Gdyby nie Jorgos...

– Gdyby nie ty... – westchnęła i lekko się zakołysała. Chciało się jej wymiotować. Podparł ją ramieniem.

– Nie ma sprawy. Na szczęście byłem w pobliżu. Dasz radę sama wrócić? Muszę się pozbyć ciała. Na wszelki wypadek.

Pokiwała głową.

– Jeszcze raz ci dzię... – nie skończyła, bo Jorgos zamknął jej usta pocałunkiem.

– Zawsze się będę tobą opiekował – powiedział, zanim odeszła na uginających się nogach.

W zasadzie już wtedy Filipa zaczęła jej unikać. Tak jakby wcale nie uciekła i widziała ten ich pocałunek. Może jednak był inny powód, zastanawiała się Ismena. Może Filipa się wstydziła, że oni oboje stali się świadkami jej potwornego upokorzenia. Ale to przecież nie jej wina. A tamten przecież najpierw zaatakował Ismenę! Kilkakrotnie próbowała porozmawiać z przyjaciółką, by wyjaśnić sobie wszystko, ale ona zasłaniała się brakiem czasu i pracami domowymi. Po paru miesiącach Kira przyniosła do domu wiadomość, że Filipa wychodzi za mąż za Sotiriosa Lakidesa, a ślub ma się odbyć na wiosnę. To, że przyjaciółka nie powiadomiła jej o tym osobiście, oznaczało jedno: nie chciała mieć z nią już nic do czynienia.

Jeśli zaś chodzi o Jorgosa Kassalisa, ten po prostu zniknął. Początkowo Ismena martwiła się o niego, obawiając się, że może został zabity przez innych dezerterów, ale jego wujowie nie wyglądali na zmartwionych. Któregoś dnia dziewczyna nie wytrzymała i spytała ciotkę. Ona zawsze tak dużo wiedziała. Ta pokiwała tylko głową i powiedziała:

– Poszedł w góry walczyć. To dzielny chłopak. Wpadł ci w oko?

W tym momencie Ismena musiała się oburzyć. Ale im bardziej oburzoną minę robiła, tym bardziej rozśmieszało to Kirę. Ciotka jednak po raz kolejny ją ostrzegła. Jeśli ktoś połączy ją z jakimkolwiek mężczyzną, jej życie w tej wsi będzie nie do zniesienia. Ismena zawsze powinna pamiętać o swoim honorze. Dziewczyna postanowiła więc już go nie wspominać. Tego pocałunku również. Gdyby ciotka się o tym dowiedziała! A ten pocałunek przecież niczego nie oznaczał. I wcale jej się nie spodobał!

Wkrótce jednak o wyczynach *andartes* zaczęło być głośno również w ich wiosce. Z okolicy znikało coraz więcej mężczyzn. Przyłączali się do ruchu oporu ELAS. „Chyba niedługo kobiety same będą musiały się wszystkim zajmować", skarżyły się pozostałe w domach małżonki i narzeczone, mimo wszystko dumne ze swych bojowników, którzy porzucali pastwiska, by z karabinem w dłoni wypędzać okupantów z ojczyzny. We wsi czuć było atmosferę ogólnego podniecenia, a osoby sympatyzujące do tej pory z Niemcami szybko zmieniały front, próbując dogadać się z silniejszym.

Któregoś sierpniowego dnia 1944 roku Ismena, wracając do domu, została zatrzymana w drzwiach przez brodatego mężczyznę. Wpadła w panikę, myśląc, że powtórzy się sytuacja sprzed roku, ale po chwili zobaczyła wyłaniającą się z głębi domu sylwetkę Kiry.

– To moja bratanica – wyjaśniła jej obecność nieznajomemu.

Ten uśmiechnął się i wpuścił ją do środka.

W izbie było dwóch innych mężczyzn, ale jeden z nich leżał na stole. Ismena drgnęła. Jego noga od uda w dół była cała zakrwawiona. Przez poszarpane spodnie widać było kość.

– Chodź, pomożesz mi – zarządziła Kira.

„Żeby tylko nie amputacja", pomyślała Ismena. Mimo iż często pomagała Kirze przy chorych, nie mogła przyzwyczaić się do ich bólu i cierpienia. Spojrzała na rannego. Miał otwarte oczy koloru letniego nieba.

– Patrz, jaką masz pielęgniarkę – zaśmiał się towarzysz rannego, żeby podnieść go na duchu. Ismena wiedziała jednak, że jest zaniepokojony jego stanem. Ranny odpowiedział coś niezrozumiale. Na jego czole kroplił się pot.

– Kiedy to się stało? – spytała Kira ze zmarszczką zmartwienia na czole.

– Dzisiaj rano.

Póki żył, zawsze była szansa. Tym bardziej że koledzy bardzo profesjonalnie zatamowali mu krwawienie z uda. Ta opaska uciskowa... Ismena spojrzała na mężczyzn ze zdziwieniem. Żaden z tutejszych mieszkańców nie potrafiłby tego zrobić. Kim oni byli? Partyzantami z Kastorii, z Salonik? Byli uzbrojeni i stale sprawdzali, czy nikt się nie zbliża. Słyszała, jak ze sobą rozmawiają, i coś jej nie dawało spokoju.

– Ismeno, rusz się. Nie stój jak zaczarowana.

Pilnujący rannego skomentował to natychmiast.

– Widzisz, jakie robisz wrażenie na kobietach, Ralph. Nawet w takim stanie.

Dziewczyna wstrzymała oddech. Ralph? Oni musieli być cudzoziemcami. Mimo iż wyglądali na Greków i mówili po grecku, było w nich coś obcego. Ale skąd się tu wzięli?

Ponownie spojrzała na rannego. Przyglądał się jej. Podała mu wywar przyrządzony przez ciotkę. Pił drobnymi łykami, nie spuszczając z niej wzroku, ale wkrótce jego niebieskie oczy się zamknęły.

Ismena siedziała przy rannym Ralphie i machinalnie gładziła go po ręce. Spał, więc czuła się bezkarna; jego dłonie o smukłych długich palcach przyciągały ją. Nie był wieśniakiem, nie z takimi rękami, to było oczywiste.

Wtem dobiegły ją słowa Kiry, która rozmawiała z partyzantami.

– Zszyłam mu ranę. Na szczęście nie jest głęboka, ale nie można jeszcze zabrać go w góry. Wda się zakażenie i dostanie gangreny.

– Ale on nie może zostać we wsi. Nie wiadomo, jakie represje szkopy jeszcze wam zgotują. Oni są teraz wściekli jak osy. Nie możecie się narażać.

– Wiem. – Kira intensywnie myślała. – Przeniesiemy go do mojej kryjówki.

Ismena otworzyła szeroko oczy ze zdziwienia. Do tej pory nie miała pojęcia, że jej ciotka ma jakąś kryjówkę.

Po godzinie już ją znała. Kiedy nadeszła noc, mężczyźni zręcznie przenieśli tam rannego Ralpha, używając do tego blatu stołu. Ismena nigdy nie przypuszczała, że za skałą, gdzie skręcało się do zrujnowanej chaty w zapuszczonym gaju oliwnym, znajduje się wyłom z powodzeniem dający schronienie co najmniej dwóm osobom. Plecionka ze sznurka ozdobiona mchem i gałązkami znakomicie maskowała wejście.

– Zabierzemy go najszybciej, jak to będzie możliwe.

– Róbcie swoje. On tu na was poczeka. Nic złego mu się nie stanie, obiecuję – powiedziała Kira, a jeden z mężczyzn wcisnął Ismenie do rąk czekoladę.

– Dziękujemy – powiedzieli i zniknęli w czeluściach nocy. Bezszelestnie. Jak duchy.

Wywar Kiry okazał się tym razem wyjątkowo mocny, bo kiedy Ismena przyszła do kryjówki następnego dnia rano,

Ralph jeszcze spał. Jego wargi były suche i spieczone, ale Ismena dotknęła jego czoła i stwierdziła, że raczej nie ma gorączki. Bandaże też nie przesiąkły krwią. Miała tylko nadzieję, że nie zdarzy się nic niespodziewanego. Ismena zbliżyła nos do rany, ale nie wyczuła żadnego szczególnego zapachu. Wiedziała, jak cuchnie gangrena i czym się kończy.

Ciotka z samego rana została poproszona o pomoc przez akuszerkę. Szykował się trudny poród, a nikt w okolicy nie potrafił uśmierzyć bólu tak skutecznie jak ona. Wyekspediowała więc bratanicę do kryjówki, ostrzegając tylko, że po zaopatrzeniu rany Ismena powinna natychmiast wrócić do domu. Nikt nie może jej widzieć. I ani słowa Kassalisom. Pod żadnym pozorem.

– Ale przecież oni pomagają partyzantom.

– To nie byli partyzanci – usłyszała tylko.

W takim razie kim jest ten przystojny mężczyzna?

– Co ja tu robię? Byłaś ze mną przy wybuchu? – usłyszała nagle i wystraszona upuściła bandaż.

Niebieskie oczy były szeroko otwarte. Najwidoczniej nic nie pamiętał z poprzedniego dnia.

– Zostałeś ranny. Opiekujemy się tobą. To znaczy moja ciotka Kira i ja. Twoi towarzysze przynieśli cię do tej kryjówki. Zabiorą cię stąd, gdy twój stan się poprawi. Powiedzieli, że najpierw wygonią Niemców.

Cicho jęknął.

– Mam pecha. Rodzinnego pecha. Jak masz na imię dziewuszko?

– Ismena.

– Córka Jokasty i Edypa. Siostra Antygony.

– Tak, to była ta odważniejsza siostra, ale ja akurat nie mam rodzeństwa – dodała, niemal pękając z ciekawości, kim jest ten znawca Sofoklesa. – Jesteś partyzantem?

– Można tak powiedzieć. W każdym razie jestem tu po to, by was wyzwolić.

– Was? – zdumiała się Ismena.

Ralph rozejrzał się wokół i stwierdziwszy, że są sami, powiedział:

– Jestem Amerykaninem. Podporucznik Ralph Suskin.

Od tej pory życie Ismeny stało się tak podniecające i ciekawe, jak zawsze pragnęła. Oczywiście czynnikiem sprawczym, który to wszystko uruchomił, był Ralph. Niestety, ciotka, widząc jej roziskrzone spojrzenie po wizycie w kryjówce, natychmiast doszła do wniosku, że dziewczyna nie powinna chodzić tam sama ani tym bardziej przebywać w towarzystwie młodego, choć rannego, mężczyzny. Ismena musiała więc mocno się starać, żeby ją przechytrzyć. Na szczęście Kira miała coraz więcej pracy i... coraz więcej rannych i cierpiących. Myśl o rychłym wyzwoleniu sprawiała poza tym, że ciotka stawała się bardziej rozkojarzona i czasem zapominała o tym, że ma jej pilnować.

A tymczasem niesforna bratanica prowadziła długie rozmowy z błyskawicznie zdrowiejącym Ralphem Suskinem. Ileż on miał wiedzy i ile widział świata! Londyn, Paryż, Rzym, a nawet Ameryka Południowa. I ilu ludzi poznał!

– W Stanach większość ludzi ma europejskie korzenie. Mówiłem ci już, że moja matka jest z pochodzenia Greczynką? Mam też w sobie krew rosyjską. Moje nazwisko brzmiało kiedyś Szuszkin, ale ojciec je zmienił, żeby łatwiej się je pisało.

A im częściej Ismena słuchała opowieści Ralpha, tym bardziej dochodziła do wniosku, że jego pojawienie się w wiosce nie było przypadkowe. To Bóg wysłuchał jej modlitw.

– Wrócę tu do ciebie, jak się wojna skończy. – Ismena

właśnie skończyła go golić i po tych słowach brzytwa niebezpiecznie zadrżała jej w dłoni.

– Nie sądzę – odpowiedziała, starając się nadać głosowi normalny ton. Musi przecież mu pokazać, że nie jest aż tak naiwna, jak tego pragnie jej serce. – Będziesz miał inne zajęcia. Może wrócisz do Grecji, kto wie. Ale pewnie jako dyplomata lub naukowiec, ale nie po to, by spotkać się z jakąś ciemną dziewczyną z gór.

– Nie jesteś „jakaś" ani tym bardziej ciemna. Ty i pani Kira uratowałyście mi życie. Tego się nie zapomina.

Ale czasem wypiera z pamięci, pomyślała Ismena, przypominając sobie incydent z dezerterem.

– Poza tym, jak wrócisz, to będę miała pięcioro dzieci i zazdrosnego męża, który nie pozwoli mi nawet z tobą porozmawiać. – Zaśmiała się, chowając do torby przybory do golenia.

Ralph uniósł głowę z jej kolan i usiadł. Kiedy Ismena obróciła się w jego stronę, dotknął ręką jej chustki. Siedziała jak skamieniała, kiedy ją wolno rozwiązywał. Spod chustki wysypały się ciemnozłociste loki, na które patrzył z zachwytem.

Dziewczyna zadrżała. Wiedziała, że powinna czym prędzej opuścić kryjówkę. Czuła, że za chwilę stanie się coś nieodwracalnego. Sama nie wiedziała, czy jest na to gotowa, ale za każdą cenę pragnęła być obok tego mężczyzny.

I wówczas Ralph pociągnął ją ku sobie. Przez chwilę tylko na siebie patrzyli. Z dworu dochodził ogłuszający chór cykad. Ismena czuła w skroniach pulsowanie krwi. Nagle Ralph westchnął i odsunął od niej twarz.

– Coś się stało? Boli cię coś?

Ponownie ujął jej rękę i uścisnął ją, ale w uścisku nie było pieszczoty, tylko pocieszenie.

– Pomyślałem o tym zazdrosnym mężu. – Zaśmiał się

lekko. – Ismeno, nie chcę ci niszczyć życia. Idź już. Jestem zmęczony.

Kiedy wychodziła z kryjówki, drogę przesłaniały jej łzy. Dopiero po dłuższej chwili zauważyła, że nie ma na głowie chustki. Tłumiąc szloch, zgarniała niesforne włosy.

Być może wtedy ją ktoś zauważył? Nie była tego pewna. Mieszkała w niedużej wiosce, jednak zamieszkanej przez miliony oczu, które widziały, kto kiedy wychodzi z domu, kto się z kim spotyka, a nawet kto zakopuje w ogrodzie rodzinne skarby. Milionom oczu towarzyszyły miliony nosów, potrafiące na odległość wyczuć, jaką potrawę przygotowuje sąsiad, a także miliony uszu, którym wystarczył szelest, by się zorientować po krokach, kto dokąd idzie. Nawet jeśli nie byłaby to prawda, te miliony zmysłów napędzały tysiące języków, mielących pogłoskę czy plotkę aż do momentu, gdy stała się prawdą lub też... do znudzenia.

Kolejne dni były dla Ismeny mordęgą. Nie poszła już do kryjówki Ralpha, mimo iż w piersiach odczuwała jak najprawdziwszy ból, który odbierał jej oddech. Próbowała kryć swoją rozpacz, rozczarowanie i upokorzenie, ale była skazana na nieustanne przebywanie z innymi ludźmi. Co chwila ktoś przychodził do domu albo musiała wieszać pranie lub pracować w ogrodzie przy zbiorze dojrzałych w sierpniowym słońcu owoców. W dzień przychodziły wścibskie sąsiadki, żeby rozmawiać o zbliżającym się końcu wojny, wieczorami, mimo iż pochylała nisko głowę nad migającymi w jej dłoniach drutami, to i tak dla ciotki Kiry nie stanowiła żadnej zagadki. Kobieta kiwała tylko głową z niepokojem.

– Jeszcze zdążysz zaznać świata, dziecko.

A pewnego dnia spojrzała na nią uważnie zza okularów i powiedziała:

– Tego chłopca już nie ma. Wrócił do swoich.

Ismena nie była w stanie zapanować nad emocjami. Zbladła, potem poczerwieniała, a druty potoczyły się po podłodze, jakby zdmuchnął je górski wiatr.

Nie zdążyła powiedzieć ani słowa, bo w tej samej chwili załomotano do drzwi. Rodziło się kolejne dziecko. Kira pochwyciła tylko swoją torbę, szybko ucałowała bratanicę w czoło, wsiadła na osła i pospieszyła wraz z mężem rodzącej do sąsiedniej wioski.

Kiedy parę minut później rozległo się pukanie, Ismena, sądząc, że ciotka o czymś zapomniała, bez wahania odsunęła zasuwę.

Widząc przed sobą mężczyznę opartego na długim kiju, chciała natychmiast zamknąć drzwi, ale wówczas usłyszała:

– To ja. Nie mogłem odejść bez pożegnania.

I wówczas Ismena wpuściła Ralpha do środka, tym samym przypieczętowując swój los.

– Nie zostawię cię, Ismi. Wrócę po ciebie – mówił Ralph, który już od godziny próbował się ubrać. Jednak za każdym razem, kiedy spojrzał na szczupłą sylwetkę leżącej obok niego dziewczyny, jego postanowienie słabło.

– Co ze mnie za żołnierz! Nienawidzę tej wojny i zabijania. Chcę żyć z tobą. Mieć pół tuzina dzieci.

Pierwsza oprzytomniała Ismena. Mimo bólu w dole brzucha po raz pierwszy w życiu doświadczała takiej lekkości. Postanowiła sprowadzić Ralpha do doliny, którą miał iść w poszukiwaniu swych towarzyszy. Były dwa miejsca, w których mogli obecnie przebywać.

– Trzymaj, to na drogę. – Ismena wcisnęła mu pod pazuchę ćwiartkę kukurydzianego chleba.

– Jestem łajdakiem. – Ralph po raz kolejny zabrał się do

samobiczowania. – Jak mogłem to zrobić! Ale Ismi, ja tak bardzo...

Zamknęła mu usta pocałunkiem. Czuła się teraz niczym bohaterki dramatów, które z takim uwielbieniem czytała.

– Wiesz, co to jest fatum, prawda? Tu jest jego ojczyzna i nie ma od niego ucieczki. My, Grecy, znamy się na tym najlepiej. Nie mieliśmy wyboru, Ralphie. Tak musiało się stać.

– Chciałbym ci coś dać. Żebyś o mnie myślała. Ale idąc na akcję, nie mogliśmy zabrać ze sobą nic osobistego. Nic, co mogłoby pomóc w identyfikacji.

– Poczekaj! – Ismena pobiegła do swojej skrzyni i wyciągnęła z niej krzyżyk matki. – On przynosi szczęście. Nie możesz się z nim rozstawać.

Nawet w ciemności Ralph widział, że ma przed sobą zbyt cenną pamiątkę, i nie chciał jej przyjąć – tej nocy Ismena już i tak ofiarowała mu stanowczo zbyt wiele – ale miał do czynienia z osobą o wielkim darze przekonywania.

Od dnia rozstania z Ralphem zaczął się dla Ismeny okres wyczekiwania. Wiedziała, że dopóki trwają walki, nie ma co liczyć na żadną wiadomość, a one zdawały się trwać w nieskończoność. Koniec wojny nie oznaczał odłożenia broni i początku pokoju.

Kiedy rozpadł się rząd koalicyjny, w grudniu 1944 roku w Atenach wybuchły zamieszki. Nie pomogło nawet porozumienie podpisane w Warkizie pomiędzy komunistami a zwolennikami monarchii. Już kilka tygodni później rozpoczęło się masowe prześladowanie członków byłego ruchu oporu. Również wybory powszechne w marcu 1946, bojkotowane przez komunistów i odbywające się w atmosferze prześladowań, wykazały jasno, że na spokój nie ma szans. A przynajmniej nie w najbliższym czasie.

– Nie po to walczyliśmy! – Walił pięścią w stół starszy Kassalis, zdenerwowany przebiegiem wydarzeń. – Ja dobrze pamiętam, jak to było przed wojną! Monarchia, tfu! Zostaliśmy oszukani, sprzedano nas Anglikom. Nigdy się ich stąd nie pozbędziemy! To przez nich Jorgos trafił do więzienia.

– Do więzienia? – zdziwiła się Ismena, bo nagle zrobiło jej się smutno. Przypomniała sobie ten ich pocałunek w górach. Przecież ją wówczas uratował.

– Jako komunista. Nic nie wiesz, dziecko. Zamykają tysiące ludzi, tylko za to, że nie podobają im się ich poglądy. A kto wyzwalał ten kraj? My, ELAS, a nie ci kolaboranci, monarchiści, tfu! – zaklął po cichu, żeby nie urazić obu kobiet, którym przyniósł trochę świeżego mięsa i które w podziękowaniu podjęły go tsipouro.

– Panos, niech się pan uspokoi. Jeszcze pan udaru dostanie – uspokajała sąsiada Kira.

– Dżemojady jedne! Kto kartkuje żywność, kto się za tym wszystkim kryje, co? I jeszcze te egzekucje. Traktują nas jak kolonię. Amerykanie nie są lepsi.

– To prawda, nic nie mamy do powiedzenia. Wielcy tego świata wszystko już między sobą podzielili.

– To jeszcze ci „wielcy" zobaczą co i jak! Jeszcze zobaczą naszych *andartes*, pomnij, sąsiadko, moje słowa. Zobaczą, jaką możemy być potęgą. Nasz Aleksander Macedoński...

Nic dziwnego, że Kira w wielkiej tajemnicy przywiozła z Kastorii list od Ralpha przysłany na adres dawnych sąsiadów Zarrasów. Były też pieniądze, dolary. Z podziękowaniem za opiekę. I, niestety, osobna kartka dla Ismeny, której sokoli wzrok natychmiast ją wypatrzył i ciotce nie udało się jej ukryć.

– Pewnie i tak wszyscy się o tym dowiedzą, ale może trochę czasu minie – mówiła Kira, próbując zniechęcić Ismenę do korespondencji z Amerykaninem. – Lepiej niech nasi nie wiedzą, że pomagałam też tym drugim. Ale jak człowiek cierpi, to nie ma różnicy, jakie ma poglądy.

– On chce, żebym przyjechała do Ameryki – przyznała się w końcu bratanica.

– Powinnaś tutaj znaleźć męża – skomentowała to bezdusznie Kira, czując w głębi serca, że jej liberalne wychowanie było błędem.

Zabranie Ismeny na kilka miesięcy do Kastorii, gdzie załatwiała sprawy spadkowe, również nie było rozsądnym krokiem. Dziewczyna nabrała apetytu na życie w mieście, a tam się okazało, że z całkiem pokaźnego majątku Zarrasów niewiele pozostało, gdyż prawnik, który miał go dopilnować w imieniu spadkobierczyni, postanowił najpierw pomyśleć o własnej rodzinie.

Kira była wściekła, że zaufała takiemu oszustowi i nieroztropnie zmarnowała majątek. Poza tym rozbudziła u bratanicy aspiracje, i w efekcie ta goniła za mrzonkami. Ale może teraz, po wojnie, będzie wszystko inaczej, zastanawiała się starsza kobieta. Z coraz większym niepokojem patrzyła na Ismenę: każdą wolną chwilę dziewczyna spędzała na czytaniu angielskich książek, które udało jej się dostać w Kastorii po wywiezionych stamtąd Żydach. Kira postanowiła schować honor do kieszeni i napisać list do swego jedynego żyjącego przyrodniego brata, by prosić go o pomoc w sprawie Ismeny. Trzeba było coś z nią zrobić!

Ciotka Kira nie zdążyła wdrożyć w życie swych zamiarów. Zanim rodzina z Salonik zdążyła odpisać, jesienią 1947 roku Ismena została wcielona do partyzanckiej armii.

To nie mieściło się w głowie. Jeszcze wczoraj zbierała zioła dla Kiry, piekła chleb i po raz tysięczny czytała listy od Ralpha, które otrzymała od niego w ciągu dwóch lat, by dzisiaj razem z innymi zabranymi z Kerasii niezamężnymi dziewczynami siedzieć na szkoleniu politycznym.

Gdyby wiedziała, co tego poranka oznacza łomot do drzwi, czmychnęłaby do kryjówki. Ciotka mogłaby im powiedzieć, że wyjechała do Kastorii do znajomych. Może tym razem by się udało? A teraz nie miała żadnego wyboru. Siedziała w burym ubraniu, po raz pierwszy w życiu w spodniach, i miała się ćwiczyć w zabijaniu innych ludzi. Na samą myśl o tym cierpła jej skóra. Za nic nie chciała brać w tym udziału. Tyle było złej krwi pomiędzy ludźmi! Z jednej strony po wojnie nie nastąpiło żadne rozliczenie win, prześladowano byłych partyzantów, do niedawna bohaterów, ale z drugiej strony lewica odgrywała się, zabijając niewinnych ludzi. Ismena przecież tak nienawidziła przemocy, a teraz wbrew sobie miała jej używać.

– Myślisz, że mogą nam coś zrobić? – usłyszała szept którejś z dziewczyn.

– Chyba nie to, co byś chciała. Oni ślubowali czystość – odpowiedziała jej inna, wzbudzając ogólny chichot, mimo że mówiła prawdę.

Ismena, gryząc kawałek placka, który ciotka w ostatniej chwili wcisnęła jej do ręki, powstrzymywała łzy. Gdzieś w głowie błąkał się cień nadziei, że być może Kira postara się załatwić jej zwolnienie z wojska. Przecież przez tyle lat pomagała partyzantom z ELAS. Uratowała tylu z nich. Chyba nie mogą pozostać głusi na jej prośby? Inaczej ona tu umrze z głodu. Nie będzie jadła tej brei z menażki, której nawet nie ma gdzie umyć!

Ismena była tak pochłonięta swoimi myślami, że dopiero po chwili zauważyła, że inne dziewczyny jej się przyglądają. Większość była od niej młodsza. Wczoraj, kiedy pozabierano je z domów i prowadzono przez wiele godzin do innej wsi, w której stacjonowali partyzanci, niemal wszystkie były zbyt przerażone i zapłakane, żeby się sobą interesować. Ismena dostrzegła wówczas w grupie jedynie szwagierkę Filipy i kilka innych znajomych twarzy. Ale teraz sama zaczęła wzbudzać ciekawość.

Dziewczyna wiedziała, że to nie jest zwykła ciekawość. Odczuwała to wyraźnie od kilku lat. Ta złość i niemal pogarda, która malowała się na twarzy jej dawnych znajomych, była zbyt oczywista, żeby jej nie zauważyć. Do tej pory, w rodzinnej wsi, ignorowała ją. Marzyła o swoim Ralphie i czekała na chwilę, w której znów się połączą. Była odludkiem, pochłoniętym własnymi myślami i własnymi sprawami, odludkiem, który jednocześnie chroniony był przed otwartą nienawiścią przez pancerz kontaktów ciotki Kiry. Ale u obcych, kilkanaście kilometrów dalej, wysoko w górach, Ismena nie miała już żadnej ochrony. Była całkiem sama.

Już parę dni później obawy Ismeny się potwierdziły. Kiedy się nachylała, by umyć twarz w wodzie przyniesionej ze studni, wiadro przewróciło się, kopnięte nonszalancko przez przechodzącą obok dziewczynę.

– Uważaj! – zaprotestowała Ismena.

– Bo co? – odparła tamta, opierając wyzywająco ręce na biodrach. Ismena rozpoznała szwagierkę Filipy, Leonę. – Co mi zrobisz?

Szykujące się do snu dziewczyny z ciekawości zaczęły unosić głowy.

– Przecież nic ci nie zrobię – odpowiedziała uspokajająco Ismena. – Chciałam tylko, żebyś uważała.

– Żebyś umyła swój piękny pyszczek, tak? – roześmiała się tamta, nie zważając na to, że jest cisza nocna. – Już ci tego piękna nie potrzeba. Twój luby zza morza i tak cię tu nie widzi – dodała i roześmiała się głośniej. Zawtórowały jej niektóre dziewczyny leżące na podłodze.

Mimo ogromnego zmęczenia – tego dnia ćwiczyły czołganie się i rzucanie grantem – Ismena źle spała tej nocy.

Każda następna noc była jeszcze gorsza. I każdy dzień, kiedy była szturchana, potrącana, kiedy podstawiano jej nogę, kiedy skarżono na nią instruktorom.

– On ci tu nie pomoże, he, he – śmiały się jej w ucho.

Nie wszystkie z jej wsi były takie. Ale nie robiły nic, żeby jej pomóc, a reszta była zbyt skoncentrowana na sobie.

Ja tego dłużej nie wytrzymam. Mimo próby odcięcia się, biernego przyjmowania wszelkich obelg i „żartów", które stawały się coraz bardziej bolesne, Ismena czuła się zaszczuta. Nadal nie mogła wmusić w siebie wojskowych posiłków, więc traciła na wadze, włosy zaczęły jej wychodzić garściami. A poza tym nadeszły przymrozki i nie była w stanie się rozgrzać. Najbardziej miałaby ochotę położyć się na barłogu, który służył jej za łóżko, i umrzeć. Ale nikt jej na to nie pozwalał.

– Skoncentruj się! – wrzeszczał brodaty partyzant, instruktor, kiedy myliła się przy rozkładaniu broni. – No już! Prędzej! Nie sabotuj zajęć! A może ty jesteś po ich stronie?

– Tak. Ona ma kochasia stamtąd!

Nagle w pomieszczeniu dawnej cerkwi, gdzie odbywały się zajęcia, zrobiło się dziwnie cicho. Partyzant uniósł głowę znad rozłożonego na części karabinu i spojrzał na Ismenę. Ta dumnie uniosła głowę i wytrzymała jego wzrok, robiąc jednocześnie minę niewiniątka. Cisza się przedłużała, gdyż partyzant szukał teraz wzrokiem tej, która zakłóciła zajęcia. Na policzkach Leony Lakides pojawiły się rumieńce.

– Witajcie, towarzyszki! – rozległ się nagle tubalny głos.

– *Sindrofos!* – Instruktor wyprężył się przed wchodzącym.

– Widzę, że sobie doskonale radzicie. Chciałem tylko powiedzieć, że przejmę waszą grupę po skończonych zajęciach. Jak sobie towarzyszki radzą? Pewnie znakomicie. O, widzę tu znajome twarze. – Zwrócił wzrok na Ismenę i dopiero wówczas go poznała.

On również miał brodę jak instruktor, ale była bardziej zadbana i przystrzyżona, jakby świeżo od fryzjera.

– No – zająknął się instruktor. – Jeszcze, towarzyszu poruczniku, potrzeba adeptce trochę wprawy.

Jorgos Kassalis pokiwał głową.

– Jestem przekonany, że sobie wyśmienicie poradzi. Jest pojętna.

Kiedy Ismena doszła do siebie po tym, jak zobaczyła dawnego znajomego, bezzwłocznie postanowiła chwycić linę ofiarowaną jej przez los. Jeszcze tego samego dnia zgłosiła się do Jorgosa i poprosiła go o anulowanie przydziału do wojska.

– A niby na jakiej podstawie? Jesteś zdrowa, w odpowiednim wieku... Uważasz, że za twój kraj mają walczyć dzieci? – Wstał i zaczął się przechadzać po pomieszczeniu, które pełniło funkcję świetlicy.

– Nie, nie. – Zaczerwieniła się i poczuła jak żebraczka prosząca o jałmużnę. – Ale mogłabym robić coś innego. Może pisać odezwy?

Jorgos zatrzymał się w pół kroku.

– Porozmawiam z dowódcą od szkoleń – powiedział i na niepokojąco długą chwilę zatrzymał wzrok na ustach dziewczyny.

Wieczorem Ismena odkryła, że koleżanki przestały ją nękać. Zauważyła nawet, że odsunęły się jak najdalej od jej posłania. W ich zachowaniu zaszła jeszcze jedna zmiana. Teraz jeszcze więcej z nich patrzyło na nią z pogardą. Widziała ich spojrzenia, teatralne odwracanie głowy, kąśliwy wyraz ust.

– Teraz drugiego obsłuży – usłyszała szept spod drzwi.

– Ażeby to jeden? Kto wie, co ta miastowa ma na sumieniu.

Następnego dnia rano Ismena została wezwana do dowództwa. Zakomunikowano jej, że od tej chwili zostaje zwolniona z zajęć wojskowych i będzie oddelegowana do pracy w gazecie wydawanej przez partyzantów. Powstał rząd tymczasowy i wszystko powinno funkcjonować jak w normalnym państwie. Będą zajmować się wychowywaniem przyszłego komunistycznego społeczeństwa, kształcić dzieci i wydawać gazety. I niech wie, że spotkał ją najwyższy honor, że może w tym uczestniczyć!

Tego samego dnia otrzymała miejsce noclegowe w domu, w którym stacjonowały telefonistki oraz przyszłe nauczycielki wiejskie. Po raz pierwszy przespała spokojnie całą noc, a następnego ranka czekała ją dodatkowa niespodzianka w postaci przesyłki z suszonym mięsem i figami od ciotki Kiry.

Szkolenie partyjne przygotowujące ją do roli dziennikarki gazety partyzanckiej było jednak bardzo krótkie, a po nim, ku jej przerażeniu, wysłano ją do tych wsi, z których zabierano wystraszone dziewczyny do partyzantki, a wieśniakom odejmowano od ust ostatni kawałek chleba. Musiała się przyglądać też sądom ludowym; na podstawie ich wyroków przeprowadzano egzekucje zarówno dezerterów, jak i osób, które według Ismeny były zupełnie niewinne. Wówczas też stała się naocznym świadkiem potwornych podziałów przebiegających przez rodziny, podziałów, które jakże często nie były spowodowane własnym świadomym wyborem. Ileż to razy przypadek decydował, kogo z tej samej rodziny postawić po stronie monarchistów, a kogo po stronie ELAS. Znowu więc niepodzielnie panował ślepy i nieprzewidywalny los, a kto łudziłby się, że jest inaczej, dostawał natychmiastowo prztyczka w nos lub kulę w łeb, zamartwiała się Ismena.

Któregoś dnia spotkała Jorgosa. Gdy wróciła po miesięcznej podróży w brudnym, pochlapanym krwią mundurze, zatrzymał ją na chwilę i zagadnął ciepłym głosem, czy nie chciałaby pracować jako nauczycielka.

Obdarzyła go najpiękniejszym uśmiechem. Mogłaby go nawet wówczas pocałować, gdyby chciał. On tylko skinął poważnie głową i odszedł z miną, jakby właśnie załatwił interes państwowy.

Od spotkania w styczniu minęło parę miesięcy i mogłoby się wydawać, że Jorgos w żaden sposób nie był nią zainteresowany. Czasem tylko patrzył na nią swym zwykłym chmurnym spojrzeniem. Jednakże Ismena nie wierzyła pozorom. Stale wydawało się jej, że on ma w stosunku do niej jakiś plan. Tylko że ona wcale nie chciała go poznawać.

Był koniec maja. Ismena siedziała na progu tymczasowego budynku szkoły i patrzyła na drogę prowadzącą ku górom, ciesząc się chwilowym spokojem i pięknem tego dnia. Jej powieki delikatnie muskały promienie słoneczne, a do nozdrzy dochodził zapach rozgrzanych pinii. Godzina, kiedy kończyły się zajęcia szkolne, była dla niej jedynym czasem wytchnienia podczas dnia. Wkrótce będzie musiała wstać i pomóc przy opiece nad sierotami przyprowadzonymi tu z rejonów objętych walkami. Niektóre dzieci były bardzo małe i stale płakały za rodzicami. Pewnie jak będą starsze, prawie nie będą ich pamiętać, podobnie jak było w jej przypadku. Na samą myśl o tym po policzku Ismeny spłynęła łza.

Przez cztery lata od rozstania z Ralphem żyła w nieustannym wyczekiwaniu i nagle teraz zrozumiała, że to ułuda, gdyż właśnie tutaj toczy się jej prawdziwe życie. Nie ucieknie od niego, marząc o innej rzeczywistości. Jej rzeczywistość była brudna, cuchnęła i bez zmrużenia oka zabijała. Nic innego jej nie czeka.

W pewnej chwili w górze drogi pojawiła się grupa partyzantów. Prowadzili kogoś. Zapewne więźnia, bo co chwila dźgali go lufami karabinu. Ismena weszła na schody, żeby się lepiej przyjrzeć. Pewnie jakiś szpieg. Wspięła się na czubki palców.

Miał związane ręce. I był znacznie wyższy niż jego strażnicy. Nie miał na głowie czapki. Takie jasne włosy? I nagle Ismena powstrzymała ręką cisnący się na usta krzyk. „Ralph!"

To niemożliwe. Niemożliwe! Zaszła potworna pomyłka. Natychmiast trzeba ją naprawić. Ona musi im powiedzieć, że to jest jej Ralph, i oni muszą go wypuścić. Dyszała ciężko. Wypuścić? Ale to właśnie było niemożliwe. Dla nich on był wrogiem. Amerykanin. A to jankesi i Anglicy wspierali armię rządową, z którą walczyli partyzanci. A poza tym... to amerykańskie samoloty zbombardowały wioskę, z której pochodziły sieroty przydzielone jej pod opiekę.

Ismena zastanawiała się gorączkowo, co robić. Widziała, że Ralph ma na sobie ubranie cywilne, choć kiedy go poznała, też nie był ubrany w wojskowy mundur. Instynktownie ruszyła w stronę drogi. Czuła, że robi źle, bo jeśli zobaczy ją Leona lub któraś inna z dawnych sąsiadek, szybko się zorientują, o co chodzi... Jednak musiała go zobaczyć z bliska. Ralph, kochany, najdroższy, hipnotyzowała go wzrokiem, by podniósł głowę w jej stronę. I nagle...

W pierwszej chwili jej nie poznał. Nic dziwnego. Ten mundur i ścięte włosy. Jego wzrok przemknął po jej twarzy obojętnie, ale nagle spojrzał ponownie. Widziała wyraźnie, jak w jego niebieskich oczach pojawił się błysk wskazujący, że ją poznał.

Nie mogła zrobić nic więcej. Tylko patrzeć i sprawić, by w jej wzroku wyczytał to, co najważniejsze. Kim był i nadal jest dla niej. Musiała dać mu znać, że nie jest sam, a ona zrobi wszystko co w jej mocy, by go uratować.

Tak, uratować. Ismena nie miała już w sobie dziecięcej naiwności i wiary w sprawiedliwość, o której czytała w książkach. Wiedziała, co oznacza widok złapanego Ralpha. Zostanie rozstrzelany. Ale zanim to nastąpi, zapewne będą go torturować. Falaka – bicie kijem w podeszwy stóp – należała do najczęstszych rodzajów zadawania cierpienia. Były też inne metody przesłuchań, o których teraz Ismena nie chciała nawet myśleć.

Eskortowany więzień przeszedł koło niej, a ona, nerwowo gryząc paznokcie, gorączkowo zastanawiała się, co robić.

Musi iść do Kassalisa. Nie było innego wyjścia. Już raz jej pomógł. Wiedziała, że nie jest mu obojętna, więc trzeba było zaryzykować. Możliwe, że spowoduje, że rozstrzelają ją razem z Ralphem, ale innego sposobu nie było.

Ismena wbiegła do budynku szkolnego i z szuflady stołu wyciągnęła małe lusterko. Sprawdziła, czy nie ma brudnej twarzy. Nie musiała szczypać policzków, bo od emocji były zaróżowione, a jej zapłakane oczy błyszczały. Nie miała szczotki, więc przejechała ręką po włosach, by je choć trochę uporządkować, i pospiesznym krokiem udała się do budynku dowództwa. Modliła się w duchu, by spotkać Jorgosa. Widziała go poprzedniego dnia, więc była szansa, że jeszcze nie wysłano go w góry.

Weszła do pomieszczenia, które miało przypominać kancelarię, z dumnie podniesioną głową, i poprosiła o rozmowę z towarzyszem Kassalisem w sprawie prywatnej.

– Prywatnej? – Siedzący przy stole partyzant miał kpiące spojrzenie.

– Tak. – Wyprostowała się jak struna.

W tej samej chwili Jorgos wyszedł z drugiego pokoju.

– *Sindrofisa* w sprawie prywatnej – oznajmił partyzant.

Kassalis wyglądał na zaskoczonego, ale nie odezwał się do niej ani słowem.

– Czy możemy porozmawiać? Chodzi o moją ciotkę – powiedziała donośniejszym głosem.

– Nie mam wiele czasu – odpowiedział równie głośno Jorgos – idę do aresztu. Może mi towarzyszka streścić sprawę po drodze. – A kiedy wyszli z budynku, rzucił szybko ściszonym głosem: – Mów szybko, o co chodzi. Naprawdę jestem zajęty. Złapano szpiega.

– Ja właśnie w tej sprawie. To wcale nie jest prawda. Ja go znam. On szukał mnie.

Twarz Jorgosa poczerwieniała.

– To pomyłka.

Połykając z pośpiechu słowa, Ismena opowiadała historię Amerykanina rannego przy ataku na niemiecki garnizon. O ogniu, który wybuchł, kiedy nastąpił zapłon gazu, o pożarze i o setce zabitych wrogów, o ranie postrzałowej, o tym, jak leczyła go ciotka Kira, o przyjaźni, która narodziła się pomiędzy nią a Ralphem, o jego obietnicy powrotu.

– To bohater. Pomagał naszym. To naprawdę nie jego wina, że zmieniła się sytuacja polityczna.

– On pewnie też się zmienił. Teraz jest po stronie naszych wrogów. Morderców dzieci.

– Nieprawda. Głową za niego ręczę. – Po jej policzkach płynęły łzy. Zbliżali się już do budynku aresztu. Jeśli nie przekona Jorgosa, Ralph zostanie stracony.

– Kochasz go?

Nieoczkiwane pytanie zmroziło całkowicie Ismenę. Gorączkowo się zastanawiała, co ma powiedzieć, a Jorgos zauważył:

– To oczywiste.

– Pójdę z tobą i wyznam przesłuchującym całą prawdę – oświadczyła w desperacji.

Rozejrzał się czujnie na boki, a potem pchnął Ismenę za róg budynku.

– Oszalałaś? Nie rozumiesz, że wówczas ciebie też rozstrzelają?

– Jorgos, błagam. Zrobię wszystko, żeby go uratować.

– Właśnie widzę – odpowiedział gorzko. Po chwili zastanowienia dodał: – Trzeba działać szybko. Gdy rozniesie się wieść o pochwyceniu tego szpiega – ostatnie słowo wymówił dobitnie i zamknął ręką usta Ismeny, która chciała zaprotestować – wszyscy zaczną o tym mówić. I od razu przypomną sobie o kobiecie, która pochodzi z burżujskiej rodziny. Kobiecie, o której od dawna się mówiło, że jest kochanką cudzoziemca.

Ismena otworzyła usta ze zdziwienia.

– Tak, wiedziałem – odpowiedział, uprzedzając jej pytanie. – Dlatego załatwiłem ci zwolnienie.

Nigdy go nie kochała, ale teraz, patrząc na jego ogorzałą od słońca brodatą twarz, czuła do niego głęboką wdzięczność i sympatię.

– Bądź przy szkole za godzinę – usłyszała.

To była chyba najdłuższa godzina, jaką przeżyła do tej pory. Ze względu na poglądy ciotki Ismena nie była zbyt religijna, ale teraz miała ochotę pobiec do cerkwi i zapalić świeczkę przed najświętszą ikoną. Niestety, cerkiew od dawna została zaadaptowana przez partyzantów na cele wojskowe. Ismena siedziała więc na progu szkoły, tak jak wtedy, kiedy dostrzegła konwojowanego przez strażników Ralpha, i nadal gryzła paznokcie, skoncentrowana na przesuwaniu się odmierzającego czas cienia. Była dopiero trzecia po południu.

W pewnej chwili przez głowę Ismeny przemknęła myśl, że być może jej wyznanie przyczyni się do jeszcze większych cierpień Ralpha, ale odrzuciła ją równie błyskawicznie, przekonana, że Jorgosowi można zaufać. Nie był wcale takim tępym wieśniakiem, na jakiego wyglądał na pierwszy rzut oka.

Kiedy wreszcie jego postać pojawiła się za zakrętem, Ismena zerwała się na równe nogi. Ojej! Z drugiej strony szły teraz z pola dwie kobiety. Jeśli Jorgos podejdzie do niej, z pewnością zostanie to zauważone.

On jednak, zupełnie się tym nie przejmując, wolnym i spokojnym krokiem zbliżył się do niej.

– Widziałeś go? – zapytała.

Pokręcił głową.

– Nie. Zaczęli go przesłuchiwać.

– Boże – jęknęła.

– Ale jest szansa – uspokoił ją. – Najlepiej by było, gdyby uciekł jeszcze tej nocy – zawahał się – ale czy ty wiesz, że on może nas wszystkich wydać? Zdradzić?

– Nie zrobi tego. Jestem pewna.

– Dobrze więc. Postaram się mu pomóc.

– Ja jestem gotowa.

– Do czego?

– Pójdę razem z nim. Pomogę mu.

– Nie zrobisz tego. – Głos Jorgosa momentalnie ostudził jej zapał. – Nie możesz tego zrobić. On sobie sam poradzi. Natomiast z tobą... zginie. I ty też. Poza tym... poza tym widzę tylko jedną szansę na jego ucieczkę.

– Jaką?

– Ogłosimy nasze zaręczyny.

– Co?

Tłumaczył jej, że tylko w ten sposób może się to udać. Zaproszą wszystkich, żeby wypili za ich zdrowie. Może to nie jest tradycyjny sposób, ale ona jest sierotą i nie potrzeba jej zgody rodziców, poza tym powiedzą, że chcą zrobić to inaczej, nowocześnie, zgodnie z duchem czasu. Na znak nowego społeczeństwa, które ma powstać. Ludzie zaczną pić i się bawić. W ten sposób nikt nie skojarzy ucieczki Amerykanina z Ismeną. Poza tym Jorgos będzie ją od tej pory chronił. Będzie przy nim bezpieczna. On jej do niczego nie zmusza. Zrobi, co będzie chciała, ale byłoby lepiej, żeby zapomniała o tamtym, bo on już nigdy nie będzie mógł tu wrócić, ale przynajmniej uda mu się w ten sposób uratować życie.

– Chyba chcesz, żeby żył? – spytał Kassalis.

W głowie Ismeny panował chaos, ale stojący przed nią ponury mężczyzna oferował jej jedyne rozwiązanie. A jeśli Ralph będzie żył... To przecież jeszcze wszystko będzie możliwe?

– Tak. – Skinęła pośpiesznie głową. – Zrobię wszystko, co każesz.

– Masz świadomość, że mogą przy tym ucierpieć niewinne osoby?

Spuściła głowę i zagryzła wargi.

– Idziemy.

– Dokąd? – spytała zdumiona, kiedy Jorgos pochwycił jej rękę.

– Do dowództwa. Prosić o zgodę. Módl się, żeby to się udało.

Dalszy ciąg tego dnia Ismena pamiętała jak przez mgłę. Nie było sekwencji zdarzeń, tylko jakby wyrwane z pamięci obrazy. Rubaszny śmiech dowódcy oddziału partyzanckiego, który klepał Jorgosa po plecach. Ten wyjmujący z kieszeni pierścionki. Skąd się tam wzięły? Bielone ściany gospody, w której odbywała się uroczystość. Zdziwione spojrzenia dziewczyn, z którymi mieszkała. Gorzki łyk tsipouro, który palił jej krtań i wzmagał śmiech na sali. A gdzie był Jorgos? Nigdzie go nie widziała. Wpadła w panikę. Ale za chwilę znów znalazł się przy niej. Z uśmiechem na twarzy. Nigdy do tej pory nie widziała, żeby się uśmiechał. Tak mocno biło jej serce. Czuła, że za chwilę zemdleje. *Kapetanios* znów klepał Jorgosa, który nieustannie mu dolewał, a ją, bliską wymiotów, odprowadziły do domu koleżanki telefonistki.

Następnego ranka ogłoszono alarm. Uciekł więzień. Jedni mówili, że wyłamał kraty, inni, że je podpiłował. Podczas ucieczki zabił obu strażników.

Ani też tego dnia, ani następnego Ismena nie zobaczyła swojego „narzeczonego". Jako dowódca pościgu wyruszył za zbiegiem z samego rana. Jorgos Kassalis rzadko ponosił porażki, gdyż był wytrawnym i zahartowanym żołnierzem, ale tym razem musiał dać za wygraną. Nie było jednak czasu na dalsze rozważania na ten temat, gdyż w czerwcu siły rządowe przypuściły atak na partyzancką kwaterę w górach Grammos. Operacja o kryptonimie „Coronis" miała zadecydować o losach bratobójczej wojny.

Rozdział IV

Bieszczady, 1955

Ismena otworzyła oczy i zobaczyła, że Jorgos nie śpi, tylko wpatruje się w sufit. Za oknem widać było szarość, zwiastun świtu. Zdziwiła się, gdyż mąż zwykle nie miał kłopotów ze snem. Nagle przewrócił się na bok, z twarzą w jej stronę.

– Ranny z ciebie ptaszek. Nie wstawaj jeszcze. – Przygarnął ją do siebie. – Tak mi żal, że nie spędzam z tobą więcej czasu – powiedział, zupełnie ją zaskakując. Nigdy nie okazywał w stosunku do niej żadnych cieplejszych uczuć. Nie wymagała ich od niego. W ten sposób łatwiej jej było zaakceptować to małżeństwo. Bo to się nie działo naprawdę. Czyżby? A Nastek, a Jannis, a ich nowe życie w Bieszczadach?

Tym razem nie przygniatał jej włosów, tylko gładził je swoją twardą, spracowaną ręką.

– Dzisiaj przyjeżdża kino – powiedział. – Pójdziemy?

– A dzieci?

– Zostawimy je u Ukrainki. – To była ich najbliższa sąsiadka. – Trochę się zabawimy. Nie chcesz?

– Chcę. – Uśmiechnęła się do niego. – Może znów coś się zdarzy.

Jorgos cicho zachichotał.

– Jak się zdarzy, to już nigdy nie będzie tu żadnego kina.

Obydwoje przypomnieli sobie ten dzień, kiedy po raz pierwszy do wsi przyjechało kino objazdowe. Ismena była nerwowa, gdyż po raz pierwszy zostawiła u obcych swe paromiesięczne dziecko, ale Jorgos koniecznie chciał, żeby mu towarzyszyła.

W sali spółdzielni zgromadzili się niemal wszyscy mieszkańcy wioski. Nie wystarczyło krzeseł, więc część ludzi siedziała na podłodze, inni stali. Pokazywano film wojenny. W pewnej chwili, kiedy na ekranie pojawiły się niemieckie czołgi, niektórzy z widzów zaczęli krzyczeć z przerażenia i zrywać się do ucieczki. I wówczas stary Dimitrios, który przyszedł do kina o lasce, zerwał się na równe nogi i wrzasnął:

– Co wy, młodzi tchórze, tak uciekacie? Na nich, na tych skurwysynów Niemców! – I ruszył z laską na ekran, dokonując spustoszenia w kinie.

– Ale przynajmniej było wesoło, prawda? – Jorgos przebierał palcami we włosach żony.

– Co się dzieje, Jorgos? – spytała Ismena, nieprzyzwyczajona do takich pieszczot.

Przycisnął ją do siebie z ogromną czułością i pocałował delikatnie w usta.

– Kocham cię.

Niewątpliwie stało się coś strasznego. Może był chory? Jeszcze nigdy nie słyszała od niego takich słów. Nie miała nawet pojęcia, że je zna.

– Jorgos, powiedz mi, o co chodzi, nalegam. – Nie dawała się zbyć.

Westchnął głęboko i zaczął mówić, a każde jego słowo coraz bardziej ją przerażało.

Po przyjeździe do Polski Jorgos niemal od razu został wysłany na szkolenie wojskowe do Grudziądza. Ismena sądziła, że szkolenie, które odbywał potem w Krakowie, stanowiło po prostu kontynuację tego poprzedniego. Tak jednak nie było. Dopiero teraz powiedział jej, że przygotowywano go tam do wysłania do Grecji. Miał nosić inne nazwisko, mieć nowe papiery i – Ismena słuchała tego ze ściśniętym sercem – nową rodzinę.

– Cii – powstrzymał ją Jorgos. – To długo nie potrwa. Tylko do czasu, aż rewolucja zwycięży.

Co on bredzi? Czy on rzeczywiście w to wierzy?

– Nie zgadzam się – odpowiedziała stanowczo, patrząc mu w oczy.

Myślała, że się zdenerwuje. Zawsze był dość porywczy. Ale jego spojrzenie było przepełnione czułością.

– Nie wiedziałem, że ci na mnie zależy.

– Jesteś głupi, głupi! – Tłukła go po piersiach, a on się wcale nie bronił.

Kiedy zmęczona opadła na łóżko, nachylił się nad nią i znów tak delikatnie pocałował, że wywołał w ciele Ismeny dziwną i niespotykaną do tej pory reakcję. Zaczęła go całować. Tak zachłannie, jakby już za chwilę miał wyjść z domu i zostawić ją na zawsze.

W poniedziałek Jorgos wyjechał wcześnie rano. Wstała razem z nim i przygotowała mu kanapki na drogę. Wypił kawę, niemal wrzątek, a potem niezdarnie przytulił ją do siebie i wyszedł z domu.

Ismena westchnęła głęboko i zabrała się do przygotowywania karmy dla kóz. Za chwilę będzie musiała też zrobić śniadanie dla Nastka, sprawdzić, czy ma zapakowany tornister. Zaczęła kroić chleb, ale po chwili odłożyła nóż i cicho szlochała. Wciąż widziała przed sobą ponurą, ale po raz pierwszy w życiu nieco przerażoną twarz Jorgosa. Przez cały pobyt w domu był inny. Tak jak obiecał, zabrał ją do kina, a potem do gospody i cały czas zachowywał się jak nie ten sam człowiek. Nie wpadał w gniew, nawet kiedy Nastka w niedzielę pogryzły jakieś późne osy i wrzeszczał jak potępieniec. Gdy się nim zajmowała, przykładając mu kompres, nie skomentował tego jak zwykle słowami, że chłopak jest urodzonym tchórzem i mięczakiem, tylko wyszedł z domu i usiadł na ławce, by w spokoju palić papierosy.

O właśnie! Ismena sięgnęła po zostawioną przez niego paczkę papierosów bez filtra i stojąc w sieni, zapaliła jednego. Zastanawiała się, co ma robić.

Od tych paru lat Jorgos, mimo swych wad i przyzwyczajeń, stał się dla niej taką opoką i ostoją, jaką powinien być mąż. Poślubił ją, wiedząc, że kocha innego i że to właśnie tamtemu oddała swoje dziewictwo. Nigdy nie zrobił jej z tego powodu żadnej wymówki i nigdy nie brał do serca tego, co wygadywali na jej temat zarówno w Grecji, jak i tutaj, w Krościenku Wyżnym. Poza tym to właśnie jemu Ralph zawdzięczał życie. Jorgosa ukarano za to, że go wówczas nie odnalazł. Wysłano go w sam środek walk. I wreszcie – to jemu zawdzięczała obu chłopców. A ich kochała nad życie.

Uderzyła ręką w ścianę. Nie, nie pozwoli go sobie zabrać. Może miłość do Ralpha była nierealna. Być może, gdyby wyjechała z nim do tej Ameryki, wkrótce okazałoby się, że jest dla niego zbyt ciemną wieśniaczką. Tego nie wiedziała. A teraz znalazła się w konkretnej sytuacji. To prawda, nie kochała Jorgosa i pewnie nigdy go nie pokocha tak jak Ralpha, ale to nie znaczy, że pozwoli sobie go odebrać. Doskonale wiedziała, co go czeka w Grecji. Stamtąd się nie wracało, więc wcześniej czy później on też zginie. Mąż Vasilissy, siostry Jorgosa, zniknął bez śladu parę miesięcy temu. Jego też wysłano do

Grecji jako szpiega. Wprawdzie jego żona wciąż się łudziła, że przyjdzie od niego jakaś wiadomość, ale Ismena nie miała złudzeń. Tym razem będzie sama walczyć o życie męża.

Ponownie uderzyła pięścią w ścianę. Ale tym razem to nie była niemoc. Ismena wiedziała już, co ma robić.

– *Màna*, ja się spóźnię do szkoły. – Nastek w końcu się obudził i był przerażony. – Nie zdążę.

– Dzisiaj nie idziesz. – Ismena stawiała na stole kubki z gorącym mlekiem. Jeden z nich był wyszczerbiony, ale to nie szkodzi, lepszy taki niż metalowy.

– Nastek nie idzie do szkoły? – Ciemna głowa Jannisa wyłoniła się spod pierzyny.

– Razem się przejdziemy, mam coś do załatwienia – oświadczyła Ismena i zaczęła się krzątać po izbie, by ją uporządkować przed wyjściem, tak jakby robiła to po raz ostatni. Nie wiadomo, jak to się może skończyć, mówiła do siebie w myślach. W związku z tym dopilnowała, aby dzieci były starannie ubrane i miały czyste buzie. Sama włożyła odświętną sukienkę, spięła włosy i ułożyła je pod chustką.

– Idziemy. – Z ciężkim sercem zagoniła synów do wyjścia.

Dopiero w połowie drogi zauważyła, że zarażeni jej grobowym nastrojem idą w zupełnej ciszy. Nawet Jannis, tak zazwyczaj skłonny do żartów i rozrabiania, milczał.

– Co jesteście tacy smutni, kiedy Nastek na wagarach? Mam pomysł. Najpierw załatwimy moje sprawy, a wy będziecie tam tak grzeczni jak aniołki, a potem pojedziemy autobusem do Ustrzyk. Dzisiaj dzień targowy. Pewnie będą sprzedawać wasze ulubione lizaki.

– Autobusem! – Jannis kochał samochody, więc momentalnie zaczął podskakiwać z radości.

– Ale co powiedziałam wcześniej?

– Jak aniołki.

– Właśnie.

Zbliżyli się do zabudowań spółdzielni. Ismena podświadomie się wyprostowała i chwyciła obu chłopców za ręce.

– I nie odzywajcie się pod żadnym pozorem, jasne?

Ismena nie przeszła przez bramę do pomieszczeń gospodarczych, tylko natychmiast ruszyła do budynku, który pełnił funkcję biura.

No i od razu pech! Zupełnie zapomniała, że w sekretariacie siedzi ta krowa Leona, szwagierka Filipy Lakides. Dlaczego całej tej rodziny nie wysłano do innego kraju? Tylu Greków pojechało do Jugosławii, Rumunii czy ZSRR, tylko tych los przywlókł w ten nieszczęsny, najodleglejszy skrawek Polski.

– Ja do sekretarza – oświadczyła, przywitawszy się. Chłopcy jedynie pochylili głowy i nie odezwali się ani słowem.

– Zajęty. Trzeba się było umówić – bez wahania odpowiedziała Leona i wróciła do poprzedniej czynności, czyli przyglądania się swoim paznokciom.

– To ja będę czekać – powiedziała Ismena i usiadła na wolnym krześle stojącym obok drzwi. Synowie usiedli koło niej na podłodze.

– Wcale nie są do siebie podobni – stwierdziła nagle Leona, przenosząc swe zainteresowanie na chłopców.

Ismena nie zareagowała na zaczepkę, jedynie zacisnęła mocniej usta. Czuła, że gdyby coś powiedziała, skończyłoby się to awanturą, której za wszelką cenę chciała teraz uniknąć. Nie przed rozmową z sekretarzem.

Po godzinie drzwi otworzyły się i wyjrzał z nich kierownik spółdzielni i sekretarz partii w jednej osobie. Zdziwił się na widok Ismeny.

– Nie wiedziałem, że ktoś na mnie czeka.

Leona wzruszyła tylko ramionami i zaczęła pośpiesznie

wertować jakieś leżące przed nią dokumenty. Ismena wstała z godnością z krzesła. Chwyciła zaspanych z powodu bezczynności chłopców za ręce.

– To krótka sprawa, towarzyszu – oznajmiła i weszła do gabinetu, nie czekając na zaproszenie.

– Bardzo mi miło, *sindrofisa* Kassalis – mówił sekretarz i spojrzał z ukosa na dzieci.

Towarzyszko? Nigdy nie wstąpiła do partii, ale niech mu tam będzie.

– Chłopcy, może cukierka chcecie? – Nastek niepoinstruowany, że nie powinien niczego jeść, wyciągnął rękę po miętówkę z papierowej tutki wyciągniętej z biurka.

– Co dobrego was do mnie sprowadza?

– Obawiam się, że nic dobrego – oznajmiła, po czym zrobiła pauzę, żeby wzbudzić jego ciekawość.

– Jakieś problemy z mieszkaniem? Na chwilę obecną nie ma żadnych...

– Nie, to nie o to chodzi. – Ismena wzięła głębszy wdech. – Towarzyszu, pewnie towarzysz wie, że mój mąż uczestniczy w pewnym szkoleniu w Krakowie.

– Taak.

– I ja w związku z tym przyszłam. Jestem sierotą. Jedyna moja rodzina, ciotka, która mnie wychowywała, zginęła podczas wojny. Nie mam na świecie nikogo oprócz mojego męża i tych dzieci. I oświadczam całej partii stanowczo, że jeśli odbierze mi męża i wyśle na misję do Grecji, to ja nie mam już po co żyć. I się zabiję. – Podniosła głos tak, że stojący przed nią sekretarz aż się cofnął. – I nie mówię tego po próżnicy. Proszę bardzo, weźcie sobie te dzieci. Może nawet od razu. Oddajcie je do przytułku, bo ja się już nimi nie będę opiekować.

– Ależ, towarzyszko, proszę się nie unosić!

– Jeśli partia chce mnie pozbawić życia, to niech się choć zaopiekuje tymi sierotami.

– Proszę się uspokoić, *kyria* Kassalis. Jorgos Kassalis ma do wypełnienia ważne zadania.

Ha! Teraz była dla niego panią.

– Ja się nie mogę uspokoić. I wcale mnie nie obchodzą te ważne zadania. – Ismena zaczęła histerycznie szlochać. Ta reakcja przeraziła chłopców i rzuciwszy się do jej nóg, momentalnie zawtórowali matce płaczem. Po chwili w gabinecie sekretarza panował taki zgiełk, że do środka wpadła Leona.

– Co się dzieje?

– Zamknij natychmiast drzwi – rzucił sekretarz, nerwowo szarpiąc wąsy.

Był coraz bardziej przerażony, że ta sprawa się rozniesie. Nie miał pojęcia, że taki poważny człowiek jak Kassalis mógł się ożenić z taką wariatką. Ładna była, to prawda, ale jaki charakter. Prawdziwa ksantypa!

Ismena chwyciła leżący na stoliku nóż i przyłożyła go do przegubu dłoni.

– Jeśli tego chcecie, to macie. Moje życie nie jest ważne.

– Zostaw, pani! – Sekretarz wyrwał Ismenie nóż. Wrzaski Jannisa i Nastka były tak głośne, że tym razem Leona postanowiła interweniować i znów wpadła do gabinetu, by wyprowadzić chłopców. To tylko dolało oliwy do ognia.

– Nigdzie nie pojedzie! – zaczął krzyczeć zdesperowany sekretarz. – Twój mąż, idiotko, nigdzie nie pojedzie.

Lamenty i wrzaski natychmiast umilkły.

– Naprawdę? – spytała Ismena, ocierając łzy.

Sekretarz uznał, że jeśli mężczyzna ma tak nienormalną żonę, rozwydrzone, wrzeszczące dzieci, to z nim samym musi być coś nie w porządku. Czy ten Kassalis nie mógł trzymać języka za zębami? To też dowodzi, że nie nadaje się do roboty, w której należy dochować tajemnicy. No po prostu się nie nadaje. Oczywiście napisze o tym do samego diabła, byle ta baba już stąd poszła. Co za wstyd! Miał do czynienia z różnymi histeryczkami, w tym z własną żoną, ale takiej – i to zupełnie pozbawionej kobiecego wstydu – do tej pory nie widział.

– Proszę iść do domu. Ja wszystko załatwię. Widzę, że jednak ciężko wam żyć bez męża.

– Nie chciałabym tu ponownie przychodzić – powiedziała Ismena, a sekretarz złapał jej bystre spojrzenie.

Czy ona mnie nie nabiera? A jeśli nawet? To tylko świadczy, że baba może być niebezpieczna. Słyszał, że potrafi pisać i czytać w kilku językach. A jak zacznie wypisywać Bóg wie gdzie? Stanowczo lepiej z taką nie zaczynać.

– Nie będzie takiej potrzeby, Ismeno – powiedział i zauważył, że na jej twarzy pojawił się cień uśmiechu.

Niech jej będzie, pomyślał.

Rozdział V

Bieszczady, 1955

Przez dłuższy czas Ismena nie miała pojęcia, czy jej interwencja u greckiego sekretarza partii odniosła jakiś skutek. Jorgos nie wracał do domu tak jak poprzednio, a ponieważ nigdy nie pisywał listów, nie było wiadomo, jakie będą jego dalsze losy. Żyła więc jak do tej pory, dbając o dzieci, dom, zwierzęta i ogród. Wieczorami przy lampce naftowej czytała polskie książki dla dzieci wypożyczone z biblioteki szkolnej. Przygotowywała się do zimy, zbierając zapas drewna. Rankiem pojawiały się już przymrozki, a z ust Nastka, wyruszającego do szkoły, unosiły się coraz gęściejsze obłoki pary. Ismena czekała niecierpliwie na podłączenie elektryczności – obiecali to zrobić na wiosnę – gdyż uważała, że światło w domu znacznie polepszy ich życie. Marzyła o radiu, takim jakie mieli w greckiej świetlicy. Jorgos dobrze wiedział o jej pragnieniu i przeczuwała, że był skłonny je kupić.

Ismena, chociaż większość życia przeżyła przy świecy i lampie naftowej, przebywała wcześniej w pomieszczeniach oświetlanych przez elektryczność. Ale wielu osiedlających się tu uchodźców z greckich gór widziało lampy elektryczne po raz pierwszy w życiu. Pamiętała dobrze, jak Jorgos, gdy jeszcze pracował w Krościenku, przyjmował kiedyś takie młode małżeństwo. Mieli być zatrudnieni w spółdzielni. Ona przy świniach, on przy krowach. Jorgos zaprowadził ich do domu, gdzie mieli mieszkać, i wychodząc, zostawił oczywiście włączone światło. Gdy pojawił się następnego dnia, wszystkie lampy były porozbijane.

– Dmuchałem, dmuchałem i nie szło zgasić – oświadczył zmartwiony młody małżonek.

Jak ja będę miała prąd, to... – rozmyślała Ismena, przyglądając się uśpionym dzieciom. To był taki niezwykły widok. I właśnie w tej samej chwili usłyszała przed domem zbliżające się kroki. Mieszkając na uboczu, trzeba było być czujnym. Od czasu do czasu pojawiali się różni włóczędzy czy złodzieje. Na tę okoliczność Jorgos zostawił jej nielegalną broń – w końcu nauczyła się z niej kiedyś korzystać – którą miała się posłużyć na wypadek zagrożenia. „Po cośta się tak daleko wynieśli?" No właśnie, mówiła do siebie Ismena, idąc do sieni z zapaloną świecą. Drzwi były zaryglowane, a okiennice zamknięte.

– To ja – usłyszała głos męża.

Wpuściła go do środka i w pierwszej chwili nie poznała. Był gładko wygolony.

– O, jak dobrze, że to ty – odetchnęła głębiej.

Jorgos nie zatrzymał się nawet przy niej, tylko poszedł prosto do kuchni. Zauważyła wówczas, że nie ma na nogach wojskowych butów. Ismena tak się przyzwyczaiła do ich widoku, że uznała teraz, że nogi męża wyglądają bez nich jakoś dziwnie.

Kiedy znaleźli się już w świetle lampy naftowej, a Ismena odstawiła świecę, Jorgos odwrócił się w jej stronę. To nie były przelewki. Jego mina była naprawdę groźna.

– I cóżeś ty, kobieto, zrobiła najlepszego?

Ismena zacisnęła usta i nie odpowiedziała.

– Ile ja się wstydu przez ciebie najadłem. Że baby w domu w ryzach nie potrafię utrzymać. Że mi na głowę wlazła i tańczę tak, jak mi zagra. Ja, kapitan Demokratycznej Armii Grecji!

Ismena zagryzła wargę tak mocno, że poczuła smak krwi. Bała się, że ją uderzy. Nigdy do tej pory tego nie zrobił, ale wiedziała, do czego jest zdolny.

– Odsunęli mnie. Od tej pory mam przejąć sprawy cywilne. Wiesz, co to dla mnie oznacza?

– Czy mąż Vasilissy dał znać, że żyje? – przerwała mu nagle żona, która mimo lęku podeszła do niego dumnie wyprostowana. Jednak nawet w takiej pozycji była od niego o głowę niższa. Jej dłonie zacisnęły się kurczowo na fartuchu.

– Nie – zaprzeczył.

– Nie? To dlaczego pytasz, co to oznacza? Sam nie rozumiesz? Tylko tyle, że będziesz żył. A masz chyba dla kogo.

– Mam dla kogo – powtórzył za nią. – Do tej pory tak naprawdę nie wiedziałem – powiedział nieco ochrypłym tonem.

– Jesteś, Jorgosie, moim mężem, ale powiem ci, że jak na dorosłego mężczyznę nie masz wiele rozumu – oświadczyła buńczucznie.

– Kobieto! – podniósł ostrzegawczo głos.

Ale ona wcale nie miała zamiaru milczeć.

– Masz żonę, masz dwóch synów i ty się zastanawiasz, dla kogo masz żyć? Czy naprawdę poświęciłbyś nas dla tej komunistycznej Grecji? Gdybyś miał wybierać?

– Przestań.

– Ale o to właśnie chodzi. O ten wybór. Ty go miałeś, ale ja nie. Jestem przykuta do mojej rodziny na śmierć i życie. Jestem za nią odpowiedzialna i nie pozwolę nikomu jej skrzywdzić. Nawet tobie! Wara wam! I tobie, i temu całemu komunizmowi, który skazał nas na tułaczkę! Teraz to ja, a nie los, mam coś wreszcie do powiedzenia. I będę o tym mówić na cały głos. A ty bądź cicho i pomyśl lepiej o swojej odpowiedzialności. Bo wkrótce będzie jeszcze większa niż do tej pory.

– A niby czemu? – spytał Jorgos, żeby skończyła tę perorę. Nigdy jeszcze nie wygrał z nią na słowa.

– Bo będziemy mieli jeszcze jedno dziecko, mężu. – Oparła ręce na biodrach i patrzyła na niego wyzywająco.

W pierwszej chwili spuścił wzrok i przez chwilę wpatrywał się w starannie wyszorowaną przez Ismenę podłogę. Potem spojrzał ukradkiem na nią, lecz nie udało mu się tego ukryć. Oczy Jorgosa były zbyt błyszczące.

– Przytul mnie! – rozkazała władczo, a kiedy objęły ją jego ramiona, sama wybuchła płaczem.

Tego zimowego dnia Ismena obudziła się nad ranem i momentalnie poczuła, że ogień w piecu zupełnie wygasł, a mróz hula po izbie. Mimo że śnieg padał przez całą dobę, wcale nie zelżał. Spojrzała na śpiących chłopców przytulonych do siebie w poszukiwaniu ciepła. Również dzisiaj można było zapomnieć o szkole.

O jak nie znosiła takich dni, które nie miały żadnego sensu. Chodziło w nich jedynie o przetrwanie. Ich oraz tego niewielkiego inwentarza, który sąsiadował z nimi przez ścianę. Najpierw jednak napali w piecu, a potem, nie czekając na świt, zabierze się do odśnieżania obejścia.

Włożyła spódnicę i bluzkę bezpośrednio na koszulę, nie chcąc tracić tej resztki tak potrzebnego jej ciepła, i przeszła do kuchni, by najpierw tam rozpalić. Próbowała wyjrzeć przez okno, ale nie było przez nie nic widać, gdyż ciemność nocy przesłaniały wzory namalowane przez mróz. Jak zwykle gorączkowo się zastanawiała, czy ma wystarczająco duże zapasy żywności. Takie śnieżyce mogły trwać dobre kilka dni. Powinna więc upiec chleb. Do wiejskiego sklepiku tak prędko się nie dostanie.

Ismena uśmiechała się do siebie. Mimo wszystko była pełna optymizmu i pogody ducha. Zupełnie inaczej niż w poprzednie lata. W końcu pojawiła się nadzieja. Podczas ostatniego pobytu Jorgos powiedział, że próbuje załatwić dla nich mieszkanie w Krakowie i kiedy tylko ustaną mrozy i będzie można podróżować z dziećmi, przyjadą do niego. Ciąża nie będzie jeszcze tak zaawansowana, by stanowić przeszkodę. A poza tym... wyjechałaby stąd nawet w dziewiątym miesiącu. Chociaż prawdę mówiąc, ostatnio nie mogła narzekać na tutejsze życie.

Po awanturze u sekretarza, o której wieść błyskawicznie rozniosła się po okolicy, zaczęły ją odwiedzać te kobiety, które jeszcze niedawno nie zaszczyciły jej nawet „dzień dobry", i zapraszać ją do siebie na plotki. A nawet któregoś dnia młodszy syn Filipy dostał w skórę od innego kolegi, kiedy zaczepiał Nastka. Ku swojemu zdumieniu Ismena odkryła, że te kobiety są bardzo miłe i nic w zasadzie nie stoi na przeszkodzie, żeby się zaprzyjaźnić.

– Aleś temu łysoniowi wygarnęła. Zuch baba! Tylko powiedz, jak będzie ci czegoś potrzeba. Mój chłop ma teraz motocykl. W razie czego to może podwieźć do Ustrzyk, jakby autobus nie przyjechał.

Jednak największa przemiana nastąpiła w Nastku. Uspokoił się, od tygodnia nie miał koszmarów nocnych, a nawet chyba nieco schudł. Jorgosa nadal się bał, ale na szczęście nie wchodzili sobie w drogę.

Gdy podnosiła z ziemi ciężką kłodę, nagle coś ją zabolało. Wyprostowała się i zaczęła masować brzuch. Zrobiło jej się niedobrze. Ta ciąża była zupełnie inna. Przy Jannisie nie miała żadnych dolegliwości, jedynie sam poród był trudny. Greczynki ze wsi, którym powiedziała o ciąży, pocieszały ją, mówiąc, że każde dziecko jest inne i inaczej osadza się w łonie, a poza tym z pewnością tym razem będzie miała dziewczynkę.

Dlaczego nie? Przydałaby się jej taka mała dziewczynka, której mogłaby zaplatać włosy. Jej życie z pewnością będzie zupełnie inne niż życie jej matki i jeśli chłopcy pójdą na studia, to ona również. Ismena westchnęła i zabrała się do domowych obowiązków.

Dzień minął – jak przewidziała – monotonnie. Jedyną niespodzianką było to, iż okazało się, że niespełna czteroletni Jannis zna litery. Kiedy zaczął czytać zdania z należącego do Anastazego elementarza, była pewna, że nauczył się ich na pamięć, ale kiedy pokazywała mu poszczególne słowa na chybił trafił, odczytywał je bezbłędnie. Była z niego bardzo dumna, z nich obu... Jej życie ponownie nabierało sensu i mocy.

Znów zapadła noc, a ona patrzyła na uśpione buzie, ale tym razem nie odczuwała spokoju. Chyba zbyt mocno bolał ją brzuch. Wieczorem przygotowała sobie wywar z ziół o działaniu rozkurczowym, ale niezbyt jej pomógł. Pewnie coś źle zrobiła. Nie była taka sprawna w przyrządzaniu tych ziołowych lekarstw jak jej ciocia Kira. Tak bardzo za nią tęskniła. Tyle razy postanowiła sobie nie wspominać zmarłych, ale teraz było to silniejsze od niej. W pewnej chwili ból stał się tak dokuczliwy, że zerwała się z łóżka i zaczęła chodzić. Znów miała nudności i robiło jej się słabo. Zaczął ją ogarniać lęk. Spojrzała przez szparę w okiennicy. Nadal śnieg.

I w chwili, kiedy tak stała przy oknie, usłyszała przeraźliwy dźwięk, od którego ciarki przeszły jej po plecach. To było... Tak, to było wycie wilków. I to zupełnie blisko chaty. Poczuła mrowienie na głowie. Po chwili rozległy się jeszcze inne dźwięki. Beczenie kóz, przerażonych wyciem wilków. W pomieszczeniu za ścianą słychać było odgłosy narastającej paniki.

Ismena stała przez chwilę przy oknie, zastanawiając się, co ma robić, a potem włożyła swoje stare partyzanckie spodnie i sweter Jorgosa. Musiała jakoś odstraszyć wilki, które z pewnością przyciągnął tu zapach kóz i drobiu. Wiedziała, że boją się ognia, ale nie będzie przecież wychodzić w śnieżycę z pochodnią w ręku. W tej samej chwili przypomniała sobie o nielegalnym karabinie męża. Dla niego wojna się nigdy nie skończyła i w każdym momencie musiał być gotowy do walki. Pierwszej zimy w Bieszczadach pokazał Ismenie skrytkę, mówiąc, że powinna z niej skorzystać w razie potrzeby. W końcu kiedyś nauczyła się nie tylko budowy karabinu, ale także tego, jak go używać, prawda? Wyśmiała go wtedy, bo przecież kiedy skończyła się wojna, obiecała sobie, że już nigdy w życiu nie weźmie broni do ręki. Ale teraz przecież musiała!

Ciekawe, czy go tam jeszcze znajdzie? To była bardzo starannie zamaskowana kryjówka w sieni. Ismena postawiła lampę naftową na ziemi, a potem przyniosła z kuchni krzesło. Była zbyt niska, by tak wysoko sięgnąć. Kiedy zaczęła wchodzić na krzesło, znów poczuła ból, tym razem był tak ostry, że sparaliżował ją na chwilę. Co się dzieje? Przytknęła czoło do zimnej ściany i to ją nieco orzeźwiło. Stanęła na krześle i nożem podważyła belkę, która wprawdzie wyglądała na jednolitą, ale naprawdę składała się z dwóch części. Jest. Skrytka się otworzyła. Ismena zawahała się przed wsadzeniem ręki w ciemny otwór. Nie wiadomo, co mogło tam zamieszkać. Zeszła więc z krzesła, wzięła lampę i zbliżyła ją do otworu.

Uff, karabin tam był. I to naładowany, jak stwierdziła po chwili. Odryglowała drzwi wejściowe i stanęła przed śnieżną zasłoną, dygocząc z zimna. I wówczas ponownie usłyszała przeraźliwe beczenie kóz i łomot.

Wystrzeliła w ciemność raz. Po chwili drugi. Tym razem usłyszała skowyt bólu. Ale może jej się wydawało? Potem nastąpiła cisza. Wiatr teraz ustał, a śnieg padał gęsto i miarowo, zasypując całe obejście.

Teraz, kiedy minęło napięcie, Ismena ponownie poczuła dotkliwy ból brzucha. Nie mogła jednak zostawiać broni na widoku. Poczekała, aż ból się uspokoi, i znowu wdrapała się na krzesło.

Kiedy umieszczała w skrytce karabin, okazało się, że nie może go docisnąć do końca. Nie chcąc już ponownie schodzić po lampę, namacała z tyłu otworu jakiś przedmiot. Było to coś na kształt futerału. Wzięła go do ręki i zostawiwszy karabin, zeszła, żeby się mu przyjrzeć dokładniej przy świetle.

Stwierdziła, że to jakieś dokumenty Jorgosa. Wśród nich było zaświadczenie o ślubie z niejaką Ismeną Zarras. Pogładziła je, przypominając sobie ten dzień sprzed lat. Pod palcami wyczuła, że futerał zawiera jeszcze coś oprócz dokumentów. Po chwili coś zamigotało w świetle lampy. Ismena opadła na krzesło bezwładnie jak szmaciana lalka.

W rękach trzymała wysadzany diamentami krzyż, który jej matka przywiozła ze Smyrny. Jedyną pamiątkę rodzinną. Ten sam krzyż, który z kolei ona ofiarowała Ralphowi Suskinowi na pamiątkę ich miłości.

„Zawsze będę go miał przy sobie – pamiętała wyraźnie jego ostatnie słowa. – I wrócę do ciebie, by go oddać".

Jeśli tak, to skąd on się tutaj wziął? Dlaczego Jorgos jej go nie zwrócił? Nieraz o nim słyszał. Oczywiście nie powiedziała mu, co z nim zrobiła, ale mógł pomyśleć, że zaginął podczas walk. Ismena gorączkowo wytężała pamięć. Jorgosa nie było w grupie partyzantów, którzy prowadzili Ralpha, więc nie mógł znaleźć tej pamiątki przy przeszukaniu. Jeśli znaleziono by go później, z pewnością również nie trafiłby w jego ręce, tylko dowódcy. Więc jakim cudem to się stało?

Ten wieczór. Te ich zaręczyny, z których niewiele pamiętała. Jorgos był przy niej, ale potem poszedł do aresztu. Musiał dać coś Ralphowi, dzięki czemu on się uratował. Nigdy o tym nie rozmawiali. Była mu tak wdzięczna za to, co zrobił, że konsekwentnie milczała na temat różnych bolesnych kwestii. Przecież Jorgos uratował Ralpha kosztem życia kolegów. Mogli go za to oskarżyć o zdradę. Dla niej! Nie chciała sprawiać mu przykrości ani go denerwować. Byle co potrafiło wyprowadzić go z równowagi. Zadowoliła się wiedzą, że uratował Ralpha. Ale czy na pewno? Wrócił z poszukiwań bez zbiegłego więźnia. Z podartą koszulą, poranionymi rękami i śmiertelnie zmęczony. Ale tak naprawdę nikt nie wiedział, co robił w górach.

I nagle ból ciała złączył się z tak potężnym bólem duszy, że Ismena osunęła się z krzesła na ziemię. Pomyślała, że nie utrzyma w sobie tego dziecka.

Teraz już wiedziała, że to wcale nie było tak, jak jej się przez lata wydawało. Jorgos wcale nie uratował Ralpha. Wprawdzie dopomógł mu w ucieczce, ale potem podczas pościgu zabił. Nienawidził go za nią, a poza tym był wrogiem. Już jako młody chłopak Jorgos wbił sobie do głowy, że wszystkie nieszczęścia Grecji to wina Anglików i Amerykanów, i miał na tym punkcie prawdziwą obsesję. Jak mogła mu zaufać? Przecież gdyby było inaczej, Ralph by ją odnalazł. Jeśli nie sam, to z pewnością przesłałby wiadomość przez Czerwony Krzyż. A ona tak długo czekała. Aż wreszcie... pokochała swojego męża.

Leżąc w sieni, w ogóle nie czuła zimna. Z rozpaczy gryzła dłoń, a z oczu leciały jej łzy. Gdzieś w oddali znów słyszała wycie wilków, ale teraz było jej to obojętne.

Była razem z Ralphem. Odprowadzała go do lasu z domu ciotki Kiry i pokazywała najłatwiejszy szlak przez góry. Była taka upalna noc, pełna zapachu oregano i pinii. Nie mogli się rozstać. Trzymał ją delikatnie za rękę i znów wyznawał jej miłość.

– *Se agapo* – odpowiedziała mu Ismena, a jej głowa osunęła się na zimne kamienie w bieszczadzkiej chacie.

Światło lampy naftowej stopniowo się zmniejszyło, wreszcie zgasło, a Atropos, ta „nieodwracalna" mojra, pochyliła w milczeniu głowę i zerwała nić.

Rozdział VI

Korfu, 2010

– O Boże! – Głośne westchnienie wyrwało Jannisa z długiej ciszy, jaka zapadła po jego ostatnich słowach.

– I ty to wszystko zapamiętałeś? – Oczy Niny były załzawione.

Mimo dziwacznego wyglądu była chyba dość uczuciową osobą.

– Bardzo dużo pamiętam z tamtych czasów. To nawet trochę dziwne. A reszta... to opowieści ojca, ciotki, brata. Również tych sąsiadów, którzy opuścili Bieszczady razem z nami. – Potarł oczy.

– Jesteś zmęczony.

Pokiwał głową. Zwykle niechętnie przyznawał się do swych słabości, ale przy tym odmieńcu było mu wszystko jedno. Ona umiała przynajmniej słuchać. Ze zdumieniem odkrył nagle, jak dużo jej powiedział. Nawet jego własne dzieci nie znały całej tej historii.

– Chyba się starzeję. To nie o tym mieliśmy rozmawiać – zirytował się nagle.

– To musiało być dla ciebie potworne przeżycie – mówiła Nina, jakby w ogóle nie usłyszała jego uwagi. – I pomyśleć, że ja przez tyle lat użalałam się nad sobą, zupełnie ślepa i głucha na los innych. Oryginalności mi się zachciało.

– Byłaś chora? – przerwał jej Jannis.

– Ja? Dlaczego? – Nagle zrozumiała i dotknęła swoich króciutkich włosów. – Nie, po prostu fryzjer się nie sprawdził. Musiałam ściąć.

Jannis pokiwał głową i zerknął na zegarek. Nina zauważyła to. Chwyciła płócienny worek, który zastępował jej torbę.

– To ja już pojadę. Przynieść ci leki?

– Dobrze – zgodził się Jannis.

Gdyby taką propozycję złożyła Ifigenia, obraziłby się natychmiast, że ma go za starca. Ale Nina powiedziała to tak naturalnie, że nie miał jej za złe. W sumie miła dziewczyna. Nawet nie zauważył, jak na rozmowie minęło im całe popołudnie. Nagle poczuł się nieswojo. Dał się podpuścić jak szczeniak. Plótł jej o swojej „greckiej tragedii", ale wcale się nie zainteresował jej osobą. Dalej nic o niej nie wiedział. Może ktoś ją nasłał na niego? Tylko kto? Od paru lat jedynie okazjonalnie zajmował się biznesem, a w domu nie miał żadnych kosztowności, które mogłyby kogoś zainteresować.

– Przyniosłam też wodę. – Nina usiadła koło niego i podała mu lekarstwa.

– Jutro chcę posłuchać o tobie.

Kobieta uśmiechnęła się tylko, nie zwracając uwagi na jego władczy ton.

– Ale ja pojawiam się w twojej historii o wiele później. Do mnie też dojdziemy. Przynajmniej mam taką nadzieję.

– Jesteś mężatką? – spytał obcesowo.

– Nie i nigdy nie byłam.

– Nie lubisz mężczyzn?

Zaczerwieniła się i odwróciła od niego wzrok.

– Przepraszam, ale ojcowie na ogół pytają o takie sprawy.

– Ale, Jannis, my wcale jeszcze nie wiemy, czy ty jesteś moim ojcem. – Nagle spostrzegł, że ma ciemnogranatowe oczy. Jak tamta! – Dla mnie nie jest ważna genetyka, tylko lepsze zrozumienie tego, co się działo, zanim się urodziłam, poznanie mojej matki. Tobie udało się poznać swoją.

Po chwili znikła i Jannis usłyszał tylko warkot skutera. Nie przyznała się, czy lubi mężczyzn, zauważył. Na pewno jest lesbijką! Ha! Gdyby jego syn Nick to usłyszał, nieźle by mu się oberwało. Był przecież taki liberalny. Przez chwilę się wahał, czy do niego nie zadzwonić i nie opowiedzieć o tej zaskakującej wizycie - on jeden by go uważnie wysłuchał i nie zaczął wrzeszczeć w połowie zdania - ale przypomniał sobie, że Nick nie wrócił jeszcze z Indii. „Medytacji się gówniarzowi zachciało!"

Jannis spojrzał z ukosa na tabletki, po czym podniósł się i podszedł do barku. Nalał sobie kroplę metaksy. Na dworze było już zupełnie ciemno. Wyszedł z kieliszkiem przed dom, szczelnie zamykając za sobą drzwi z moskitierą.

Jakie piękne miejsce wybrał sobie na dom! Niemal na szczycie góry, prawie zawieszony na skalnej półce jak orle gniazdo. Przed nim, poniżej linii basenu, rozpościerał się zapierający w piersiach widok na ciemne morze, skały i światła miasta Korfu po prawej stronie. Jannis patrzył przed siebie, ale dopiero po chwili zorientował się, że w głowie ma zupełnie inny widok.

Wrócił myślami do tego słonecznego, mroźnego dnia, kiedy obudził się znacznie później niż zwykle, zdziwiony, że nie słyszy krzątającej się matki. I do wyziębionego domu, gdyż nikt nie dorzucił do pieca. A potem... Ciało matki leżące w sieni. Zupełnie zimne. Przeraźliwa panika. Nastek! Pomóż!

Wystarczyło jedno spojrzenie na twarz brata, żeby zrozumieć, że stało się najgorsze. Świat się zawalił. Nastek, trzęsąc się jak galareta, zakopał się w pierzynę, nie chciał mieć nic wspólnego z tą rzeczywistością. A on, Jannis, otworzył drzwi i wbrew wszystkiemu chciał jakoś pomóc mamie.

Kiedy drzwi rozwarły się z opornym jękiem, ujrzał przed sobą nieskończenie biały krajobraz. Wszystko było białe. Nawet najdalsze drzewa. I wszystko migotało w promieniach słońca, aż musiał zmrużyć oczy. A kiedy przyjrzał się dokładnie, mimo swego młodego wieku zrozumiał, że w takim śniegu nie jest w stanie przedrzeć się do wioski. Usiadł wówczas na progu i zaczął płakać. Czuł, jak łzy zamarzają mu na policzkach.

Ze zdziwieniem poczuł je znów na twarzy. Przeszło pięćdziesiąt lat później one nadal płynęły.

Mireli wpadł w oko chłopak, który pracował jako kelner w głównej restauracji. Taki przystojny, o jasnych włosach i ciemnych oczach.

– A, ten Czech.

– Skąd wiesz, że to Czech?

Nina zaśmiała się cicho.

– Ja dużo wiem, choć może nie mówię. On jest na ostatnim roku szkoły gastronomicznej i planuje otworzyć u siebie w Ostrawie grecką knajpę.

– Och! – Mirelę zupełnie zamurowało ze zdziwienia. Ale po chwili zapytała:

– Ma dziewczynę?

– Ma, ale chyba zamierzają się rozstać. Od dłuższego czasu marzy o drobnej Polce z niebieskimi oczami.

– Nabierasz mnie! – Mirela rzuciła w jej stronę jaśkiem, który Nina złapała w locie.

– To ostatnie zgaduję, ale zwróciłam uwagę, jak ci się przygląda, gdy się mijacie.

Dziewczyna aż pisnęła z radości, co nawet wzruszyło Ninę. Tak mało jej potrzeba do szczęścia, pomyślała. Ona tak nie umiała. Może dlatego, iż nie potrafiła zaufać do końca i zawsze spodziewała się jakiegoś nieszczęścia. A ono prędzej czy później przychodziło.

– To idę się przejść – oświadczyła młodsza dziewczyna z błyskiem w oku. – On wkrótce zaczyna swoją zmianę. Przynieść ci coś?

Nina pokręciła głową.

Po chwili została sama. Zrzuciła z siebie bluzę z długim rękawem i została w samym podkoszulku. Sięgnęła po papierosy i zapalniczkę. Złapała się na tym, że nie paliła cały dzień. Wcale nie znaczy, że jej nie kusiło, ale nie chciała za żadną cenę przerywać opowieści Jannisa.

Siedziała zasłuchana, każdym nerwem wczuwając się w emocje nieznanej Ismeny. Która nawet nie wiadomo, czy była jej babką! Jannis miał rację, mówiąc, że się rozgadał. Po co jej wiedzieć to wszystko? To zupełnie nie ma znaczenia dla niej samej. Niechętnie jednak musiała przyznać, że słuchanie go sprawiało jej przyjemność. Mówiąc, ten nieco burkliwy, obcesowy mężczyzna całkowicie się zmieniał. Potrafił ją wręcz zahipnotyzować.

A poza tym i tak nic innego nie miała do roboty w wolnym czasie. Przecież nie będzie biegała za kelnerami jak jej młodsza koleżanka!

Z papierosami i zapalniczką w garści Nina przeszła przez okno i usiadła w załomie dachu. Mirela nie będzie się wściekać, że w pokoju śmierdzi, a poza tym z tego miejsca miała doskonały widok na rozgwieżdżone greckie niebo. Z dość dużą wprawą zidentyfikowała większość znanych gwiazdozbiorów, a potem zapaliła papierosa. Wolno wypuszczała kółka z dymu, a one niemal natychmiast rozpraszały się w ciemności. Matka Jannisa umarła, kiedy on miał skończone cztery lata. Nina była niemal w tym samym wieku, gdy spotkała swoją po raz pierwszy.

Leżała w łóżku, nie mogąc zasnąć. W domu znów był ten obcy człowiek, a ona nie cierpiała go, widząc, jak Monika w jego obecności zupełnie się zmienia. Nagle przestaje się na nią wydzierać i ją musztrować, tylko szczebiocze i proponuje obcemu największe przysmaki, które przed nią zamknięte są na klucz. Tym razem było jeszcze gorzej. Nina nie dostała nawet kolacji i teraz burczało jej w brzuchu.

Wyślizgnęła się po cichu z nieco zbyt małego łóżeczka i postanowiła zakraść się do kuchni po bułkę. Już w przedpokoju spostrzegła jednak, że telewizor nadal jest włączony, a w pokoju siedzą Monika i obcy.

– Ja cię nie chcę do niczego zmuszać. Ale nie będę utrzymywał cudzego dzieciaka. Koniec i kropka.

Ciotka milczała.

– Monisiu, nie rób ze mnie potwora. Rozmawialiśmy już o tym. Co innego, gdyby była sierotą. Ale nie jest. Może tej dziewczynie właśnie tego potrzeba. Jakiejś odpowiedzialności. Dlaczego by nie spróbować?

– Nie wiem sama. Chciałabym, żebyś miał rację.

Nina wróciła do łóżka, całkowicie pewna, że ta rozmowa dotyczyła jej. Nie była jednak w stanie zrozumieć, kogo jeszcze.

Dowiedziała się już parę dni później.

Monika położyła na krześle nowe ubrania i kazała jej się ubrać. Białe rajstopy, sukienka w groszki, błyszczące lakierem buciki. A Nina tak bardzo nie znosiła sukienek. Nie śmiała się jednak sprzeciwić poleceniu ciotki. Nie była bojaźliwa, ale dobrze wiedziała, że musi Moniki słuchać, bo inaczej ta ją zostawi. Może w sklepie albo na podwórku, albo w jakimś ciemnym miejscu, jak zdarzyło się kilka razy wcześniej, a ona biegała wkoło, dusząc w sobie szloch. Mogła też kazać jej klęczeć w kącie z wyciągniętymi do góry rękami. Nina ubrała się natychmiast, a potem usiadła na krześle, czekając, aż pojawi się Monika, ale ta nie nadchodziła. Zaczęła się bawić palcami, mówiąc do nich w myślach, i w końcu drzwi się otworzyły. Stała za nimi kobieta, znacznie młodsza od Moniki i o wiele ładniejsza. Z jasnymi włosami i oczami podkreślonymi mocną kreską. Nina zeskoczyła z krzesła, zdziwiona.

– Ninusia! – wykrzyknęła tamta. – Moja kochana Ninusia. No, chodź do mamy.

Do mamy? To przecież Monika była jej mamą. Czego ta pani od niej chce?

– No, zbliż się, głuptasku.

Kiedy Nina starała się ją ominąć i uciec do drugiego pokoju, kobieta pochwyciła ją w ramiona, a potem uniosła do góry na wysokość swojej twarzy i zaczęła zasypywać pocałunkami.

– Moja córeczka! – Cmok. – Moja Nina najsłodsza. – Cmok. – Teraz będziesz już zawsze z mamusią. Będziemy mieszkać razem. Fajnie, prawda? – A potem przycisnęła ją mocno do siebie, aż Ninie zabrakło tchu i zaczęła płakać. Nie dlatego, że nie podobała się jej ta obca pani. Była chyba nawet miła i bardzo ładnie pachniała, ale Niny do tej pory nie całowano ani też nie ściskano. Zupełnie więc nie wiedziała, co to wszystko oznacza. Ale posłusznie wzięła ją za rękę i poszła za nią.

Monika nawet się nie pojawiła, żeby je pożegnać.

– Tato, co z tobą? Jestem na lotnisku i załatwiam najszybszy przelot. Będę może już jutro.

Jannis zastanawiał się gorączkowo, co ma mu odpowiedzieć. Z jednej strony tęsknił za Nickiem, ale z drugiej nie chciał, żeby teraz przyjeżdżał. Czuł, że musi rozwiązać sprawę Niny sam. Tylko jak on może cokolwiek rozwiązać, skoro nawet nie dopuścił jej do głosu. Gadał tylko on. Wystarczył rok bez pracy, choroba i zupełnie zgłupiał.

– Nick, wiesz, że zawsze chcę cię widzieć, ale teraz muszę załatwić kilka spraw w klinice. Może nawet zostanę tam przez parę dni.

– Zgadzasz się na operację? – Głos Nicka był tak rozradowany, jakby mu podarowano najwspanialszy prezent.

Jannis przełknął ślinę. Nie chciał go znów rozczarować.

– Zastanawiam się nad tym. Proszę cię, nie poganiaj mnie.

– Nie, nie, ale kiedy Alex powiedział mi o tej chorobie, to...

– Jest znacznie lepiej. Cukier jest kontrolowany i w normie. Nie martw się. Dokończ lepiej tę swoją wycieczkę.

Ależ się o nią pokłócili. Pamiętał, jak wczesną wiosną po odwiezieniu budowlańców na prom zastał przed domem siedzącego na progu młodszego syna. W letniej kurtce, spranych dżinsach i z parodniowym zarostem.

– Co za niespodzianka! – Ucieszył się mimo wszystko.

– Cześć, tato!

– Masz urlop?

Nick zmarszczył czoło.

– Wiem, powinienem z tobą wcześniej porozmawiać, ale... To było silniejsze ode mnie.

– To znaczy?

Weszli do domu i Jannis natychmiast skoncentrował się na wypiciu szklanki wody. Ciągle doskwierało mu pragnienie. Dopiero po chwili powrócił do zadanego pytania.

– Co się dzieje, Nick?

– Rzuciłem pracę.

Jannis usiadł w fotelu i zaczerpnął powietrza.

Jego najzdolniejszy syn, obecnie główny analityk Barclay's

Bank w Londynie, rzuca nagle pracę? Przecież miał siedzieć w finansach, podobnie jak Afrodyta, a potem wspomóc Aleksa w prowadzeniu firmy. Dopiero co zmieniał pracę. Co ten chłopak sobie wyobraża? Od kiedy rok wcześniej on sam wycofał się całkowicie z prowadzenia biznesu, przyszły udział Nicka w rodzinnym przedsięwzięciu był konieczny. Tym bardziej teraz, kiedy waliła się gospodarka światowa.

– Ja tego nienawidzę, tato. Tej wiecznej gonitwy. Tej chciwości i małostkowości. Ja nie jestem na to wszystko odporny. Od pół roku leczyłem się na dotkliwy świąd i w końcu lekarze stwierdzili, że to wynik stresu. W Londynie jeszcze się to nasiliło, a mam dopiero trzydzieści lat. Chcę normalnie żyć.

– Nie chcesz skończyć jak twój ojciec, prawda? – Głos Jannisa zabrzmiał gorzko, ale on sam niemal gotował się z nerwów. – A co masz zamiar zrobić? Miałem nadzieję, że wesprzesz Aleksa.

Nick zwiesił głowę.

– Chcę trochę odpocząć.

– Odpocząć? Czyli się bawić, jak rozumiem.

– Nie, nie rozumiesz. Chcę spotykać się z innymi ludźmi. Zobaczyć, jak wyglądają, co czują, co nimi rządzi.

– To samo co każdym. Prymitywne żądze plus chciwość.

– Nieprawda, tato. To tylko media chcą nam to wmówić. Wierzę, że prawdziwy człowiek jest lepszy niż ten, jakiego się nam przedstawia.

Jannis wzniósł oczy do nieba.

– Rozumiem, że chcesz odpoczywać, pomagając najuboższym i niepełnosprawnym. Bardzo szlachetny pomysł.

– Nie naigrawaj się ze mnie. Chcę pojechać do Indii.

Jannis doszedł do wniosku, że musi się czymś znieczulić, i to natychmiast. Jego syn... A miał go za inteligentnego... No po prostu banał.

– Co ty robisz, tato?

– Nalewam ouzo? Chcesz też? Z lodem czy z wodą?

– Tobie nie wolno pić!

– Aha. Czyli ty wiesz nie tylko, co tobie, ale także co mi wolno? Chyba przesadziłeś. Uważam – przerwał, by zanurzyć usta w alkoholu – że zachowujesz się niedojrzale i nieodpowiedzialnie. Nie można podejmować takich nagłych decyzji.

– A można wolne? – zadrwił Nick.

– Można stopniowe. I uprzedzić najbliższych o swoich planach. I zostawisz teraz Aleksa samego? Wiesz, że on się kiepsko zna na finansach. Nie poradzi sobie. Kto to wszystko ogarnie? Bo jak sam wiesz, ja się do tego już nie nadaję.

Nick bez słowa się podniósł, by sobie też nalać ouzo.

Jannis zauważył, że nie skomentował ostatniej uwagi. I mimo całej wściekłości, która w nim wezbrała z powodu planów Nicka, nie mógł go nie doceniać. Nie daje się złapać. Jest lojalny wobec brata i nigdy go nie krytykuje.

– Tato, ja przecież nie mówiłem, że już nigdy nie zamierzam pracować. Powiedziałem tylko, że chcę jechać na wyprawę. Na wakacje, tato. Nie wkurzaj się.

– No dobrze, to sobie jedź – rzucił ze złością Jannis. – Przyjemnych odkryć. I odnalezienia prawdziwego siebie. I innych też równie prawdziwych, skoro my ci już nie wystarczamy.

– To nie potrwa długo, zobaczysz.

Wcale tak nie było. Na początku po wyjeździe syna Jannisowi brakowało ich codziennych pogawędek, a teraz nawet gotów był go namawiać, żeby odłożył powrót do Europy.

– Jesteś pewien, tato? – dopytywał się Nick. – Przez pewien czas byłem na medytacji w buddyjskim klasztorze i tam nie było zasięgu.

– Dobrze, dobrze – potakiwał Jannis, tym razem nie

złoszcząc się na takie słowa jak „buddyjski klasztor" i „medytacja".

Nickowi był w stanie wybaczyć znacznie więcej niż innym. Może dlatego, że kiedy się urodził, jego matka ponownie trafiła do kliniki z nasilonymi objawami depresji. Zrezygnował wówczas z pracy na kilka miesięcy i nie zwracając zupełnie uwagi na ataki złości teścia, sam zajął się niemowlakiem. To do niego synek uśmiechnął się po raz pierwszy i Jannis do tej pory pamiętał niezwykłe wzruszenie, jakie go wówczas ogarnęło.

– Wobec tego spotkamy się na weselu we wrześniu, tak jak zapowiedziałem wcześniej.

Przez chwilę Jannis był zaskoczony, gdyż ten fakt całkowicie wypadł z pamięci. Ślub Karoliny, małej Szarlotki. Oczywiście, jak mógł zapomnieć! Miał już nawet pomysł na prezent ślubny.

– Cieszysz się, że znów pojedziesz do Polski?

– Jest mi to obojętne. Ale cieszę się, że spotkam się tam z wami. Zupełnie nie pojmuję, jak Szarlotce udało się namówić Afrodytę.

– One chyba nadają na tych samych falach – odpowiedział Nick i po chwili się rozłączył.

Po rozmowie Jannis wykąpał się w basenie, a potem wrócił do domu i wyjął z lodówki przygotowane przez Ifigenię jedzenie. Było starannie zawinięte w folię i nieco zduszone. Ale higieniczne i zdrowe, pomyślał Jannis, po czym sięgnął po telefon.

– Nina? Masz dzisiaj wolny wieczór?

Wyżej w górach temperatura była o kilka stopni niższa i przy niektórych powiewach wieczornego wiatru mogło chwilami robić się chłodno. Nina, uprzedzona o tym, była wprawdzie ubrana w kolejną szarą koszulę z długim rękawem, ale na ramiona zarzuciła szal. Był w kolorze lawendy, co z przyjemnością stwierdził Jannis. Zastanawiał się przez chwilę, czy dobrze zrobił, zapraszając Ninę do swej ulubionej tawerny, gdzie znany był zarówno gospodarzowi, jak i większości bywających tu gości, ale w końcu uznał, że z niczego nie musi się im tłumaczyć. Może przedstawić Ninę jako znajomą, krewną lub koleżankę któregoś z dzieci. Jednak Kostas, który osobiście pojawił się przy ich stoliku, by ich obsłużyć, traktował kobietę z taką atencją, jakby była co najmniej księżną.

– Mamy dziś doskonałe żeberka. – Kręcił się wokół z dwuznacznym uśmieszkiem na twarzy.

– Pani nie je mięsa – Jannis warknął po grecku, by ku swemu zdumieniu usłyszeć:

– Ale ja nie jestem wegetarianką. Po prostu nie przepadam za mięsem. Ale dziś chętnie spróbuję tych żeberek. – A potem uśmiechnęła się do Kostasa, a Jannis musiał stwierdzić, że gdyby robiła to częściej, byłaby całkiem ładna.

– Jesteś zadowolona z pracy?

– Nie narzekam. Zarobki też są takie, jakie miały być. Dobrze nas traktują. Lepiej nawet niż w wielu innych miejscach, gdzie pracowałam.

– W Grecji?

– W różnych krajach.

– Zawsze robisz to samo?

– Zawsze robię to, czego ode mnie oczekują. Ale to różne zajęcia. Ogrodnictwo, hotele, restauracje.

– I to jest pomysł na życie?

– Lepszego nie mam. Jestem bezrobotnym kulturoznawcą. Więc poznaję różne kultury. Od podszewki. Myślę, że dziś wiem o nich znacznie więcej, niż gdybym została w Polsce.

– Doskonała okazja, by zrozumieć drugiego człowieka,

prawda? – powiedział z przekąsem Jannis, ale Nina prostolinijnie odpowiedziała:

– Też. Ale ja się psychologią nie zajmuję. I chyba nigdy nie zrozumiem drugiego człowieka.

O, szkoda, że Nick tego nie słyszy, pomyślał Jannis. Nie traciłby tyle czasu na próżniacze włóczenie się po Indiach.

Za chwilę Kostas postawił przed nimi czerwone wino, które zamówili, i zestaw past, które miały być przystawką.

Jannis przez chwilę się wahał, a potem wyjął z portfela zdjęcie.

– Moja matka – skonstatowała z dziwnym spokojem Nina, a potem szybko upiła łyk wina.

Szczupła blondynka o oczach mocno podkreślonych ciemną kreską siedziała na kolanach mężczyzny. Wokół stali roześmiani młodzi ludzie z kieliszkami wódki w rękach.

– A ten facet to ty?

– Nie, to mój kumpel. Miał tak samo na imię jak tutejszy właściciel. Kostas. W pewnym czasie byliśmy nierozłączni. Ja jestem tutaj. – Wskazał na mężczyznę stojącego po prawej stronie. Jego lewa ręka spoczywała na talii nastoletniego chłopca.

– To twój brat? – zainteresowała się Nina.

– Nie. – Jannis szybko schował zdjęcie do portfela. – Znalazłem tę fotkę dzisiaj rano. Te ubrania, fryzury. Przez ten brak koloru człowiek ma wrażenie, jakby oglądał dokumentację sprzed stuleci. A byliśmy tacy młodzi, tacy młodzi...

– Matka miała dwadzieścia lat.

– Trudno w to wszystko uwierzyć. – Jannis zapatrzył się w rubinowy płyn w kieliszku. – Jakaż ona była piękna. I, mój Boże, jak bardzo lubiła się bawić. – W jego głosie słychać było nostalgię.

To prawda, jej matka lubiła się bawić. Każda chwila przeżyta bez zabawy była po prostu jednym wielkim marnotrawstwem czasu. Po ponad czterech latach spędzonych z Moniką, w których jedyną rozrywką była rozmowa komunikacyjno-nakazowa, Ninie wydało się, że znalazła się w niebie. I to niemal od pierwszej chwili, kiedy nakarmiona galaretką z bitą śmietaną bawiła się w chowanego. Matka pokazywała jej, jak należy być dzieckiem. Piszczeć z radości, wspinać się bez lęku na antresolę, gdzie było posłanie, i iść spać bez wieczornego mycia. Po przebudzeniu radość mogła trwać nadal, gdy nie trzeba było iść do przedszkola. Nie mąciło jej nawet to, że na obiad, zamiast ciepłego posiłku, jadły kanapki z dżemem.

– To co będziemy teraz robić? – padło pytanie, na które Nina nie znała odpowiedzi. Do tej pory nie zastanawiała się nad takimi kwestiami, gdyż jej życie było sterowane żelazną ręką Moniki.

– A co lubisz robić?

Nina zaczęła się zastanawiać, ale trwało to najwidoczniej zbyt długo, bo matka machnęła tylko ręką, a potem pobiegła do telefonu i zaczęła wydzwaniać.

Zanim zaszło słońce, dom był już pełen nowych wujków i cioć, które chętnie sadzały Ninę na kolanach i karmiły paluszkami i pepsi-colą.

– Tylko pamiętaj, żeby potem umyć zęby, żeby ci się w nocy nie rozpuściły.

Nina kiwała potakująco głową, a potem kiwała się razem z nimi w rytm bardzo głośnej muzyki. Próbowała dotrzymać im kroku, ale zaczęły jej się plątać nogi. Usiadła w kąciku naprzeciwko gramofonu, skąd mogła obserwować matkę. Tańczyła solo, jak w transie, wsłuchana wyłącznie w muzykę i wewnętrzne rytmy swego ciała. Ninie wciśniętej w kąt kanapy zamknęły się zmęczone oczy.

Obudziła się nad ranem, nie wiedząc, gdzie jest, i początkowo poczuła strach. Potem nagle przypomniała sobie, że jej życie się zmieniło i mieszka, tak jak wszystkie dzieci, zc swoją mamą. Tylko gdzie jest jej łóżko? Zupełnie zapomniała. Cały czas spała skulona w kłębek, wciśnięta w kąt. Nikt jej nie położył do łóżka. A poza tym nie myła zębów. Pewnie jej się rozpuszczą! Ale gdzie jest łazienka?

Mieszkanie matki było znacznie większe niż Moniki, a ona nie zapamiętała go zbyt dobrze z poprzedniego dnia. Bała się, ale strach przed utratą zębów był jeszcze większy. Najpierw trafiła do przedpokoju, potem do kuchni, a jeszcze później znalazła się w sypialni matki. Ona z pewnością jej pomoże!

Wdrapała się po drabince na antresolę. Chciała się położyć i zasnąć, ale nie było tam miejsca. Ramiona matki obejmowała owłosiona męska ręka.

– Co ty tu robisz, mała? Idź do swojego łóżka, no już!

Przerażona niemal spadła z drabinki, a potem czym prędzej czmychnęła z pokoju. Przecież chciała iść do swojego łóżka. Tylko gdzie ono jest?

Przed Niną leżała niemal nietknięta porcja zimnych już żeberek. Miała zarumienione policzki. Ocknęła się nagle niczym wyrwana z niechcianego snu, snu, który ponownie odbierał jej wszelką nadzieję.

Jannis tknięty impulsem dotknął jej dłoni i delikatnie uścisnął. Nina lekko drgnęła, ale nie zabrała ręki, tylko odwzajemniła uścisk.

– Miałeś opowiadać dalej – zagryzła wargę.

– Jest dopiero dziesiąta. – W oddali widać było światła miasta. – Młoda godzina. Mamy na to czas. Zamówię ci coś ciepłego do jedzenia, dobrze?

Wypiła duszkiem resztę wody z dzbanka i skinęła głową.

– Nino, pomyślałem o czymś. Myślę, że wcześniej czy później będzie to konieczne.

– Tak?

– Zrobimy badanie DNA. Co ty na to? – spytał z uśmiechem, trochę pod wpływem impulsu, ale tak naprawdę to zdał sobie sprawę z tego, że nie miałby nic przeciwko temu, gdyby ta dziwna kobieta okazała się jego córką. Słuchając jej, miał wrażenie, iż zna ją od dawna. Czy mógł być to rzeczywiście dowód na to, że jest jego córką?

Nina spojrzała na niego z dziwnym wyrazem twarzy.

– Oczywiście. Jak najbardziej. Najlepiej to od razu zbadać – powiedziała, a Jannis zaczął rozwijać kolejną opowieść.

Rozdział VII

Bieszczady, 1956

– Nie da się wykopać grobu w tak zmrożonej ziemi. Musimy poczekać.

– Jak długo? – Głos Jorgosa wydobywał się ze ściśniętej krtani.

– Mówią, że pogoda zmieni się lada dzień. Może już jutro. Wiem, jakie to dla was bolesne. Przykro mi.

Jorgos nie spuszczał wzroku ze stojącej przed nim prostej sosnowej trumny.

– To chodźmy, musisz coś zjeść. – Mężczyzna zachęcał go, aby opuścił pomieszczenie, ale Jorgos zwlekał z odejściem. – Musimy też porozmawiać.

– Sam zostanę – warknął Kassalis tonem nieznoszącym sprzeciwu. – Tyle, ile będzie trzeba.

– Z twoim starszym chłopakiem jest źle. Może byś poszedł do niego?

– Nie jestem lekarzem – usłyszał w odpowiedzi kolejne warknięcie. – Nie mogę mu pomóc.

– Ale twoja obecność...

– Moja obecność najmniej mu pomoże. Zostaw mnie samego. Nie rozumiesz?

Mężczyzna nie nalegał więcej i czym prędzej odszedł. Nagle zrobiło się jeszcze zimniej niż do tej pory, a Jorgos poczuł na plecach ciarki. Ona tu była! Była i patrzyła na niego z pogardą i z nienawiścią.

Podszedł do trumny i położył dłonie tam, gdzie spoczywała jej głowa. Twarz Ismeny była zmieniona, ale on nadal widział ją tak wyraźnie, jakby przed nim stała. Te włosy ze złotymi nitkami i oczy, w których utonął od pierwszej chwili.

– Ismeno – wystękał pełen boleści. I nagle przyszło mu do głowy, że skoro ona jest po tamtej stronie, to nie ma już dla niej tajemnic. Wie o nim i o jego życiu wszystko. Poczuł nagłą ulgę, która spowodowała, iż po przemarzniętych policzkach poleciały mu łzy. Ucisk, który czuł w piersiach od wielu godzin, również zelżał. Od chwili, kiedy zadzwonił telefon z Krościenka, ten ból stale mu towarzyszył.

– To niemożliwe – odpowiedział wówczas i opadł bezradnie na krzesło.

Siedział bez słowa i bez ruchu przez dłuższy czas, ale jego koledzy już o wszystkim wiedzieli. Próbowali do niego mówić, nalewali mu wódki do kieliszka, żeby się znieczulił, ale on cały czas tkwił w oszołomieniu. Nawet nie zauważył, kiedy znalazł się w pociągu, a w Ustrzykach na peronie czekał na niego sekretarz partii, Samaras. Przyjechał po niego samochodem. Stał z posępną miną, nie bardzo wiedząc, jak rozpocząć rozmowę. Jorgos miał wrażenie, że wielu ludzi nadal się go boi.

– Gdzie jest Jannis? – Tylko to jedno pytanie zadał podczas kilkunastominutowej jazdy.

– Nie martw się, chłopie. – Samaras natychmiast się ożywił, pragnąc sprowadzić rozmowę na praktyczne tory. – Są pod dobrą opieką. Filipa Lakides zabrała ich do siebie. To przecież była przyjaciółka Ismeny. Ona również się wszystkim zajęła.

Jorgos pokręcił tylko głową, ale nie skomentował.

– Chłopcy wymagają teraz szczególnej troski. Dwa dni spędzili z martwą matką. Bez ciepłego jedzenia i w zimnie. Któryś z nich próbował przedostać się do drogi, ale zaspy były zbyt duże. Sam zobacz. – Jorgos powiódł posępnym wzrokiem po otaczających ich po obu stronach śnieżnych wałach. – Niestety, do waszej chałupy traktor podjechał w ostatniej kolejności. Lekarz stwierdził, że nawet gdyby jakaś pomoc tam dotarła, nie dałoby się nic zrobić. To był jakiś udar.

Ponieważ Jorgos się nie odzywał, więc dalej jechali w zupełnej ciszy.

– Powinieneś napisać do siostry, żeby przyjechała się wami zająć. Siedzi tam sama we Wrocławiu. Będzie wam raźniej – nie wytrzymał w końcu sekretarz partii, ale Jorgos znów pokręcił głową i nie powiedział ani słowa.

W milczeniu przejechali przez wieś prosto do domu Kassalisa. Kiedy się zatrzymali, cisza raptownie się skończyła. Już na podwórzu słychać było płacz i lamenty. Jorgos zacisnął z całej siły szczęki i wszedł do środka. Zgromadzone w sieni i w pokoju kobiety przepuściły go do oświetlonej świecami trumny stojącej w pomieszczeniu, w którym spali.

Jorgos stał przez chwilę bez ruchu i patrzył na Ismenę, a potem obrócił się w stronę ubranych na czarno kobiet, które zaczęły jeszcze bardziej zawodzić.

– Dziękuję wam. Ale chcę zostać sam z moją żoną. Możecie odejść.

– Ale Jorgosie... – Któraś ze starszych kobiet złapała go za rękę. – Nie możesz w ten sposób! Nie uchodzi.

Wpatrywał się w kobiety. Było ich tyle. Nagle po jej śmierci okazały się tak bliskimi przyjaciółkami, żeby ją opłakiwać. Miał gdzieś, że to nie uchodzi.

– Zobaczymy się przed pogrzebem – powiedział zdecydowanym tonem.

Kobiety, te starsze wyraźnie oburzone, zaczęły opuszczać dom.

Po chwili został z nim tylko Nikodem Samaras, sekretarz partii. W końcu jednak i jego udało mu się pozbyć.

Drgnął, słysząc skrzypnięcie drzwi. Odwrócił głowę, nie ocierając łez. W sieni stała jakaś postać. Dopiero po chwili poznał Samarasa.

– Tak? – spytał niemal z agresją.

– Zapomniałem o czymś. Jorgos, mogę cię prosić na chwilę?

– A tu nie możesz mówić?

Nikodem wzruszył ramionami, ale nie przekroczył progu. Było widać, że niechętnie przebywa w pomieszczeniu ze zmarłą. Czyżby i on miał w stosunku do Ismeny wyrzuty sumienia?

Jorgos, ociągając się, wyszedł za nim do kuchni. W sypialnej izbie czuć było silny zapach kadzidła i topionego wosku, ale tu w powietrzu unosiła się inna, nieprzyjemna woń.

– Kobiety wietrzyły dom przez kilka godzin, ale nie dało się pozbyć tego smrodu. To przez kozy. Chłopcy wprowadzili je do domu i spali w ich cieple. Rezolutne smyki. Inaczej by może zamarzli. Nie udało im się rozpalić w piecu. A matkę... Ismenę przykryli kocem. No i właśnie ja w tej sprawie. – Samaras sięgnął za pazuchę i wyjął futerał.

– Twoja żona trzymała to w ręku, kiedy ją znaleźli. Kilka kartek rozsypało się po podłodze, ale wsadziłem je razem do futerału. – Jorgos zesztywniał i stał bez słowa, co pozwoliło Nikodemowi mówić dalej: – Musiała strzelać w nocy, pewnie do wilków, bo znalazłem też broń. Nie martw się, jest w tej samej skrytce co przedtem. Poza tym... – Poskrobał się po łysiejącym czole. – Z futerału nic nie zginęło, więc wszystko powinno być w porządku. Sam sprawdzisz. Ja już pójdę. Przywiozę ci jedzenie za godzinę. Może zmienisz zdanie. – Szybkim ruchem położył zawiniątko na stole kuchennym i ruszył w kierunku wyjścia.

Jorgos nagle odzyskał mowę.

– Stój!

– Idziesz ze mną?

– Nie, ale... – Jorgos rzucił wzrokiem na otwarte drzwi do sypialni. – Gdzie był ten futerał? Ktoś przeszukiwał dom?

– No coś ty, stary. Twoja żona ściskała go w ręku. I to tak mocno, że trzeba było go wyrywać z całej siły. Dobrze, że jej palce... Prze...przepraszam – bąknął, stwierdziwszy, że chyba przesadził z dokładnością opisu. – Ale klnę się, że nic nie zginęło, bo byłem tu na miejscu jako jeden z pierwszych. A tak swoją drogą to piękna rzecz. I droga. – Natrafił na spojrzenie Jorgosa i czym prędzej włożył na głowę czapkę i oddalił się, nic już nie mówiąc.

Kassalis szedł za nim i natychmiast po jego wyjściu zasunął zasuwę u drzwi, a potem chwycił za futerał pozostawiony przez Samarasa. Nagle zaczęły mu dygotać ręce. Jego stwardniałe dłonie były takie niezgrabne. W końcu udało mu się odciągnąć skórzany język i na dłoń wypadł mu migoczący przedmiot, wysadzany diamentami krzyżyk Ismeny. Zacisnął go w pięść i przybliżył do ust. Jego pierś przeszył ten sam ból co wcześniej.

– Dlaczego to znalazłaś? – jęknął rozdzierająco w kierunku leżącej w sypialni trumny. – Jakim cudem?

Jorgos czuł, że jego głowa za chwilę eksploduje. Przebieg wydarzeń wydał mu się teraz zrozumiały. Ismena była mądrą kobietą, znalazła krzyżyk i połączyła wszystkie fakty. Zrozumiała, że to on pozbył się jej dawnego kochanka. Domyśliła się tego najgorszego, i to spowodowało szok, który ją zabił. Ale to była jego wina. Dlaczego nigdy jej o tym nie powiedział? Tyle razy miał to już na końcu języka, ale za każdym razem nie miał odwagi. On, kapitan Kassalis, którego bali się wszyscy wrogowie... Był przekonany, że kiedy ona dowie się prawdy, natychmiast go zostawi. A teraz... teraz ona już wszystko wie. Także o tym Amerykaninie, którego on nadal tak nienawidził. A on już nigdy się nie dowie, czy Ismena byłaby w stanie mu wybaczyć.

On zrobiłby dla niej wszystko. Jednak to nie Ismena była jego dłużniczką. Zupełnie odwrotnie. Gdyby nie wojna, nigdy nie miałby szansy jej poślubić. Jej ciotka nigdy by na to nie pozwoliła.

Tym razem nie zapłakał. Z jego gardła wydobył się donośny, pełen rozpaczy krzyk. On już na zawsze będzie potępiony. Nigdy nie dostanie odpuszczenia. Było już na to za późno. Dlaczego nie można zacząć wszystkiego jeszcze raz od początku?

Ateny, 1942

Jorgos co chwila chuchał w zziębnięte dłonie – tego dnia było wyjątkowo zimno – ale nie spuszczał oczu z niewielkiego statku dopływającego do kei. W jakiś sposób udało mu się ominąć blokadę, co oznaczało, że być może miał na pokładzie żywność. Trzeba było czekać, ale kiedy zapalał papierosa, kątem oka zauważył, że w pobliżu czają się inni. Trzeba więc będzie wykazać więcej sprytu, uśmiechnął się do siebie pod nosem.

Miał dwadzieścia lat i nieskończoną wiarę w swoje siły i umiejętności. Właśnie tego dnia wrócił do Aten. Szedł ponad czterdzieści kilometrów, ale i to nie było dla niego problemem. Dwa miesiące czekał na powrót do domu, ale po tym, jak niemal wpadł przy włamaniu do sklepu jubilera, szef zakazał mu pokazywać się w mieście. Zginął przypadkowy przechodzień, a pracownik sklepu zapamiętał podobno rysopis jednego z włamywaczy. Szef musiał się obawiać, że przy zatrzymaniu zacznie sypać. A szef miał sporo do stracenia.

Taki pech! Pierwsza większa robota i powędrował w odstawkę. Od chłopaków dostał tylko adres tego wiejskiego gospodarstwa, gdzie miał służyć za parobka, zanim go wezwą. Nie podobało się to Jorgosowi. On, miastowy chłopak, wyćwiczony od małego cwaniak, miał zajmować się wywożeniem gnoju? Za żadne skarby! Wolałby już pojechać do stryjów w góry, tam z pewnością nie musiałby się trudzić, ale wiedział, że musi być w pobliżu, żeby pomagać matce i siostrze.

Okazało się jednak, że pech nie był taki straszny, gdyż trafił najlepiej, jak tylko mógł. Gospodarstwo prowadziły dwie niezamężne, spokrewnione ze sobą kobiety, które przygarnęły go jak syna.

Mimo nieurodzaju, który panował poprzedniej jesieni, w gospodarstwie nie widać było jeszcze niedostatku. Rano na śniadanie czekał na Jorgosa biały chleb, ser i miód, a do tego czarna kawa. Żadnego wywożenia gnoju. Same drobne prace przydomowe. I piekielna nuda. Po dwóch miesiącach Jorgos nadal niecierpliwie czekał na wieści z Aten, ale rozkład zajęć był dokładnie taki sam każdego dnia. Tylko dwie stare baby, i to w dodatku wąsate, a najbliżsi sąsiedzi za górami, za lasami. Kiedy w końcu otrzymał oczekiwaną wiadomość, że sprawa jubilera przycichła i może wracać, natychmiast wyrwał się do drogi, nie bacząc, że zrobiło się już ciemno. W plecaku miał trochę jedzenia dla matki i siostry, ale nieoczekiwany widok niepozornego stateczku dobijającego do portu w Pireusie sprawił, że przerwał wędrówkę i nabrał ochoty, by powiększyć swoje zapasy. Jeśli nie wykorzystają ich sami, zawsze będzie można coś sprzedać. Głód stawał się coraz bardziej dotkliwy. Oczywiście nie tylko dla nich, ale i dla wszystkich mieszkańców stolicy. Nagle się okazało, że ludzie pozamykali się w domach, niechętni wizytom krewnych, którzy mogliby prosić o wsparcie. Jorgos niepokoił się o matkę, która miała zbyt dobre serce, żeby komukolwiek odmówić. Zostawił jej wystarczająco dużo zapasów, ale nikt nie mógł mu zagwarantować, że jedzenie trafi do garnka Kassalisów.

Nagłe poruszenie sprawiło, że momentalnie skoncentrował się na tym, co zaczęło się wokół niego dziać. Pod statek podjechała ciężarówka ze znakiem Czerwonego Krzyża i zaczęto ładować na nią skrzynie.

– To do szpitala! – Stojący niedaleko Jorgosa bezzębny staruszek machnął ręką. – Jakieś specjalne dostawy. A dla nas nic. Przyjdzie tu lada chwila zdechnąć.

Ma rację, stwierdził Jorgos. Staruszek był tak wycieńczony i wychudzony, że chyba niewiele życia mu zostało.

– W Atenach ludzie padają jak muchy. Setkami. Trupy walają się po ulicach. – Mężczyzna, widząc zainteresowanie w oczach Jorgosa, stwierdził, że trafił na wdzięcznego słuchacza.

– Co? Setkami?

– A nawet tysiącami. Całe rodziny, których nie ma kto pochować. Ale głównie tacy starzy i niepotrzebni jak ja.

– Niemożliwe! – zaprzeczył gorączkowo młody Kassalis. – Jeśli tak jest, to może wybuchnąć epidemia.

– I wybucha. Pełno jest różnych choróbsk, o których człowiek do tej pory nie miał pojęcia.

Brednie, mruknął Jorgos pod nosem. Nie może być aż tak źle. Matka chyba dałaby mu znać!

– Tak nas okupanci urządzili! Trzeba ich jak najprędzej wygonić z kraju. Zabierają nasz chleb – rzucił rozgoryczony chłopak.

– Okupanci? Oni też, ale zastanów się pan, kto blokuje nasze wody?

– Anglicy – westchnął Jorgos i dopiero wówczas dostrzegł, że jego rozmówca zniknął. Po chwili dostrzegł go kilkanaście metrów dalej, tuż koło statku. Mimo swej mizernej postury i wygłodzenia pogonił do przodu tak rączo jak zając i kiedy marynarze znieśli jeszcze jedną skrzynię – jak się okazało, zawierającą resztki kuchenne – był już przy niej.

– *Malaka* – zaklął pod nosem Jorgos i rzucił się w ślady staruszka.

Młody Kassalis objuczony dodatkowym ciężarem w postaci nadpsutej główki kapusty, paru pomarańczy i kawałka chleba wędrował jeszcze półtorej godziny, by dojść do domu. Do tej pory nie przyzwyczaił się do niego i prawdę mówiąc, wcale mu go nie brakowało. Po nagłej śmierci ojca, kiedy okazało się, że wszystkie ich oszczędności zniknęły razem z nim, musieli przeprowadzić się z dzielnicy, w której Jorgos się urodził, do dość biednego zaułka. Młodych ludzi, którzy tam wzrastali, czekał z góry ustalony los. Praca w fabryce lub na statku. Jemu nie odpowiadało żadne z tych rozwiązań. Nie miał szczególnych ambicji. W przeciwieństwie do Vasilissy nauka wchodziła mu do głowy mozolnie i z trudem, jednak marzył o czymś zupełnie innym. Głównie o zmianie, ale do tego trzeba było mieć pieniądze. One dawały wszystko. Władzę, luksusy, piękne kobiety. Nie miał więc wątpliwości, kiedy jego dawni koledzy z podwórka zaproponowali mu uczestnictwo w skoku na sklep jubilerski.

Idąc, z coraz większym niepokojem obserwował mijane

okolice. Zaczął podejrzewać, że stary człowiek z portu miał rację. Widział przejeżdżającą ciężarówkę wiozącą stos ludzkich ciał, a przy jednej z kamienic w pobliżu domu dostrzegł służby porządkowe wynoszące trupy. Poza tym niemal na każdym rogu widać było żebrzących wychudzonych ludzi. I starych, i młodych. Widok ten napełnił go obawą o los najbliższych i zaczął przyspieszać kroku, zdając sobie sprawę, że zapasy, które niesie w plecaku, z pewnością uratowałyby życie niejednej z tych osób.

Kiedy znalazł się pod odrapaną i zaniedbaną kamienicą, w której mieszkał teraz z matką i siostrą, jeszcze bardziej się zaniepokoił. Drzwi do klatki schodowej były otwarte i kołysały się pod wpływem wiatru na jednych zawiasach.

Jorgos westchnął, a potem, już się nie zastanawiając, puścił się pędem na trzecie piętro. Drzwi wejściowe też nie były zamknięte. Z korytarza dobiegł go cichy płacz i momentalnie przeczuł to, co najgorsze.

– Kto to? – zawołała zaniepokojona dziewczynka. – Jorgos! Bracie, to ty?

– Vasilissa!

Pozwolił nawet małej, by go objęła, i pogłaskał ją po potarganych włosach. Nie uczesała się? Zawsze tak dużo uwagi poświęcała swemu wyglądowi.

– Co się tu dzieje?

– Mama nie żyje.

Jorgos opadł na najbliższe krzesło.

– Co?

– Umarła wczoraj. Dzisiaj rano została pochowana.

– Jak to umarła? Dlaczego?

Vasilissa była jednak tak zapłakana, że trudno było cokolwiek się od niej dowiedzieć. Jej ciałem wstrząsało gwałtowne łkanie. Jorgosowi nie pozostało więc nic innego, jak przycisnąć ją do siebie. Zastanawiał się, w jaki sposób wyciągnąć od siostry jakąkolwiek sensowną informację, gdy do mieszkania ktoś wszedł.

– To ty, Jorgos? Bogu niech będą dzięki, żeś wrócił. Przyszedłem właśnie po małą, żeby ją do nas zabrać. – Dopiero po dłuższej chwili Jorgos się zorientował, że ten wychudzony szkielet to jego wujek Manolis.

Kassalis zerwał się z krzesła, puściwszy Vasilissę, która powoli zaczęła się uspokajać, jednak jej piersią co chwilę wstrząsał histeryczny szloch.

– Wujku, co się tu dzieje? – Wyściskali się mocno, aż Jorgosowi stanęły łzy w oczach.

– Moja biedna siostra! Nie myśl sobie, że nad nią nie czuwałem. Co drugi dzień do nich zachodziliśmy. Przynosiłem to, co udało mi się dostać z wydawanych na ulicach posiłków. Ale nie uchroniłem biedaczki.

– Był jakiś wypadek?

– Jorgos, lekarz powiedział, że mama umarła z głodu! – wykrzyknęła na cały głos Vasilissa. – Rozumiesz to? Mnie uratowała, a sama umarła! Nigdy sobie tego nie daruję.

– Umarła z głodu? – powtórzył chłopak z niedowierzaniem.

– Najpierw rozchorowała się Vasilissa... – zaczął opowiadać Manolis. – Miała tak wysoką gorączkę, że myśleliśmy, iż nie przeżyje nocy.

Nie mogli sobie poradzić z chorobą, która zaatakowała płuca, więc dziewczynka trafiła do najbliższego szpitala. Ten pękał w szwach, gdyż głód spowodował, że ludzie zaczęli masowo chorować. Jorgos nie wiedział tego na pewno, ale przypuszczał, że w szpitalach nastawiono się przede wszystkim na ratowanie dzieci. Lekarze pracowali dzień i noc, by ratować właśnie najmłodszych. To do nich przede wszystkim trafiała pomoc. Ale aby w pełni wyzdrowieć, trzeba było się odpowiednio odżywiać.

– Nie miałem pojęcia, co ta kobieta wyprawiała. Wierz mi, Jorgosie. Gdybym był wiedział...

Matka Jorgosa wysprzedała z domu wszystkie wartościowsze przedmioty, żeby zapewnić odpowiednią dietę córce. Jednocześnie oddawała swoje racje żywnościowe w zamian za witaminy i potrzebne jej lekarstwa.

– Poza tym sam wiesz, jaka była. Zawsze ktoś za nią łaził i czegoś od niej chciał. A ona nie umiała odmówić. Nawet w tych ciężkich czasach.

– I co się stało?

– Zachorowała. Na początku lekka gorączka. Ale widzisz, ona była zbyt wycieńczona, żeby się obronić nawet przed czymś takim. Zmarła parę godzin po tym, jak przewieziono ją do szpitala. – Starszy mężczyzna kręcił głową, jakby nadal nie dowierzając temu, co się stało. Widać było po nim zmęczenie ostatnimi przeżyciami. Usiadł przy stole i oparł łokcie na blacie.

– Za późno, za późno wróciłem – mówił Jorgos i otwierał plecak, by wyjąć swe skarby. Ser, suszone owoce, chleb, kawałek wędzonego mięsa oraz resztki, które udało mu się pochwycić w porcie.

– Nie rozumiesz, synku, że to nie twoja wina, ani nie twoja, moje dziecko – zwrócił się do Vasilissy. – To wojna.

– I blokada angielska. – Jorgos kurczowo zacisnął szczęki, nieświadomy wrażenia, jakie żywność robiła na wuju i siostrze. – To oni pozwalają nam tu zdechnąć. – Uderzył pięścią w stół. – Nigdy im tego nie daruję!

Jorgos nie wrócił do szajki i do swojej arcykrótkiej złodziejskiej kariery. Wiedział już, że nie może zaryzykować kolejnej wpadki. Musiał się zaopiekować siostrą i zadbać o jej przyszłość. Ale nadal czekał na zmiany. Teraźniejszość nie była dla niego pociągająca.

Latem 1943 roku Jorgos Kassalis, znużony pracą w fabryce puszek, dotarł do zapadłej górskiej wioski, w której mieszkało jego dwóch stryjów i z której przed laty uciekł jego ojciec w poszukiwaniu lepszego życia. Stryjowie nadal żyli, a jego ojciec, mimo iż najmłodszy z nich, od pięciu lat spoczywał w grobie. „Zabiło go miasto", uznali natychmiast stryjowie.

– Najlepszym miejscem dla człowieka urodzonego na wsi jest wieś – oznajmił starszy stryj.

Nie powinno to mimo wszystko dotyczyć Jorgosa, bo z górską wioską spotykał się po raz pierwszy i gdyby nie obietnica, że będzie mógł dołączyć do oddziału partyzanckiego ELAS i walczyć z Niemcami, pewnie by się tam nigdy nie pojawił. Tym bardziej że stale czuł się odpowiedzialny za małoletnią siostrę, która została pod opieką wujka Manolisa w Atenach i chodziła tam do szkoły. Choć na szczęście blokada morska została zupełnie zniesiona, a zaopatrzenie w żywność się poprawiło, ludzie ciągle żyli w przerażeniu, nie wiedząc, co może się w przyszłości wydarzyć.

Stryjowie wymyślili, że dadzą najpierw chłopakowi trochę czasu na adaptację, sprawdzą, do czego się nadaje, a potem odeślą go jeszcze dalej w góry do znajomego dowódcy partyzanckiego, któremu regularnie pomagali. W związku z tym przez pierwsze dni po przyjeździe Jorgos mógł się zaznajomić z okolicą i sprawdzić, jak będzie się czuł w nowym dla niego środowisku. Postanowili też go nauczyć, jak tropić zwierzynę – obydwaj zajmowali się polowaniem – a także jak się poruszać po górach, by być niewidzialnym i niesłyszalnym.

Chłopak, któremu znane były doskonale wszystkie uliczki

i zaułki Aten i Pireusu, był początkowo zaszokowany, znalazłszy się w zupełnie innym otoczeniu, gdzie każda gałązka czy suche źdźbło trawy mogły spłoszyć zwierzynę. Po pewnym czasie zaczął jednak odkrywać uroki tego miejsca. Kolory, które były bardziej intensywne niż wszechobecna burość domów w jego dzielnicy. Zapach ziół i aromat nieznanych mu kwiatów nie mieszały się tu ze spalinami ani smrodem kanalizacji. Tu powietrze było krystalicznie czyste i przejrzyste, a kiedy wychodził na dwór z samego rana, słońce znajdowało się na wyciągnięcie ręki.

Tego dnia również wyszedł tuż przed świtem, by siedząc na skale, przyglądać się temu niezwykłemu spektaklowi świetlnemu, na który nigdy wcześniej nie zwracał uwagi.

W pewnej chwili coś zakłóciło obraz, który miał przed oczami – na łąkę przy skraju lasu ktoś wyszedł. Jorgos odruchowo ukrył się za skałą, zanim zauważył, że jest to kobieta, a raczej młoda dziewczyna niosąca na ramieniu wiklinowy kosz. Co chwila się schylała, podnosząc coś z ziemi. Chyba coś zbierała. Jakieś rośliny, które starannie układała w koszu. W pewnej chwili odstawiła go na ziemię, wyprostowała się i przeciągnęła z lubością. Jorgos natychmiast zauważył, że ma smukłe ciało, a ruchy pełne wdzięku, zupełnie inne niż dziewczyny z wioski. Nie spuszczał z niej teraz wzroku, a dziewczyna coraz dziwniej się zachowywała. Uniosła sukienkę i zaczęła śmiesznie podskakiwać. A jeszcze potem zdjęła z głowy chustkę i wirowała w kółko, zaśmiewając się przy tym, jakby ją ktoś łaskotał. Jej kasztanowozłote włosy rozsypały się po ramionach, zasłaniając jej twarz w trakcie pląsów.

To nimfa, stwierdził Jorgos, który jeszcze nigdy w życiu nie widział tak pięknego widoku. Zachwycająca dziewczyna tańczyła na tle fioletoworóżowych promieni wschodzącego słońca, witając dzień. Chłopak stał jak osłupiały, bojąc się nawet oddychać, by przypadkowo nie spłoszyć tego niesamowitego zjawiska. Trwało ono jeszcze przez minutę, a potem dziewczyna pochwyciła koszyk, zaśmiała się czystym szczęściem młodości i zniknęła między drzewami.

Jorgos jak rażony piorunem, przez dłuższą chwilę nie mógł się uspokoić. Kiedy się otrząsnął, zeskoczył ze skały i poszedł na łąkę, po której pląsała nimfa. Spojrzał na trawę. Były na niej odciśnięte ślady stóp. Eee, to nie nimfa, pomyślał i podrapał po głowie. Potem jednak się uśmiechnął. Wcale nie był tym faktem rozczarowany.

Kiedy w południe zasiedli do posiłku przygotowanego przez jednego ze stryjów, Jorgos zadał pytanie, które dręczyło go od paru godzin.

– Dziś o świcie widziałem kobietę, która zbierała jakieś rośliny na łące. Kto to jest?

– A, to pani Kira – odpowiedział starszy Kassalis, ten, który lubił gotować. – Zajmuje się trochę leczeniem. Bardzo mądra kobieta. I jest po naszej stronie.

– Taka młoda?

– Młoda? – Stryj spojrzał na bratanka znad miski z baraniną. – Ohoho! – zaśmiał się serdecznie. – No, można się było domyślić od razu. Nie, to Ismena. Jej krewna.

– One tu mieszkają we wsi? – pytał niezrażony śmiechem Jorgos.

– Tak. Ale, synku, wybij sobie z głowy tę małą. Ona nie jest nasza. Wyprowadzi się stąd natychmiast, jak skończy się wojna. Pani Kira mówiła, że chce, by jej bratanica dalej się kształciła. Nic dobrego takie ambicje, ale taka jej wola. Za wysokie progi.

Jorgos się zdenerwował i mimo że zawsze z szacunkiem odnosił się do stryjów, tym razem żywo zaprotestował.

– Jak stryj może tak mówić? Czy to nie stryj mówił mi,

że walczymy o lepsze jutro? W którym wszyscy będą równo traktowani? A tu dalej takie przesądy?

Starszy Kassalis spojrzał na niego spod gęstych, nadal kruczoczarnych brwi.

– Jutro to będzie za jakiś czas, smarkaczu. Ja ci mówię, jak jest dzisiaj. Na wypadek gdyby ci jakieś niemądre myśli przyszły do głowy.

W milczeniu skończyli posiłek. Ale gdy wstali od stołu, Jorgos wiedział już, jakie ma być jego jutro. Mogą sobie gadać, co im ślina na ozór przyniesie, ale ta zwiewna nimfa, ta cała Ismena, musi być jego. To tylko kwestia czasu.

Bieszczady, 1956

Jorgos po pogrzebie nie wychodził z chałupy przez parę dni. Prawie nic nie jadł, tylko pił. Ze stypy, którą opuścił przed czasem, zabrał parę butelek wódki, które towarzyszyły mu aż do samego dna. Podczas tych dni zdarzyło się, że zmorzony alkoholem zasypiał na parę godzin, a kiedy się budził, miał wrażenie, że Ismena lada moment wejdzie do izby. Ale potem wszystko mu się przypominało i czuł się znacznie gorzej niż przed zaśnięciem. Próbował się przed tym bronić, ale wówczas pojawiały się wspomnienia, tak realne, jakby działy się naprawdę.

Znów wraz z Ismeną przedzierał się przez góry, znów docierali do Albanii, gdzie czekała na nich pomoc.

– Skąd to wszystko? – spytała ze zdumieniem w swych wielkich oczach.

– To chyba dla nas. – Ogarniał wzrokiem nagromadzone w pomieszczeniu setki par butów i tabliczki czekolady i nie był pewien.

– Przeżyliśmy. – Uśmiechała się. Miał ochotę ją przytulić, ale na jej rękach spał Nastek.

Przeżyła to wszystko, tę całą wojnę i poniewierkę, żeby umrzeć tutaj, w tym zimnie, zapłakał ponownie Jorgos. To wspomnienie już zawsze będzie mu towarzyszyć.

Po trzech dniach Kassalis sięgnął po brzytwę i nieco się kalecząc, ogolił się i podstrzygł wąsy. Potem podszedł do szafy i otworzył ją. Pakowanie zajęło mu zaledwie parę minut. Jeszcze tylko zamknął za sobą drzwi na kłódkę i zajrzał do pomieszczenia gospodarczego. Było w nim pusto. Kozy i drób zabrali sąsiedzi. Nic go już nie zatrzymywało. Pochwycił więc torbę z rzeczami i ruszył naprzód.

Drogę, która zajmowała Ismenie około pół godziny, pokonał w piętnaście minut. Śnieg był wilgotny i zaczynał się topić. Zima jednak trzymała nadal.

Jorgos minął cerkiew z cmentarzem, a potem zabudowania greckiej spółdzielni Nowe Życie. Jego wzrok nawet przez chwilę nie zatrzymał się na znajomych kątach. Po chwili zastukał do domu Sotiriosa Lakidesa.

Otworzyła mu kobieta w czarnej chustce. Ledwie ją rozpoznał. To była Filipa. Niby prawie w tym samym wieku co Ismena, ale wyglądała o wiele starzej. Jej cera była pożółkła, a przy ustach powstały bruzdy. Ale ona miała więcej szczęścia. Nadal żyła!

– *Kalimera!* – Na twarzy Filipy pojawił się nagle krwawy rumieniec.

– Dzień dobry – odpowiedział Jorgos. – Przyszedłem po Jannisa.

– Chcesz ich zabrać?

– Chcę zabrać Jannisa. Pojedziemy do Krakowa. – Jorgos postawił torbę na ziemi. Nagle zaczęła mu ciążyć.

– A co z Anastazym?

Kassalis spuścił głowę i przełknął ślinę, a potem sięgnął do kieszeni. Wyjął z niej zwitek banknotów i wcisnął go w rękę Filipy.

– Ja przyszedłem tylko po Jannisa!

Rozdział VIII

Kraków, 1956

Łomotanie do drzwi było tak głośne, że w końcu się obudził i złorzecząc pod nosem, wstał z kanapy.

– Zaraz, zaraz. Nie pali się – mruczał. Otworzył drzwi i zdziwił się.

– Nie dostałeś mojego telegramu? – spytała młoda krępa osóbka w przekrzywionym berecie. Obrzuciła Jorgosa szybkim spojrzeniem i się skrzywiła: – Upiłeś się i zapomniałeś o mnie. A ja przez cały dzień się tułam w podróży – powiedziała i wybuchnęła płaczem. – Jedyny brat, jakiego mam, wcale o mnie nie dba... O ja biedna. Umrzeć mi trzeba było w naszej ojczyźnie, a nie pałętać się po tych obcych stronach. Obcy ludzie musieli mi pokazywać drogę, gdzie ta Nowa Huta.

– Vasilisso, uspokój się. Wchodź do środka. Pomyliła mi się data twojego przyjazdu. Wybacz. – Pochwycił stojącą na korytarzu walizkę. – Jesteś zmęczona. Zaraz odpoczniesz.

– Dwa pokoje? – Wzrok kobiety z ciekawością myszkował po mieszkaniu, rejestrując wygląd i wyposażenie pomieszczenia. – Masz dwa pokoje z kuchnią? I łazienkę? No, niczego sobie, drogi bracie. I wszystko nowiutkie jak z fabryki. Tylko – pociągnęła palcem po nielicznych meblach – fuu, niesprzątane!

– Wiesz, jak to jest. Ja się do tego nie nadaję. Sąsiadki mi trochę pomagają, ale nie zawsze mają czas.

Jorgos nadal był oszołomiony, a pojawienie się siostry zupełnie wytrąciło go z równowagi. Stał przed nią, nie bardzo wiedząc, co ma zrobić i jak się zachować. Nie widzieli się od paru lat, a on nie należał do tych, co piszą listy. Tym zajmowała się Ismena. Na szczęście siostra błyskawicznie przejęła inicjatywę. Postawiła na kuchennym stole siatkę wyładowaną różnymi wiktuałami i rzuciła mu się na szyję.

– Oj, braciszku, tak bardzo się za tobą stęskniłam. Ale wiesz, że nie mogłam tak rzucić pracy z dnia na dzień. No i czekałam na mojego... – Znowu zaniosła się płaczem. – Ale on nie wróci. Ktoś musiał go zdradzić. Pisałam też o tym twojej Ismenie. Ależ nas los pokarał. Oboje straciliśmy naszych najbliższych. Oj, my biedni!

Ten atak płaczu minął jednak równie szybko jak poprzedni, a Vasilissa ponownie wróciła do inspekcji mieszkania i jego wyposażenia.

– A masz, bracie, kawę?

Jorgos skinął ręką na kredens i po chwili się przyglądał, jak jego siostra przejmuje we władanie również kuchnię:wyjmuje ze swojej walizki fartuch, nakłada go i zaczyna się krzątać, mieląc w młynku ziarna kawy. Po chwili siedzieli już naprzeciwko przy stole i popijali gorący napój.

Vasilissa westchnęła z ukontentowania.

– Jednak dobrze sobie poradziłeś, braciszku. I się cieszę, że przyjechałeś do tego Krakowa. Przecież my jesteśmy z dużego miasta. Nie dla nas mieszkanie w zabitych dechami wioskach.

– Masz rację. Tu jest lepiej. Poza tym można dostać znacznie lepszą pracę. O właśnie – przypomniał sobie. – Jutro zaprowadzę cię do tego sklepu, gdzie będziesz pracować od pierwszego. Dobrze radzisz sobie z polskim?

Skinęła głową.

– We Wrocławiu pracowałam prawie z samymi Polakami. Sporo się nauczyłam. Byłam też w takiej specjalnej szkole, gdzie uczono nas zasad księgowości. Bóg męża zabrał, dzieci nie dał, więc musiałam się czymś zająć. – I znów uderzyła w płacz.

Zaczęło to nieco denerwować jej brata.

– Nie ma żadnego Boga. Nie wygaduj głupot.

– Jorgos, ty sobie możesz być komunistą, ale ode mnie się odczep.

Popatrzyła na niego spod oka, wyraźnie zła.

– Od samego Boga nie będziesz miała dzieci – nieudolnie próbował zażartować.

Vasilissa była zdenerwowana, jej policzki zaczerwieniły się, a nozdrza rozszerzyły w tłumionym gniewie, ale w tej samej chwili przypomniała sobie o czymś istotnym.

– Słuchaj, a gdzie są chłopcy? Zrobiło się już bardzo późno. Pozwalasz im tak długo biegać po podwórku? Trzeba ich zabrać do domu. Mam dla nich prezenty.

– Janek jest u sąsiadów piętro niżej.

– Janek?

– Tak na niego tu mówią. Zaraz po niego pójdę.

– A Anastazy?

Jorgos wlepił wzrok w fusy na dnie kubka.

– Gdzie on jest?

– No... zostawiłem go w Bieszczadach. U Filipy Lakides. Wiesz, on tam kończy pierwszą klasę.

– Co?! – Vasilissa zerwała się z krzesła jak oparzona. – Nastek jest jeszcze w Krościenku? U tej małpy Filipy? Żartujesz? Jak mogłeś to zrobić, Jorgos? Jak mogłeś to zrobić własnej żonie?

Siedział dalej przy stole, wpatrując się w swoje opuchnięte knykcie, kiedy trzasnęły drzwi wejściowe. Dopiero po chwili się zorientował, że siostry nie ma już w mieszkaniu.

Po dwóch dniach rankiem, kiedy Jorgos miał zamiar odprowadzić Janka do przedszkola, Vasilissa pojawiła się ponownie. Trzymała za rękę ubranego w poplamioną kurtkę i wełnianą czapkę Nastka. Na widok ojca jego twarz zrobiła się blada jak kartka papieru.

„Nadal tchórz, ale na szczęście nie jest już taki tłusty", pomyślał Kassalis i podszedł do chłopca. Miał zamiar pogłaskać go po głowie, ale w tej samej chwili z piskiem radości młodszy brat przypadł do Nastka.

– Janek, na nas już czas. Pobawisz się, jak wrócisz.

– Po co on ma iść? Niech zostanie z Nastkiem. Tak długo się nie widzieli – zauważyła Vasilissa.

– A kto się nim zaopiekuje?

– Przecież ja tu jestem.

– Ale za chwilę może cię tu nie być. Ostatnio zniknęłaś bez słowa.

– Jorgosie, ostrzegam! – zasyczała jego siostra. – Nie żartuj w ten sposób. I zrób zakupy po pracy, bo ja dzisiaj już nigdzie nie wyjdę. Konam ze zmęczenia – dodała, ale jednocześnie jej energiczne ruchy świadczyły o czymś wręcz przeciwnym. – Jannis, Janek. Ty mnie nie znasz – zwróciła się do bratanka. – Jestem twoją ciocią Vasilissą. Siostrą twojego ojca. Będę teraz z wami mieszkać. I opiekować się wami. Idźcie się teraz pobawić, a ja przyszykuję Nastkowi kąpiel. Nie wiem, czy nie ma wszy – syknęła Jorgosowi do ucha. – Brudno jak w chlewie u tej Filipy. Pięcioro dzieci. Nie mogłeś go zostawić u kogoś innego?

Po czym straciła zainteresowanie bratem. Kassalis, zwlekając z odejściem, patrzył, jak Vasilissa ściąga z łóżek brudną pościel, otwiera okno, by wywietrzyć mieszkanie z papierosowego dymu, nastawia czajnik i kroi chleb. Przypatrując się tym codziennym, zwykłym czynnościom, poczuł bezmierny spokój. Kiedy Ismena krzątała się po kuchni, zwykle nie budziło to jego zainteresowania, dopiero teraz, kiedy jej zabrakło, zrozumiał, że było to istotą jego życia. Normalnością, którą żona wprowadziła po latach koszmaru wojny. On sam nie byłby w stanie podtrzymać tej normalności – to dlatego zostawił Anastazego w Bieszczadach – ale może teraz, przy pomocy Vasilissy, będzie to jeszcze możliwe?

Wyszedł szybko bez słowa pożegnania, żeby siostra nie zauważyła w jego oczach łez wzruszenia. Oparł głowę o drzwi po drugiej stronie, próbując opanować emocje. Czy po tym wszystkim, co się stało, normalne życie jeszcze mogło być jego udziałem?

Kraków, 1957

– Oddychać, nie oddychać. – Jorgos posłusznie wykonywał polecenia lekarza.

Od dłuższego czasu kaszlał i czuł się coraz słabszy. Kiedy Vasilissa ciosała mu kołki na głowie, żeby poszedł do przychodni, wyśmiewał ją, mówiąc, że ma dopiero trzydzieści pięć lat, a to zbyt młody wiek, by oglądać lekarzy. Poza tym, do czego nigdy by się siostrze nie przyznał, ci ludzie w białych fartuchach napawali go przerażeniem. Mówili do niego jak jacyś mądrale, a jeszcze dodatkowo budzili bolesne wspomnienia. Bo czy Vasilissa nie pamiętała, gdzie dokonali żywota jej własny ojciec i matka? Oboje pomarli właśnie w szpitalu, pod tak zwaną lekarską opieką.

– Jesteś głupcem, Jorgos – złościła się Vasilissa i nie przebierała w słowach. – Jeśli tobie się coś stanie, nie będę w stanie utrzymać chłopców. Już raz ich zawiodłeś. Nie możesz tego zrobić Ismenie.

Jorgos zacisnął gniewnie szczęki. Nie znosił, kiedy siostra w dyskusji z nim używała jako koronnego argumentu jego zmarłej żony. Za każdym razem czuł wówczas tak potworny ból, że miał ochotę wybiec z ciasnego nowohuckiego mieszkanka i nigdy już tam nie wrócić.

Nie chcąc jednak słyszeć ponownych wymówek, po kolejnej serii suchego, duszącego kaszlu, z rezygnacją powędrował do lekarza. Z dużą ulgą przyjął fakt, że badać go będzie mężczyzna.

– Pali pan papierosy?

– Tak.

– Ile dziennie?

– Mniej więcej dwie paczki.

– To będzie pan musiał natychmiast przestać.

– Przestać? Czy to konieczne? Jestem chory?

Lekarz poprawił okulary na nasadzie nosa.

– Na to wygląda. Musimy zrobić jeszcze dokładne badania. Rentgen płuc i tak dalej. Jednak te duszności wskazują na astmę.

Jorgos przełknął ślinę. W życiu nie słyszał o takiej dolegliwości. Starał się wyrzucać z pamięci wszelkie wzmianki na temat chorób.

– Ale proszę się nie martwić. Damy sobie z nią radę. Pod warunkiem, że będzie pan ściśle przestrzegał moich zaleceń. Rozumie mnie pan?

Jorgos tak nienawidził tego stwierdzenia: „Rozumie mnie pan?". Jakby był zupełnym idiotą. Znał już bardzo biegle język polski i wszystko pojmował. Jednak jego akcent, ciemne, choć już lekko przyprószone siwizną włosy i nazwisko sprawiały, że to pytanie padało aż nazbyt często. Teraz jednak skinął tylko głową.

– Przepiszę parę inhalacji. Powinny trochę złagodzić ten

ucisk w piersiach. Proszę nie wykonywać zbyt gwałtownych ruchów, unikać wysiłku fizycznego.

A kto za niego będzie pracował, Jorgos kiwał się na stołku dla pacjenta. Tych dwóch dzieciaków? Albo Vasilissa? No, ale może ten doktor ma rację. Skoro ledwo wchodzi na drugie piętro...

– Tu jest recepta. – Lekarz podał mu zapisany druczek. – Mam jeszcze jedno pytanie. Te ślady na pana rękach to od czego?

Jorgos momentalnie się nastroszył. Siedział teraz na samym kraju stołka jak wielki, posępny ptak, którego tak łatwo spłoszyć. Byle gestem, byle słowem.

– A to stara historia – odparł i mimowolnie palcami jednej ręki objął nadgarstek drugiej i potarł go tak silnie, jakby próbował zetrzeć stare blizny.

– Rozumiem, stara historia.

Ateny, grudzień 1944

– Cholera! Znowu te rakiety! – Towarzysz Jorgosa zdążył zatkać uszy, słysząc już pierwszy świst. Po chwili zatrzęsły się mury parterowego budynku, do którego wbiegli, wyważywszy łomem drzwi.

Mogli trafić lepiej. Dokoła same materiały budowlane. Jakby właściciel zajmował się remontami. Ale być może uda im się spędzić tu noc. Od kilku dni nie byli w stanie usnąć na dłużej niż parę godzin.

– Co oni wyprawiają? Chcą nas powybijać? Sojuszników. Przeklęci Anglicy – skarżył się Jorgos, ale nikt z kilkuosobowej zbieraniny przypadkowych mężczyzn go nie słuchał.

To się nazywa mieć pecha! Przyjechał do Aten dwa tygodnie wcześniej, żeby sprawdzić, co z siostrą, i ewentualnie namówić ją, by wyjechała z nim w góry. Jeszcze nie zdążył zajść do wuja Manolisa, kiedy dowiedział się o demonstracji organizowanej przez Front Wyzwolenia Narodowego, EAM, preludium strajku generalnego. Ciekawość był jednak silniejsza i zboczył z drogi.

Jorgos był przyzwyczajony do walki, na rękach miał krew, ale do tej pory zabijał tylko okupantów. Z przerażeniem więc patrzył, jak na placu Konstytucji jego bracia, greccy policjanci, strzelają między innymi do niego.

Uczestniczył potem w kolejnych protestach, razem z tysiącami innych demonstrantów śpiewał marsz pogrzebowy, pomagał zbierać zabitych. Był przerażony. Nagle zrozumiał, że nie wystarcza być Grekiem. Wymagano od niego opowiedzenia się po jednej ze stron. Jorgos nie musiał się długo zastanawiać. Był żołnierzem ELAS. A oni występowali przeciwko powrotowi króla. Wybór więc był prosty.

– Odlecieli! Może teraz będzie chwila spokoju!

Mężczyźni ułożyli się bliżej siebie i jeden po drugim zaczęli zasypiać. Brak snu w tych nienormalnych warunkach był najbardziej uciążliwy. Walki trwały już dobrych kilka tygodni i ich końca nie było widać.

– Jak to jest możliwe? – znów dziwił się Jorgos. – Pokonaliśmy Niemców, wywalczyliśmy wolność, tylu nas było, a teraz uda im się nas zwyciężyć? Gdzie tu sprawiedliwość?

– Nie bądź głupi, chłopcze – odezwał się starszy mężczyzna, zmęczony głośnymi rozważaniami Jorgosa. – Gdyby nie pomoc Churchilla, monarchiści nic by nie zrobili. I zamknij się już wreszcie, bo oka zmrużyć nie można.

Jorgos jednak pragnął, żeby ktoś mu to wszystko dokładnie wyjaśnił, bo tracił orientację. Mimo zmęczenia nie mógł usnąć i jak na złość raz za razem powracała myśl o Ismenie Zarras. Jej obraz sprawiał, że dłonie same zaciskały mu się w pięści, a nozdrza wydymały od gniewnie wypuszczanego powietrza. Może to jednak nie była prawda, pocieszał się i żałował teraz, że nie dał po pysku Lakidesowi, kiedy ten, z twarzą zaczerwienioną od ouzo, opowiadał pogłoskę o Ismenie i rannym obcokrajowcu. Udał, że go to nic nie obchodzi, ale poczuł, jakby Lakides wsadził mu nóż w samo serce. Przez parę dni nie mógł znaleźć dla siebie miejsca, a potem postanowił poprosić dowódcę o urlop i możliwość wyjazdu do Aten. Musiał się nad tym wszystkim zastanowić, gdyż poczuł się okradziony.

Wbrew swoim intencjom Lakides pocieszył go, mówiąc:

– I na co ona liczyła? I tak jej nigdy stąd nie zabierze. A ona... z taką plamą na honorze. Kto ją zechce? – zarechotał, a Jorgos napiął wszystkie mięśnie, jakby chciał powstrzymać uderzenie.

Nikt nie może o tym wiedzieć. Nikt. A on poczeka. I się doczeka. Gdzieś to słyszał, że siłą woli można przenosić góry. Góry może zostawić w spokoju, ale jej... Nigdy.

W końcu znużony tymi myślami zamknął oczy. Trwało to chyba parę sekund. Zupełnie nie wiedział, jak to się stało, gdy nagle usłyszał nad sobą wrzaski, a lufa karabinu dźgnęła go boleśnie w żebra. Anglicy! I jacyś Grecy. Skąd oni się tu wzięli? Pewnie chłopak, który miał być na warcie, zasnął. Albo też uciekł, dołączając do wrogów. Już się tak wcześniej zdarzyło.

– Ruszać się, szybciej. Ręce na kark. – Angielski żołnierz poganiał otumanionych mężczyzn.

Jednak po chwili, w kontakcie z zimnym grudniowym powietrzem, Jorgos momentalnie doszedł do siebie i zaczął gorączkowo rozważać możliwość ucieczki. Próbował się rozglądać na boki, szukając stosownej okazji. Po stu metrach się okazało, że okazja już minęła i ponowna się nie trafi. Do prowadzących więźniów żołnierzy dołączyli kolejni Anglicy wyglądający na spadochroniarzy i kilku kolaborujących z nimi Greków. Prowadzili innych więźniów, prawdopodobnie złapanych w pobliskich budynkach.

– Do wozu! – krzyknął jeden z nich i wnet znaleźli się w półciężarówce zakrytej plandeką, w której mieli siedzieć pojedynczo z rękami nadal założonymi na kark. Po chwili samochód był wyładowany po brzegi brudnymi i wystraszonymi ludźmi.

– Rozstrzelacie nas? – zwrócił się jeden z towarzyszy Jorgosa do pilnującego ich strażnika. – Braci swoich?

Więcej nie zdążył powiedzieć, lufa karabinu wybiła mu przednie zęby.

Jorgos siedział wciśnięty między innych zatrzymanych i w żaden sposób nie mógł odgadnąć, którędy jadą. Miał wrażenie, że kluczą. Czasem dobiegały go głośniejsze strzały z karabinu, jednak po incydencie z wybitymi zębami w ciężarówce panowała cisza. Poszkodowany siedział po lewej stronie Jorgosa, a krew z ust kapała mu na spodnie. Nie mógł jej wytrzeć, gdyż związano im ręce.

A potem wszystko potoczyło się jeszcze szybciej. Wysiadka z ciężarówki, bieg wzdłuż szpaleru żołnierzy do budynku, prawdopodobnie policji, jak pomyślał, przemierzając w milczeniu długie korytarze. Zatrzymali się dopiero w piwnicy. Jorgos szybko obliczył, że zatrzymanych było piętnastu.

Jeden z Anglików rzucił coś szybko do znajdującego się w ich pobliżu Greka. Ten błyskawicznie przetłumaczył.

– Będziecie kolejno przesłuchiwani. Nie będziemy jednak tracić na was wiele czasu. Jesteście wrogami tego kraju, przeklętymi komunistami, którzy chcą zmienić nasz piękny kraj w bolszewicką Rosję.

Jorgos słuchał zdumiony. On komunistą? Po prostu walczył o wolność swego kraju przeciw szkopom i makaroniarzom, którzy tu przyszli bez zaproszenia. Nawet jego stryjowie nigdy nie chcieli zmienić Grecji w Rosję!

Nikt jednak nie przejmował się jego rozterkami. Za chwilę grube metalowe drzwi otworzyły się ze zgrzytem i weszło przez nie kilku osiłków z kijami.

– Będziecie kolejno wzywani na przesłuchanie – powtórzył, tracąc jakby rezon, tłumacz. – A ci, którzy będą czekać... – Przerwał i przełknął ślinę.

Jorgos bezradnie patrzył, jak na jego nadgarstkach zaciskają się kajdanki. Po chwili został pchnięty na ścianę i wówczas wśród więźniów zapanowało poruszenie.

– Nie, nie proszę. Ja nie jestem komunistą – zapłakał starszy człowiek, którego Jorgos widział po raz pierwszy w życiu.

– Na przesłuchanie pierwszy. – Zlitował się nad nim tłumacz i powiedział coś do Anglika. Ten skinął głową z przyzwoleniem.

Do stojącej pod ścianą grupy zbliżyli się tędzy oprawcy. Dopiero wówczas Jorgos podniósł wzrok, podobnie jak pozostali. W suficie tkwiły metalowe rzeźnickie haki.

– Dawaj linę – usłyszał głos jednego z katów i wówczas przeszyło go potworne zimno i zaczął się trząść. Jeszcze nigdy w życiu tak się nie bał.

Po pięciu minutach cała grupa więźniów wisiała powieszona za nadgarstki pod sufitem.

Rozdział IX

Kraków, 1959

– Jorgos! Chcę z tobą porozmawiać.

Vasilissa zmyła naczynia po obiedzie i dokładnie sprzątnęła kuchnię. Teraz zdjęła fartuch i krążyła wokół drzemiącego nad gazetą brata.

– Później, proszę. Jestem skonany.

– Nie mogę już czekać. Znowu mnie zbędziesz. Tak się dzieje za każdym razem już od ponad tygodnia. Jak się wyśpisz, ulotnisz się natychmiast na spotkanie ze swymi koleżkami. A sprawa dotyczy i ciebie, i chłopców.

– Chłopców? – Leniwie otworzył oczy.

Co znowu z chłopcami? Na szczęście Janek w tym miesiącu nie musiał odwiedzać pogotowia, a ten drugi... Nastek też sobie zupełnie dobrze radził. Jorgos musiał to przyznać. Skończył dwanaście lat i miał zamiar iść do szkoły średniej. Po co mu ta nauka, tego Jorgos nie rozumiał, ale wezwany przez wychowawczynię zjawił się u niego w szkole któregoś dnia po pracy.

Pokój nauczycielski był ciasny i chyba od dawna niewietrzony. Nikogo już w nim nie było, oprócz jego samego i wychowawczyni Nastka, ale w powietrzu unosił się nadal zapach potu zmieszanego z wonią kanapek i słodkich perfum. Żałował, że ponownie zapomniał wziąć leków przeciw astmie. Robiło mu się duszno, a w takich chwilach zawsze się stawał dość agresywny. Postanowił jednak nie dać się wyprowadzić z równowagi, tylko jak najszybciej załatwić sprawę. Unikał wzrokiem tej kobiety, wlepiając spojrzenie w wiszące na ścianie zdjęcie polskiego komunistycznego przywódcy, Władysława Gomułki.

– Czy pan rozumie, że ma pan wybitnego syna?

Ta pulchna blondynka z włosami o trwałej ondulacji znów insynuowała, jakoby on czegoś nie rozumiał. Zacisnął mocniej szczęki, aż zazgrzytały zęby.

– To dlaczego mnie pani tu wezwała, skoro jest taki dobry? Chyba nie ma z nim żadnych problemów, co? – Od śmierci Ismeny ani razu nie spuścił mu lania. Miał nadzieję, że nie będzie musiał tego znowu zrobić.

– Bo to pan sprzeciwia się jego dalszej nauce. Nie może pan hamować jego rozwoju. To utalentowany chłopiec. Nawet muzycznie. Ale skoro nie pozwolono mu chodzić na kółko muzyczne, to nie zostanie już nigdy muzykiem.

– To i lepiej – przyznał Jorgos. – On ma mieć porządny fach w ręku.

– Co pan ma na myśli?

Kassalis stał się jeszcze bardziej ponury. Ta wyfiokowana panna miała go za gbura i nieuka. Prawda, że skończył tylko szkołę powszechną, ale do tego całe studia w partyzantce, a potem w partii.

– Najlepiej, jakby poszedł do dobrej szkoły samochodowej.

– Nastek chce zostać historykiem. Wygrał nawet konkurs międzyszkolny. Może pan o tym nie wie?

Rzeczywiście, nie. Może Vasilissa coś o tym wspominała, ale jakoś puścił to mimo uszu.

– To niech sobie chce, ale najpierw musi mieć konkretny zawód.

Samo słowo „historia" sprawiało, że po grzbiecie Jorgosa

przebiegały niespokojne dreszcze. Jak to możliwe, zastanawiał się i nie mógł znaleźć odpowiedzi na swoje pytania. A poza tym on osobiście nienawidził tej całej historii, na którą wszyscy się powoływali, rujnując mu życie. Odwoływali się do niej, obiecując, że za każdym razem będzie lepiej. Ale go nie nabrali, o nie!

– Może iść do technikum, a potem studiować – zgodził się w nagłym odruchu szlachetności. Nagle przypomniała mu się Ismena i uznał, że ona tym wszystkim manipuluje gdzieś z góry.

– Tak, chłopców! – mówiła Vasilissa, marszcząc gniewnie czoło.

Jorgos spojrzał na siostrę uważniej. Nagle przyszło mu do głowy, że od dłuższego czasu jest jakaś dziwna. Zdarzało się nawet, że gdy przychodził po pracy do domu, nie zastawał jej krzątającej się po kuchni. A kiedy wracała, miała dość zaciętą minę i tylko fukała w odpowiedzi na jego pytania, gdzie była. I jakoś tak dziwnie schudła.

Jorgos się przeraził. Pewnie na coś zachorowała i to musiało być coś strasznego, skoro tak namolnie domagała się od niego rozmowy.

– Vasilisso, czy to coś poważnego? – wychrypiał, gdyż momentalnie zaschło mu w gardle.

– Mam nadzieję.

– Jak to? Chcesz być chora? Masz dosyć nas i życia?

Siostra patrzyła teraz na niego tak, jakby urwał się z choinki.

– Nie wiem, o co ci chodzi. W ogóle cię nie rozumiem. Od paru dni próbuję ci tylko powiedzieć, że od nowego roku szkolnego będziesz musiał sam zająć się sobą i chłopcami. Ja się wyprowadzam.

Zastygł z otwartymi ustami.

– Wychodzę za mąż – zdetonowała swoją bombę Vasilissa.

– Ale, ale... – zaczął się jąkać – przecież ty nie możesz wyjść za mąż. Jesteś mężatką.

– Od sześciu lat nie miałam od Arisa żadnej wiadomości. To niemal pewne, że go zlikwidowali, kiedy tylko wrócił do Grecji. Ty się ciesz, że ciebie to nie spotkało. Gdyby nie Ismena... – Vasilissa otarła ręką usta i nagle się zorientowała, że nie mówi tego, co zaplanowała. – Poza tym dowiadywałam się, że nasz ślub zawarty w górach i tak jest nieważny. W urzędzie powiedziano mi, że mogę wychodzić za mąż, kiedy zechcę. A my planujemy pobrać się w czerwcu.

– Jacy my?

– Ja i Nikodem Samaras.

– Sekretarz z Krościenka? – upewniał się Jorgos, nie wierząc własnym uszom. – Ten stary pryk? A czy on nie jest przypadkiem żonaty?

– Jego żona zmarła rok temu. Jest starszy, to prawda. Dwanaście lat, no i co z tego? Jestem dorosła i chcę mieć jeszcze swoją rodzinę.

– I ja go sam tu do domu przyprowadziłem, kiedy się sprowadził do Krakowa. Chciał się spotkać po latach, tak? Starzy towarzysze, co? A on mi podstępnie siostrę uwiódł? Niech no tu tylko ponownie przyjdzie. Ze schodów zrzucę.

– Nic mu nie zrobisz!

I Vasilissa wyrzuciła z siebie całą tyradę o tym, jak długo znosiła życie u boku mężczyzny, którego nic nie obchodzi, może z wyjątkiem chodzenia do kina, picia ouzo i stałego użalania się nad sobą i swoim losem. Który nie poświęca ani chwili własnym dzieciom i nie interesuje się swoją siostrą ani jej przyszłością. Wreszcie znalazła człowieka, może niemłodego, ale porządnego, i chce spróbować nowego życia.

– Tak ci tu było źle? – zapytał żałośnie.

– Ja nie jestem twoją żoną, żeby tu z tobą siedzieć całe życie. Nie rozumiesz tego?

– Zostawisz chłopców? Myślałem, że ich kochasz.

– Bo kocham. Nie przeprowadzam się na koniec świata. Będę mieszkać niedaleko stąd, kilka bloków dalej. W niedzielę będziecie przychodzić do nas na obiady...

Vasilissa mówiła dalej, ale Jorgos już nie słuchał jej słów, które na nowo burzyły ład i porządek, do którego zdążył już przywyknąć. Nie wyobrażał sobie, jak ma się zająć dorastającymi chłopcami. A może? A może oni sami potrafią się sobą zająć?

– Jorgos! Jorgos! – Siostra stała nad nim i przypatrywała mu się z niepokojem.

– O co ci znowu chodzi? – Rzucił jej wściekłe spojrzenie.

– Jeśli chodzi o wyjazd do sanatorium, to nie musisz się tym martwić. Przypilnuję chłopców. Najważniejsze, żeby ciebie tam wyleczyli.

– Jakiego sanatorium? – zdziwił się, a wówczas Vasilissa podsunęła mu leżący na stole świstek papieru.

– Dostałeś skierowanie na turnus. Jedziesz nad morze. W maju.

Pierwsze trzy dni w Ustce były dla Jorgosa Kassalisa prawdziwą udręką. Jeszcze nigdy w życiu nie czuł się tak nieszczęśliwy. To było gorsze niż więzienie, w którym siedział przez niemal dwa lata. A ci dwaj Polacy, z którymi musiał dzielić pokój, na domiar złego stale próbowali go w coś wciągnąć. A to karty, a to wódka, a to papierosy, które choć były zakazane na terenie budynku, to jednak wieloletni nałogowcy regularnie je palili.

W czasie wolnym od zabiegów Jorgos narzucał na siebie

starą skórzaną kurtkę i wymykał się z ośrodka na plażę. Tam całymi godzinami stał i wpatrywał się w morze. Czasami szedł do portu, gdzie przyglądał się pracy na kutrach rybackich, które cumowały przy kei, a rybacy wyjmowali skrzynie pełne trzepoczących się ryb. Takie widoki uspokajały Kassalisa. Zauważył też, że w tym morskim słonym powietrzu rzeczywiście zaczyna mu się łatwiej oddychać. Dziwne, zawsze podkreślał, że jest z dużego miasta i doskonale sobie radzi wśród pyłu i spalin, ale obserwując życie w tym niewielkim miasteczku, zaczął się zastanawiać nad swoimi wyborami.

Tego majowego dnia było dość ciepło. Pensjonariusze sanatorium skarżyli się na upał, ale co oni wiedzieli o upałach! Pognali jak jeden mąż na plażę i zaczęli się wystawiać do słońca. Jorgos nie miał na to ochoty. A poza tym nie miał zamiaru pokazywać innym swojego poznaczonego bliznami ciała. Po cholerę miałby jeszcze odpowiadać na dodatkowe wścibskie pytania?

Usiadł na ławce niedaleko główki portu i jak zwykle zaczął wpatrywać się w horyzont, na którym w dali czasem pojawiały się i znikały sylwetki niewielkich statków. I nagle, ni stąd, ni zowąd pojawiło się to wspomnienie, które wcisnął w najbardziej odległy kąt pamięci. Przez chwilę próbował z nim walczyć i zepchnąć je do nieświadomości, ale po gwałtownym skurczu serca ocenił, że się nie uda i będzie musiał się z nim zmierzyć.

Ręka Jorgosa powędrowała powoli do kieszeni marynarki i wyjęła stamtąd błyszczący przedmiot. Nigdy się z nim nie rozstawał. Przez chwilę patrzył na niego, a potem przycisnął do warg. Potem już go nie widział, tylko wraz z morską bryzą przenosił się gdzieś w dal, poza horyzont. Jorgos rozpoczął swą podróż w czasie. Wtedy też był maj.

Północna Grecja, 1948

– Kochasz go? – spytał, choć nie chciał znać odpowiedzi. Patrzeć, jak nagle drżą jej usta, jak stara się opanować to drżenie, zagryzając wargi, jak jej policzki zmieniają barwę.

Nagle poczuł się bezradny. Nogi zdawały się wrastać w ziemię. Umysł przysłoniła mgła. Był taki oszołomiony, że nie czuł nawet gniewu, który zawsze ogarniał go na samą myśl o niej i... o nim.

– To oczywiste – wydusił wreszcie z siebie, kiedy milczenie się przedłużało.

Potem coś do niej mówił, ale nie pamiętał już co. Wiedział tylko, że musi jak najszybciej odejść, żeby na nią nie patrzeć. Jak można kogoś tak bardzo nienawidzić i jednocześnie tak mocno kochać. Musiał się nad tym zastanowić i szybko podjąć decyzję. W głowie majaczyła mu coraz wyraźniejsza pewność, że od tego, co zrobi, będzie zależeć cała jego przyszłość.

Kiedy się rozstali, Jorgos skręcił za róg budynku dowództwa i tam z bezradności tłukł pięścią w rozłożysty platan, a oczy wypełniły mu się łzami. I nagle w jego głowie pojawił się szatański pomysł, dzięki któremu wszystko jeszcze mogło się odwrócić na jego korzyść. Uspokoiło go to na tyle, że był w stanie dalej działać, a kiedy po godzinie uzyskał zgodę Ismeny na zaręczyny, wiedział, że wszystko może się udać. Nikt nie ucierpi, a on będzie głównym wygranym. Przez te parę godzin znowu czuł się niepokonany.

Patrząc na jego uradowaną twarz, nikt nie mógł podejrzewać, że zaręczyny są fikcją, tym bardziej że od dawna miał przy sobie pierścionki. Kupił je kiedyś od wędrownego handlarza niemal za bezcen, w głębokim przekonaniu, że mu się kiedyś przydadzą. I miał rację. To kolejny dowód na to, że pragnienia mogą nagiąć rzeczywistość.

Kiedy kobiety odprowadziły Ismenę na kwaterę, *Kapetanios* był już mocno podchmielony. Drzemał z głową na blacie stołu, z którego pospadały puste butelki, a jego prawa ręka zwisała bezwładnie. Pewnie następnego dnia będzie wściekły, ale tego wieczoru było co świętować.

Czujny wzrok Jorgosa przemknął po towarzyszach, z których większość postanowiła pójść za przykładem dowódcy, i wymknął się na dwór.

Prawdę mówiąc, podczas tego wieczoru nie poświęcił uwięzionemu Amerykaninowi ani jednej, nawet przelotnej, myśli, jednak teraz musiał się zdecydować, co ma zrobić. I to szybko.

Spojrzał przez okno. Noc była ciemna, ale za niecałe dwie godziny zacznie się rozjaśniać, więc jeśli miał coś zrobić, to teraz. Udając mocno podpitego, sięgnął po na wpół opróżnioną butelkę i nierównym, kołyszącym się krokiem opuścił izbę.

Mimo ciemności nie miał żadnych kłopotów ze znalezieniem drogi do chałupy, która służyła im za prowizoryczny areszt. Z każdym krokiem nabierał przekonania, że to, co zamierza zrobić, jest niedopuszczalne. To była zdrada i sprawy, i towarzyszy, i też w zasadzie jego własnych przekonań. Przecież on tak bardzo nienawidził tych wszystkich zasranych Anglików i Amerykanów, próbujących na siłę wcisnąć się do jego ojczyzny. Na te myśli nakładał się obraz zielonozłocistych oczu Ismeny, która tego wieczoru patrzyła na niego jak na bohatera. Na bohatera! Zacisnął mocniej rękę na szyjce butelki.

Nie starał się skradać. Szedł dalej pijanym krokiem i udawał, że ma czkawkę. W pewnej chwili wszedł z impetem w płot, co spowodowało, że nagle przed nim wyrósł wartownik.

– A, to ty, Kassalis! – rozpoznał go natychmiast. – Szczęściarzu jeden, gratuluję.

– Napijmy się – zaproponował Jorgos.

– Zwariowałeś? Idź ty lepiej spać. Wiem, że wolałbyś z narzeczoną. Ale już niedługo. Po zwycięstwie.

– Po zwycięstwie. Niech żyje demokratyczna Grecja! – zabełkotał Kassalis i powędrował dalej. Jego kwatera znajdowała się kilkanaście metrów dalej. Teraz dopiero poczuł szybsze pulsowanie krwi. I jeszcze coś. Coś, co przemknęło przez jego myśl jak błyskawica, a potem nagle zapłonęło ogniem pewności.

Po chwili przekonał się, że miał rację. Przed aresztem nie było strażnika, a drzwi były niedomknięte. Z pomieszczenia docierała smuga mdłego światła.

Kiedy Jorgos bezszelestnie wślizgnął się do środka, najpierw zobaczył na stole dogasający ogarek świecy. Oświetlał on pomieszczenie na tyle, że momentalnie dostrzegł leżące pod ścianą ciało jednego ze strażników. Miał poderżnięte gardło.

Jorgos zbliżył się do niego i butelka tsipouro omal nie wypadła mu z ręki.

Drzwi do drugiego pomieszczenia były szeroko otwarte. Widział wyraźnie wiązkę słomy mającej służyć jako legowisko dla więźnia i przewrócony metalowy kubek, z którego rozlała się woda. Jeszcze nie wyschła, więc to się musiało stać niedawno, pomyślał Jorgos, czując intensywne pulsowanie w skroniach.

Dopiero po chwili dostrzegł drugiego strażnika. Jego ciało tkwiło oparte o ścianę za drzwiami celi. Siedział ze spuszczoną głową. Najpierw Jorgosowi się wydawało, że tamten śpi, ale kiedy schylił się ku niemu, dostrzegł, że on też nie żyje. Zginął w podobny sposób jak jego towarzysz, ale w jego przypadku nóż mordercy dokonał jeszcze straszliwszej rzezi.

Jorgos gwałtownie się wyprostował, gdyż nagle przeraziła go myśl, że ten człowiek, tak doskonale władający nożem, może się znajdować gdzieś w pobliżu. Co robić, zastanawiał się gorączkowo, wściekły, że myślenie sprawia mu zawsze tyle kłopotu. Jeśli podniesie alarm, mogą pomyśleć, że pomógł mordercy się wymknąć. Zaczną się przesłuchania i po nitce trafią do kłębka, czyli do Ismeny.

Nagle podjął decyzję. Kiedy już udało mu się to zrobić, zawsze działał szybko i skutecznie. Sprawdził, czy nie ma na butach śladów krwi, po czym zdmuchnął ogarek świecy i po czujnym sprawdzeniu, czy nikt go nie widzi, wymknął się z budynku.

Kiedy doszedł na kwaterę, ze zdumieniem dostrzegł, że jego prawa ręka nadal jest zaciśnięta na butelce. W chacie rozlegało się chrapanie. Wyglądało na to, że kilku z jego towarzyszy musiało jednak wrócić o własnych siłach z uroczystości zaręczyn. Jorgos wylał sobie alkohol na dłoń, a potem się nim obficie skropił. Mimo iż od czasu, kiedy zobaczył zamordowanych strażników, czuł mdłości, przyłożył butelkę do ust i pociągnął parę łyków, po czym nie zdejmując nawet butów, położył się na pierwszym lepszym wolnym posłaniu.

Bardzo chciał usnąć, ale czuł, że tej nocy będzie to niemożliwe. I miał rację. Godzinę później wszczęto alarm.

– Kassalis, musisz to załatwić, rozumiesz? Sam bym poprowadził pościg, ale mam dziś kuriera z Aten.

Kapetanios był tak rozjuszony, że przewracał białkami oczu. Jeden z zabitych strażników był jego kuzynem. Pobladły Jorgos wiedział, że to nie przelewki i że musi złapać mordercę, choć po prawdzie nie potrzebował dodatkowej motywacji. Ten Amerykanin uciekł, więc obietnica, jaką Jorgos złożył Ismenie, została spełniona. Teraz nie był nią związany.

Z przyjemnością pozbędzie się raz na zawsze drania, który zabił tych dwóch chłopaków. Jeden z nich miał zaledwie siedemnaście lat. To był błąd kapitana, że zostawił aż tak niedoświadczonych strażników, ale to z pewnością Jorgos będzie musiał za niego zapłacić, jeśli nie uda mu się złapać mordercy.

Kassalis uważał, że to nie powinno być zbyt trudne. Mimo iż Amerykanin miał nad nimi parę godzin przewagi, był jednak obcy, a w grupie, która ruszyła jego śladem, znajdowali się kleftowie, dawni rozbójnicy, którzy przez wiele lat zajmowali się szmuglerką towarów i znali góry jak własną kieszeń. Potrafili dostrzec każdy ślad, każde złamane źdźbło trawy. Pościg musiał więc zakończyć się sukcesem.

Jorgos kilka razy sprawdził karabin. Nie mógł sobie pozwolić na żaden błąd. Jeśli tylko morderca znajdzie się na linii strzału, nie ujdzie z życiem. Nikt w oddziale nie strzelał lepiej od niego.

Rzeczywiście już po opuszczeniu wioski jeden z dawnych przemytników natychmiast wybrał drogę, którą powinni się udać. Wyglądało na to, że w ciągu paru godzin załatwią sprawę. Uciekinier kierował się do doliny wiodącej do miasta, wędrowali więc dość szybko bez zatrzymywania się. Jednak w pewnym momencie obaj kleftowie przystanęli i wywiązała się między nimi sprzeczka.

– To spryciarz – powiedział jeden z nich. – Jestem pewien, że nas zwodzi. Nie poszedł tą drogą, tylko zawrócił. Pewnie wzdłuż koryta strumienia. Jest w nim teraz woda.

Nie chcąc tracić czasu, Jorgos rozdzielił pogoń na dwie grupy i sam poszedł z tą, która miała zawrócić.

To nie potrwa długo, myślał. Wrócą do wioski przed wieczorem. Ismena będzie zrozpaczona, to pewne, i nawet nie będzie mogła publicznie tego okazać, bo niby czemu by miała, skoro jej narzeczony wrócił. On będzie musiał ją pocieszyć. A potem to wyłącznie sprawa czasu. Ból minie, a ona zrozumie, kto naprawdę ją kocha.

Prawdę mówiąc, te myśli tak rozproszyły Jorgosa, że zbyt późno się zorientował, że nie widzi już idącego z przodu przewodnika. Kiedy to nastąpiło, momentalnie dał znak pozostałym dwóm chłopakom, żeby zostali z tyłu. Okrążali teraz skały wznoszące się przy krawędzi dość stromego urwiska. Wychodząc zza zakrętu, można było wpaść w pułapkę i skoro przewodnik zniknął, to prawdopodobnie on pierwszy stał się ofiarą. A teraz było niemal pewne, że Amerykanin czekał tam na nich po drugiej stronie, i to w dodatku w pełni uzbrojony.

Jorgos na migi porozumiał się z towarzyszami. Pokazał im, że ma zamiar wspiąć się na skały. Ze smutkiem rozstał się z karabinem. Zbyt by mu przeszkadzał. Musiał mu wystarczyć pistolet. Trudno, poradzi sobie.

To nie była łatwa wspinaczka. Musiał się poruszać niemal bezszelestnie, a manewrowanie pomiędzy rozgrzanymi już mocno skałami zabierało dużo czasu. Wprawdzie w połowie drogi zaczął się zastanawiać, co będzie, jeśli za nawisem skalnym odnajdzie tylko ciało przewodnika, a po Amerykaninie nie będzie już żadnego śladu, ale nie miał już wyboru.

W końcu dotarł do szczytu ozdobionego kolejną niemal dwumetrową skałą kształtem przypominającą stożek. Ostrożnie dopełzł do niej na brzuchu i wychylił się zza załomu, próbując dojrzeć, co się znajduje na dole.

– *Malaka!* – zaklął pod nosem.

Ciało przewodnika leżało rozciągnięte na drodze. Jego głowa zwisała nad urwiskiem. Nie było żadnych wątpliwości, że jest martwy. W tej samej chwili Jorgos usłyszał:

– Nie ruszaj się!

Miał wrażenie, że głos mówi mu wprost do ucha.

– Oddaj broń!

Kątem oka dostrzegł Amerykanina, leżał na brzuchu tak jak on, był niedaleko. Jakim cudem wcześniej go nie dostrzegł? Jorgos był tak wściekły, że właśnie runęły wszystkie jego plany, iż nawet nie zdołał się przestraszyć. Zwlekał z oddaniem broni.

– Czy ty rozumiesz po grecku? – usłyszał szept. – Możesz jeszcze umrzeć jak bohater i uratować swoich towarzyszy. Jesteś ich dowódcą, prawda?

Jorgos nagle zrozumiał, że nie urodził się bohaterem i że nie ma żadnych aspiracji, żeby nim zostać. Nie zastanawiając się, wyrzucił z siebie:

– Znam Ismenę Zarras. Miałem ci pomóc.

– Co?

Suskin ani na chwilę nie przestał do niego mierzyć, ale w kilku zręcznych skrętach ciała zbliżył się do niego. Był niemal na wyciągnięcie dłoni. Jorgos widział zaczerwienione białka jego oczu, nieogolone policzki z jasnym zarostem, ale również zdeterminowany wyraz twarzy. Zrozumiał, że nie może popełnić żadnego błędu, gdyż to może go kosztować życie.

– Miałem ci pomóc w ucieczce – szeptał gorączkowo Jorgos. – Tej nocy. Kiedy przyszedłem, już cię nie było. Nie wszcząłem alarmu. Dzięki temu pościg wyruszył znacznie później.

– Skąd Ismena się tu znalazła?

Słysząc to pytanie, Kassalis niemal westchnął z ulgą. Teraz Amerykanin nie będzie mógł go tak po prostu zastrzelić. Przynajmniej taką miał nadzieję.

– Została wcielona do partyzantki.

– *Oh, God* – jęknął Ralph Suskin. – Wydawało mi się, że to musi być ona. Przecież wszyscy tu zginiecie. To kwestia czasu.

Nie macie żadnych szans. Grecja nie będzie komunistyczna. Tak już dawno postanowili.

Jorgos mimo wszystko nie chciał podejmować z nim politycznej dysputy.

– A kim ty dla niej jesteś? Krewnym?

Nie powinien go niepotrzebnie denerwować, ale chciał utrzeć nosa temu bogatemu pankowi, który jeździ sobie za Wielką Wodę, by wtrącać się do cudzych spraw, do cudzych wojen, i kradnie serca cudzych narzeczonych. Jorgos był bezsilny, ale może nie tak do końca.

– Narzeczonym – odpowiedział, patrząc z satysfakcją, jak źrenice oczu napastnika zwężają się nagle. – Ona mi wszystko wyznała przed zaręczynami. O was.

Nie mógł dalej patrzeć Amerykaninowi w oczy. Opuścił głowę i zaczął przyglądać się swoim otartym knykciom. Z jednego palca pociekła krew, która teraz tworzyła już zaschniętą wąską strużkę.

Zapadła cisza, w której słychać było tylko bzyczenie jakiejś rozdrażnionej ważki. Majowe słońce piekło Jorgosa w nieosłonięty kark. Czuł pulsowanie w skroniach. Nagle to wszystko wydało mu się tak nierzeczywiste jak scena ze snu, w którym mógłby teraz wstać i rzucić się w przepaść. I spadałby w nią wolno jakby na unoszącej go powietrznej poduszce.

Zastanawiał się potem, ile to mogło trwać. Pewnie krótko, ale jego wspomnienie mówiło inaczej. To były długie, pełne udręki godziny, w końcu tę torturę przerwał głos obcego:

– Oddaj to Ismenie. To powinno do niej wrócić. – I nagle w ręku Jorgosa znalazło się zawiniątko. Nie miał nawet zamiaru teraz do niego zaglądać, tym bardziej że Amerykanin coś już wyraźnie zaplanował.

I rzeczywiście, kiedy tylko schował podarek dla Ismeny, w skroniach poczuł obezwładniający ból i stracił przytomność.

Jorgos patrzył nieobecnym spojrzeniem na przelatujące mewy. Dopiero gdy poczuł na spodniach białą maź, obudził się z transu.

– Cholera!

Sięgnął do kieszeni po chusteczkę, ale okazało się, że akurat tego dnia jej zapomniał. Wstał z ławki, próbując gwałtownymi ruchami zetrzeć guano z nogawki.

– Proszę, niech pan to weźmie.

Zobaczył przed sobą kobietę o dość jasnych, uczesanych w wysoki kok włosach. Trzymała w ręku kawałek ligniny.

Uśmiechnął się do niej z wdzięcznością i przyjął nieoczekiwaną pomoc.

– Będzie miał pan szczęście w życiu.

– Szczęście? – zdziwił się Jorgos, pocierając spodnie, na których plama zamiast znikać, tylko się powiększała.

– No tak się u nas mówi, jak komuś się coś podobnego przydarzy. Chyba trzeba będzie oddać spodnie do prania chemicznego.

– U nas? Pani jest tutejsza?

Kobieta spojrzała na niego podejrzliwie, ale już po chwili mina jej się zmieniła i na twarzy wykwitł szeroki uśmiech. Wygląda bardzo sympatycznie, stwierdził Jorgos.

– Jestem z Gdańska.

– Ja z Krakowa.

– Oj, to drugi koniec Polski.

– A w ogóle to ja nie jestem stąd. Tylko z Grecji. Z Aten. To stolica.

– No przecież wiem. Na długo pan przyjechał?

Po trzech godzinach, dwóch kawach, serniku i dwóch winiakach Jorgos wracał do budynku sanatoryjnego jak na skrzydłach. Pomyślał, że powinien wysłać kartkę do siostry. Przecież to ona namówiła go na to sanatorium.

Kraków, 1961

– Przestań, przestań natychmiast. Muszę się uczyć. Jutro mam sprawdzian z matematyki.

– Kujon, kujon. – Janek skakał po tapczanie, aż w promieniach słonecznych wślizgujących się zza firanki unosił się kurz. Muzyka z puszczonego na cały regulator adapteru wznosiła się równie wysoko i rytmicznie. *Jailhouse Rock.*

– Zaraz zepsuje się igła – zauważył rezolutnie Nastek i Janek natychmiast zaprzestał skoków.

To był przecież jego adapter. Pomyślał o setkach zebranych butelek i przeniesionych kilogramach makulatury, które stanowiły połowę jego wartości. Drugą połowę dostał od wujka Samarasa. Okazał się zupełnie w porządku. Choć łysy. No i bardzo stary. Pewnie wkrótce umrze, jak pierwszy mąż ciotki. Ale kiedy tylko dowiedział się o wielkim planie Janka dotyczącym zakupu adaptera, natychmiast postanowił przyspieszyć jego realizację. No, ale on był chyba od nich bogatszy, stwierdził dziesięciolatek i zobaczywszy, że brat pogrążył się ponownie w swoich działaniach arytmetycznych, postanowił pójść na podwórko. Najpierw jednak wyłączył adapter, starannie zdjął z niego mały czarny krążek i włożył go w papierową obwolutę. „B. Wyrobek – śpiew i zesp. Z. Wicharego". Pogłaskał płytę i odstawił ją na półkę.

– Nastek, co to znaczy ten rock and roll?

– Hałas i wrzask.

Janek spojrzał na starszego brata z powątpiewaniem. Jego obchodziła wyłącznie nauka i dobre stopnie. A już najmniej muzyka i angielskie nazwy. Nie przejmował się nawet szpetnymi pryszczami, które ostatnio zaczęły się pojawiać na jego twarzy. Ale dla Janka te płyty i nieznany świat miały pomarańczowy kolor. Dlaczego właśnie ten? Być może dzięki uwielbianym owocom, które trafiały do ich domu za sprawą wujka Samarasa. Zawsze je gdzieś znajdował. Ale pewnie się to wkrótce skończy, zafrasował się Janek, bo podobno będą mieli własne dziecko. Skończą się też niedzielne obiady i wspólne wyjścia do kina. Już się nawet skończyły, stwierdził ze smutkiem. Bo właśnie była niedziela, ciotka niespodziewanie odwołała obiad, a ojciec wcześnie rano zniknął z domu. Nawet im nie powiedział, dokąd idzie i kiedy wróci. A jeść mu się chciało!

Nie pytając już Nastka o nic, poszedł do kuchni i wyciągnął z szafki bochenek chleba. Potem trochę krzywo ukroił sobie kromkę, posmarował ją masłem i posypał cukrem.

Musi się czymś zająć. Nie cierpiał takiej niedzieli. Była najnudniejszym dniem tygodnia. Kumple pojawiali się na podwórku dopiero po południu. Trochę bardziej domyci i uczesani po powrocie z kościoła i nawet nie można się było rozkręcić w jakiejś zabawie, bo matki, które tego dnia miały więcej czasu, co chwila coś od nich chciały.

A może by przeczytać jakąś książkę? Ten *Winnetou* nie był najgorszy, Janek przypomniał sobie ostatnią lekturę. Ale tak naprawdę to chciałby przeczytać książkę po angielsku. Myśl, która niespodziewanie przyszła mu do głowy, nagle zaczęła mu się bardzo podobać. To by było coś! Nikt nie znał angielskiego na podwórku. A może i w dzielnicy? Jak skończy osiemnaście lat, to stąd wyjedzie, nie tylko do Grecji, a wówczas... a wówczas ten angielski bardzo mu się przyda. Poza tym on już znał trochę słówek. Przydadzą mu się, kiedy będzie miał swój zespół muzyczny. Musi się tylko nauczyć grać na gitarze, a potem:

– *Yes, no, please. One, two, three...* – Janek wykrzykiwał je na całe gardło, wskakując na mały kuchenny stołek. – *Four, five.*

– Co to za wrzaski w tym domu? Uspokój się natychmiast.

Słysząc głos w przedpokoju, Janek momentalnie znieruchomiał. Ojciec wrócił! Może zabierze ich na obiad do restauracji? Rzadko, bo rzadko, ale takie rzeczy się zdarzały, więc myśli chłopca pofrunęły w kierunku „Stylowej" i bryzolu z pieczarkami. Natychmiast poweselał i z uśmiechem na twarzy wybiegł z kuchni. Tam czekała go niespodzianka.

Rzeczywiście w przedpokoju stał ojciec, ale towarzyszyła mu nieznana osoba. Kobieta. Miała jasne, wysoko upięte włosy i mocno umalowane usta.

Janek oniemiał ze zdziwienia i zatrzymał się w pół kroku. Do tej pory w ich domu nie było żadnych kobiet oprócz sąsiadek i ciotki Vasilissy. A kto to?

– To jest mój syn, Jannis. Mówimy na niego Janek – zwrócił się ojciec po polsku do blondynki, która omiotła chłopca przenikliwym spojrzeniem i nawet się nie uśmiechnęła.

– Gdzie jest Anastazy? – Janek bez słowa spojrzał w kierunku pokoju, ale Nastek, słysząc głos ojca, po chwili sam się pojawił.

– Starszy ma prawie czternaście lat – Jorgos nadal zwracał się do nieznanej kobiety. – Idzie do szkoły średniej.

Nastek szybciej się zreflektował, gdyż momentalnie szurnął nogami i ukłonił się nieznajomej. Janek patrzył na ojca, próbując zrozumieć sytuację. Ten sprawiał wrażenie nieco zakłopotanego i co chwila spoglądał na kobietę. Nie wyjaśnił im, kim ona jest. Najwidoczniej trwało to zbyt długo jak na jej cierpliwość i sama postanowiła się odezwać.

– Dzień dobry, chłopcy.

Tym razem Janek wydusił z siebie grzeczne „dzień dobry" i skoncentrował wzrok na przytaszczonej przez ojca opasłej walizce przewiązanej skórzanym paskiem.

– To jest pani Renata, hmm – odezwał się w końcu ojciec nieco ochrypłym głosem. – A w zasadzie wasza nowa matka. W przyszłym tygodniu bierzemy ślub. Macie więc jej słuchać i grzecznie się zachowywać. Jasne?

Chłopcy wymienili się spojrzeniami. Na bladej twarzy Nastka odznaczał się każdy pryszcz. Żaden z braci nie odezwał się nawet słowem. Szurając nogami, ruszyli do pokoju za ojcem i za obcą Renatą. Nic z tego nie rozumieli.

Rozdział X

Korfu, sierpień 2010

Nina szła wolnym krokiem, lecz mimo wewnętrznego oporu nieubłaganie zbliżała się do celu. Od kiedy postanowiła tu przyjść, miejsce to wydawało się ją przyciągać wbrew jej woli. Namierzyła tę kafejkę internetową niemal natychmiast po przyjeździe. A może bardziej odnotowała jej obecność na tej nieco oddalonej od głównego traktu ulicy. Wcale nie dlatego, że zamierzała z niej skorzystać. O nie. Postanowiła wówczas, że podczas tego pobytu będzie się zajmować zupełnie innymi sprawami. Przede wszystkim Jannisem, domniemanym ojcem. To na nim skoncentruje myśli i postara się rozwikłać to równanie z wielką niewiadomą, która była przecież całym jej życiem. Jednak od dnia, gdy poszli do kliniki zrobić badanie DNA, coś w niej się załamało. Tak bardzo chciała komuś opowiedzieć o tym wszystkim, co zaszło w jej życiu w ciągu tego miesiąca. Od tygodnia źle spała od nadmiaru przeżyć i emocji. Czuła dziwne wewnętrzne wrzenie. Niepokoiło ją to, gdyż się obawiała, co z tego może wyniknąć. Nie, nie mogła nikomu opowiedzieć. Po prostu to nie wchodziło w rachubę. Podczas wieczornych spacerów rozmawiała sama ze sobą, ale bardzo prędko uznała te konwersacje za mało przydatne.

Nie przypuszczała, że w tak krótkim czasie przywiąże się do Jannisa. Był taki pełen sprzeczności. W jednej chwili nieprzewidywalny choleryk, potrafiący wybuchnąć w najmniej spodziewanym momencie, czasem zupełnie obojętny, a niekiedy dociekliwy w swoich pytaniach na temat jej życia i odczuć. Technicznymi gadżetami potrafił się bawić jak dziecko, stale go bowiem fascynowały. A potem nagle włączał piosenki Eleni i stawał się sentymentalny. Te opowieści na temat przeszłości i rodziny również dały jej do myślenia. Poza tym odkryła, że jest podobnie samotny jak ona. To niewiarygodne, że łączyło ich aż tyle podobieństw.

– I to wszystko? – zapytał, kiedy laborantka pobrała patyczkiem próbkę śliny.

– Oczywiście. A co? Miało boleć?

Miał wówczas tak śmieszną minę i nie rozumiał przerażenia w oczach Niny.

– A ty czego się boisz, mała?

Mała? Tak do niej mówił, mimo iż była niewiele niższa niż on. Spojrzała na niego, starając się ukryć lęk, który ją przepełniał.

– Ja? Wydaje ci się.

Ale jemu się nie wydawało. Miał rację. Nina zaciskała dłonie, by nie zauważył, jak bardzo się trzęsą. Musiała być bardzo blada.

Potem Jannis zabrał ją do kawiarni i wmusił w nią kieliszek ouzo.

– To ci dobrze zrobi. To chyba moja wina.

– Twoja, Jannis? – Anyżowy trunek rozlał się ciepłem po przełyku. Rzeczywiście poczuła się lepiej.

– Wiesz, czasem jestem taki bezduszny. Teraz rozumiem, że zrobiłem ci przykrość.

Nina wbiła wzrok w pusty kieliszek.

– To musi być dla ciebie przykre, że tak cię sprawdzam. Że nie wystarczy mi, że powiedziałaś mi to, co wiesz od matki... –

Jannis spojrzał na wchodzących do kawiarnianego ogródka hałaśliwych Anglików. – Ale rozumiesz sama, ja mam rodzinę. Oni nigdy nie...

– Jannis! Nie mów nic więcej. Ja to rozumiem, okay? – Na policzkach Niny nagle wykwitły rumieńce. – Oczywiście rozumiem, że jest to konieczne. Nie chcę, żebyś mnie miał za jakąś naciągaczkę. Wiem, jaka była moja matka. Nasłuchałam się przez całe życie. Nie musimy do tego wracać...

– Nie mam takiego zamiaru. – Uśmiechnął się do niej. – I na nic mnie nie naciągasz. Świetnie się czuję w twoim towarzystwie. Dawno tak miło nie spędzałem czasu.

– Bo nie chcesz nigdzie wychodzić – zauważyła.

– Może. – Pokiwał głową. – A może nie mogę?

– Co masz na myśli?

– Nic takiego. Po prostu chcę mieć teraz więcej spokoju. Mam wrażenie, że cała moja młodość i dorosłe życie minęły w biegu, bez żadnej refleksji. Wszystko działo się za szybko i zbyt często bez mojej na to zgody ani wiedzy.

– Potrzebujesz teraz czasu na medytacje?

– Medytacje? – Zaśmiał się, ale wydawał się jakby rozzłoszczony. – Nawet, mała, nie używaj przy mnie tego słowa! No nic! – Poklepał jej leżącą na blacie rękę. – Lepiej ci? To może przejdziesz się z tatusiem na spacer, co? Pod rękę?

Nie miała pojęcia, że taka przechadzka może sprawić jej taką przyjemność. Tym bardziej że on wcale nie próbował się kryć. Kiedy napotykał znajomych, po prostu ją przedstawiał, mówiąc.

– A to Nina. Moja krewna z Polski. – I nikt się niczemu nie dziwił.

– Na długo pani przyjechała?

Ona sama odpowiadała na pytania, a Jannis bardzo się dziwił, że tak dobrze sobie radzi z greckim. Jego znajomi również. I nawet jeśli nie wszystko rozumieli, to uśmiechali się do niej życzliwie i zapraszali do siebie do domu.

– Uczyłam się przed przyjazdem – przyznała. – A w mieście chodzę na kurs dwa razy w tygodniu. Mamy bardzo dobrego lektora.

– To może będziemy rozmawiać po grecku?

Pokręciła głową.

– Nie. Chcę cię dobrze rozumieć.

– No to przy okazji ja sobie poćwiczę polski.

Mówił z akcentem, ale jego dobór słów wskazywał na to, że nadal był dobrze osłuchany z językiem. Zauważyła, że musi często oglądać wiadomości z Polski. Wiedział na bieżąco, co się dzieje w polityce, i złościł się, nie przebierając w słowach.

– To moja druga ojczyzna. I znieść nie mogę, że tacy głupcy prowadzą ją do zagłady. Podobnie jak i tutaj. Tak samo. W kółko te same błędy. Wszędzie. Oni to wszystko rozpier...

Budynek, przy którym się zatrzymała, wyrwał Ninę z zamyślenia. To była kawiarenka na bocznej ulicy od Liston Esplanade. Można było wypić kawę i dzięki Wi-Fi skorzystać z Internetu, ale stało tam również parę pecetów dla tych turystów, którzy nie zabrali swych laptopów na krótki pobyt na wyspie.

Mimo iż Nina zauważyła to miejsce tuż po przyjeździe, nie była tu jeszcze ani razu. Starała się trzymać z daleka, choć parę razy nogi poniosły ją tu same; na szczęście zatrzymały się przed wejściem. Teraz w podstępny sposób zmusiły ją, żeby przekroczyła próg. Weszła i natychmiast skierowała się do jednego z pecetów.

O nie! Zdążyła przemierzyć połowę pomieszczenia, kiedy zauważyła, kto siedzi przy jednym z komputerów. Ifigenia! Gospodyni Jannisa. Siedziała wpatrzona w ekran i waliła zapamiętale w klawiaturę. Ta kobieta była niesamowita. Wprawdzie Nina nie podejrzewała, że potrafi korzystać z komputera, ale te umiejętności, które zaobserwowała w Eleotrivio, wystarczyły, żeby uznać ją za superwoman.

Teraz obecność Ifigenii odebrała jako znak, żeby wycofać się z kawiarenki, i już zaczęła obracać się na pięcie, kiedy spoczął na niej wzrok gospodyni Janisa.

– *Kalimera!* – Nina była wściekła na siebie za to, że się zaczerwieniła. Przecież nie robiła nic złego. Przyszła tu jak każdy inny turysta, prawda?

Ale na twarzy Ifigenii również wykwitł rumieniec.

– Ja już kończę. Możesz usiąść na moim miejscu.

Od pewnego czasu mówiły sobie na ty, na wyraźne żądanie Jannisa. Na początku Nina podejrzewała Ifigenię, że podkochuje się w swoim pracodawcy, ale po krótkim czasie zorientowała się, iż się pomyliła.

Nina spojrzała na drugi komputer, przy którym właśnie rozsiadał się dobrze utuczony młody człowiek.

– Dzięki. Ale się nie spiesz. Zamówię sobie kawę – odpowiedziała jak najnaturalniejszym tonem. Zaczęła się już uspokajać i była dziwnie pewna, że Jannis nie dowie się o tym. Jeszcze zacząłby ją namawiać do korzystania z jednego z jego komputerów! Miał ich kilka i mnóstwo innych nowoczesnych gadżetów. Nina czuła, że posiadanie ich sprawia mu niezwykłą przyjemność.

Po chwili z kubkiem latte wróciła do Ifigenii, która już zdążyła pozamykać swoje programy i z wdziękiem wstała z krzesełka. Nina spojrzała na jej zgrabne łydki i stopy w czerwonych sandałkach na wysokim obcasie. Szyję kobiety zdobiło kilka sznurków korali także w różnych odcieniach czerwieni. Zawsze wyglądała tak kobieco i atrakcyjnie, nawet gdy wykonywała uciążliwe prace. Po prostu taka była. W przeciwieństwie do Niny, która czuła, jakby jej ciało nie stanowiło jedności i każda jego część funkcjonowała oddzielnie.

– Przyjedziesz dzisiaj do Eleotrivio? – spytała Ifigenia, wdzięcznym ruchem poprawiając swoją lekko rozszerzaną spódniczkę, oczywiście w czerwone kółka.

– Nie wiem jeszcze, czy nie będę musiała zastąpić koleżanki na drugiej zmianie.

– Przyjedź – zarządziła Ifigenia. – Przywieźli dziś prasę do oliwy. Wielkie święto. Jannis już się nie może doczekać, żeby ci ją pokazać. Na wszelki wypadek na kolację przygotuję coś wegetariańskiego.

Nina, poruszona nieoczekiwanym zachowaniem gospodyni, zasiadła przy komputerze i przez moment zastygła z palcami na klawiaturze, zastanawiając się, z czego ta życzliwość wynikała. Jak zawsze była nieufna. Obróciła głowę, upewniając się, że Ifigenia zniknęła, i włączyła Internet. Ciekawość kazała jej sprawdzić, z jakich stron korzystała jej poprzedniczka, i od razu się rozczarowała, gdyż gospodyni Kassalisa wszystko po sobie starannie posprzątała. Jak całe Eleotrivio, uśmiechnęła się do siebie Nina, podziwiając skuteczność kobiety, i bez chwili wahania otworzyła swoją pocztę.

Miała blisko sto wiadomości, głównie spamów. Nie sprawdzała e-maili od półtora miesiąca. Ale któż mógł do niej napisać? Ta garstka znajomych mogła ją zawsze znaleźć przez telefon komórkowy. Z dalszą rodziną matki nie utrzymywała od lat żadnych kontaktów. Poczta służyła wyłącznie do korespondencji w sprawie pracy i w zasadzie powinna z niej jak najszybciej skorzystać, żeby znaleźć sobie jakąś posadę na okres zimy. I to jak najszybciej. Sezon turystyczny wkrótce się skończy, a ona pochłonięta prywatnymi sprawami zostanie na lodzie.

No i po co udaje, że patrzy na inne e-maile? Jeśli uważa, że nikt nie jest w stosunku do niej uczciwy, przynajmniej sama wobec siebie powinna taka być. Nie może się oszukiwać – jej wzrok trafia natychmiast na tę jedyną wiadomość, na której widok serce zaczyna jej szybciej bić, a ręce drżą na klawiaturze. Przecież nie powinno jej tu być! Jeszcze nie teraz! Nie minęły dwa miesiące!

– Pierwszy zbiór pochodzi z podcinki robionej mniej więcej pod koniec listopada. Oliwki wybiera się ręcznie, usuwa z nich liście, kamyki i dokładnie myje. I z nich pochodzi pierwsza oliwa. Ma gorzki smak i powinna leżakować mniej więcej sześć miesięcy, żeby nadawać się do użytku. – Jannis opowiadał o tym wszystkim z takim ożywieniem, że Nina zrozumiała natychmiast, iż pomysł związany z sadem oliwnym stał się jego prawdziwą pasją i że ma na ten temat ogromną wiedzę teoretyczną. Ta teoria już wkrótce przerodzi się w praktykę, gdyż serwisanci zajmowali się właśnie montażem prasy do wyciskania oliwy.

– Ale prawdziwa oliwa virgin, z pierwszego tłoczenia, jest znacznie lżejsza i ma ten wspaniały złotawy kolor. I te oliwki będą zbierane albo grzebieniami elektrycznymi, albo ręcznie. Dopiero do kolejnego zbioru używamy siatek, na które strząsamy owoce.

– I to ci się opłaci?

To pytanie wzbudziło jedynie politowanie Jannisa. – Opłaci? Już dawno tak nie myślał. – Wzruszył ramionami i zignorował je.

– Ze stu kilogramów oliwek uzyskam około dwudziestu litrów oliwy. A z całego sadu, mam nadzieję, około sześciu tysięcy litrów. Jutro przyjdzie do mnie sąsiad ze swoim pracownikiem, żeby mi pokazać, jak to działa. Muszę się od nich jeszcze sporo nauczyć.

– To wspaniale – zauważyła, przywołując na twarz szeroki uśmiech. Taki entuzjazm Jannisa zasługiwał na wsparcie.

– Wszyscy, ale to wszyscy, będą chcieli spróbować mojej oliwy. Jak dojdzie do bankructwa światowego, będzie doskonałym środkiem płatniczym – zaśmiał się Jannis. – Musisz tu wrócić w grudniu, kiedy będzie zbiór. Wtedy zobaczysz, jak ta prasa działa. To prawdziwy mercedes! Oddziela liście, myje, filtruje, utrzymuje temperaturę.

Nina uciekła wzrokiem. W grudniu? W jej życiu było zbyt wiele niewiadomych, by cokolwiek planować.

– Kto wie? – wyszeptała.

– Wtedy opowiem ci o jakości, wartościach odżywczych i przeciwutleniaczach. Teraz chyba jest zbyt gorąco, co?

– Pomogę ci z tymi napojami – zaproponowała.

– O nie, ty tu sobie usiądź. Ja sam wszystko przygotuję. Czego się napijesz?

– Czegoś zimnego. Wody?

– A nie chcesz retsiny?

Uśmiechnęła się do niego. Ostatnio zauważył, że zasmakowało jej to wino z dodatkiem sosnowej żywicy. Orzeźwiało jak mało co.

– Okej.

Zasiadła w obszernym fotelu, w którym zwykle wysłuchiwała opowieści Jannisa. Usłyszała, że nastawił już swoją ulubioną płytę z piosenkami Eleni. Rozejrzała się po wielkim salonie, zatrzymując wzrok na obrazach olejnych, które według Kassalisa miały przedstawiać wyspę, a zdaniem Niny stanowiły jedynie niesłychaną grę kolorów. Pasowały idealnie do tego miejsca, które teraz – za sprawą zasuniętych żaluzji – znajdowało się w półmroku. Obrazy, półki z książkami, wygodne skórzane fotele i kanapy. Pojawiający się wśród bieli i beżów pomarańczowy akcent nadawał całemu wnętrzu lekkości.

Nina poczuła niepokój. Niepotrzebnie uwierzyła, że tak mógłby wyglądać jej dom, i zrobiło jej się dziwnie bezpiecznie i słodko. Jak jeszcze nigdy. Poczuła nagły przypływ szczęścia, którym zachłysnęła się przez ułamek sekundy. A przecież tego nie chciała.

Rzym, 2009

Nina siedziała na barierce odgradzającej fontannę od ulicy i wystawiała twarz do słońca. Nie było to najlepsze miejsce do opalania się, ale nie było czasu, by znaleźć coś lepszego. Za pół godziny miała wrócić do restauracji, żeby się ostatecznie rozliczyć z *padrone*. A potem... No właśnie, co potem? Dostała kilka pozytywnych odpowiedzi na swoje e-maile, ale jeszcze się zastanawiała, co wybrać. I który wariant pasowałby najlepiej do jej zwariowanego życia.

– Jak długo tak można? – zapytała Kaśka, koleżanka ze studiów.

– A masz dla mnie inną ofertę? – odpowiedziała, ale bez kąśliwości, przyglądając się, jak jej rozmówczyni karmi łyżeczką swoje dziecko.

Kaśka nie miała tego rodzaju wątpliwości, gdyż pracowała w życiu zaledwie przez rok. Z galerii sztuki, gdzie praktykowała, została natychmiast wyłowiona przez młodego biznesmena, któremu wygodniej było mieć w domu niepracującą żonę. Nie narzekała na swoją sytuację. Była szczęśliwą żoną i matką.

– Na pewno można coś znaleźć.

– Można, tylko że wówczas miałabym groszową pensję i żadnych perspektyw.

– A teraz je masz?

– Zwiedzam świat. Przyglądam się wszystkiemu.

– Oj, Nina. Ty naprawdę jesteś dziwna.

O, to nic nowego. Od dziecka wszyscy jej o tym mówili. Już dawno w to uwierzyła.

Nina mocniej zacisnęła powieki i nagle usłyszała głos mówiący po angielsku:

– A to biedak!

– Słucham! – Spojrzała pod słońce i dostrzegła męską sylwetkę.

– No, biedak, mówię. Bóg jeziora, syn Posejdona, pół człowiek, pół ryba, a musi tkwić tutaj na placu w środku miasta. Ciekawe, czy się przyzwyczaił od siedemnastego wieku?

– Szmat czasu – odpowiedziała powoli. – Do wszystkiego można się przyzwyczaić.

– Ale Mała Syrenka się nie przyzwyczaiła.

To były tak zaskakujące słowa, że Nina wstała z barierki, pragnąc dobrze się przyjrzeć mówiącemu.

Miał ciemną brodę i okulary przeciwsłoneczne na twarzy.

– Przepraszam. Przeszkodziłem w rozmyślaniach.

– Nie, nie przeszkodziłeś – speszyła się Nina i odgarnęła z twarzy jasne loki. Mężczyzna był wysoki, przystojny i uśmiechał się do niej. Jak na nią – o co najmniej dwie rzeczy za dużo.

– Nie jesteś Włoszką, prawda?

– Jestem z Polski.

– Jasne, jak ładna blondynka, to wiadomo, że Polka. – W innej sytuacji Ninie nie podobałyby się te banały, ale mężczyzna wypowiadał je w taki sposób, że natychmiast uznała, że nie jest to tani podryw. Ciekawe, skąd on jest. Już za chwilę wiedziała.

– Mam na imię Nuno. I jestem ze Stanów. Przyjechałaś tu na wakacje?

Rozmawiał z nią tak naturalnie, że nie wiadomo kiedy opowiedziała mu o swojej pracy – przez trzy miesiące była menadżerką restauracji niedaleko piazza Barberini. Właśnie skończyła kontrakt i przed wyjazdem z Włoch miała zamiar pojechać na parę dni do Neapolu, by zwiedzić to piękne miasto, ale bynajmniej tam nie umrzeć.

– To tak jak ja! – ucieszył się Nuno.

– Co jak ty?

– Ja też jadę do Neapolu.

– To niemożliwe!

– Naprawdę. Mam stamtąd samolot do Londynu. Chcesz zobaczyć? Pokażę ci bilet. Może przed podróżą coś zjemy. Gdzie jest ta twoja restauracja? – spytał, po czym poszedł za Niną, jakby się znali od stuleci.

I w jakiś niepojęty, niewytłumaczalny sposób się znali. Lubili te same włoskie smakołyki, mieli podobne fascynacje dotyczące starożytnego Rzymu i Grecji, uwielbiali przesiadywać w kawiarnianych ogródkach i przyglądać się ludziom, jednocześnie wymyślając na ich temat nieprawdopodobne historie. I nie tylko to.

– Ja miałam to samo – dziwiła się Nina z wypiekami na twarzy, kiedy pociąg wiózł ich w stronę Neapolu, a Nuno opowiedział jej o chorobie lokomocyjnej, jaką miał w dzieciństwie.

– Ty też od tak dawna z nikim nie byłaś? – zdumiał się Nuno, kiedy ostatniego dnia pobytu w tym niezwykłym mieście dziwnym trafem, mimo że mieli dwa pokoje, wylądowali w tym samym łóżku.

– Od trzech lat – powtórzyła Nina, zupełnie już nie panując nad swoimi emocjami.

To wina Neapolu. Tego brudnego, na pierwszy rzut oka odstręczającego miasta. Ale pod patyną kurzu i zaniedbania kryło ono mnóstwo cudownych niespodzianek, które powodowały u Niny nieustanne ściskanie w brzuchu. To przecież nie mogło dziać się naprawdę! I za chwilę się skończy.

– Pojedź ze mną do Londynu. Pracuję tam.

Nie znosił swojej pracy w klimatyzowanym plastikowym biurze. Czuł, jak z dnia na dzień wysysa z niego wszelkie siły. Finanse, choć był dobrze przygotowany, by się nimi zajmować, nie były tym, o czym zawsze marzył. Ale teraz, z Niną, życie jest lepsze, wie, że ma jeszcze szansę zrobić to, co być może jest mu pisane.

– Nie mogę – wyjąkała wbrew sobie.

Nie pojedzie nigdzie z tym uroczym Amerykaninem. Ta ich historia jest nieprawdziwa, wymyślona i skończy się natychmiast, kiedy spróbuje w nią uwierzyć. Ile razy już tak było? Nie tylko z mężczyznami, z którymi się wiązała – im z zasady nie wierzyła – ale z innymi ludźmi. Przecież nie będzie wiecznie zarabiać na kolejne terapie? Niektórym szczęście jest pisane, ale jej z pewnością nie.

– Muszę wracać do Polski.

– Ale w przyszłym roku jedziemy razem. Gdziekolwiek zechcesz. – Nuno uśmiechnął się i delikatnie wziął ją w ramiona, a ona powstrzymała łzy napływające jej do oczu. Nie może mu pokazać, jak bardzo nie panuje nad swymi emocjami, jak nagle stała się słaba i uzależniona, bo wówczas ta odrobina nagłego szczęścia rozpryśnie się niczym bańka mydlana.

– Będę do ciebie pisać – obiecał Nuno i popychany przez napierający tłum na lotnisku w Neapolu spisywał adres e-mailowy Niny.

Ona z pobladłą twarzą przyglądała się uważnie swemu nieoczekiwanemu kochankowi i nie wierzyła już w żadne jego słowo. Znowu dała się oszukać! Ona, zawsze taka czujna i podejrzliwa. Ale po trzech latach celibatu dała się omotać pierwszemu lepszemu. A on wcale się nie krył, że ją oszukał. Poprzedniego dnia wydzwaniał co chwila, sprawdzając, czy mimo wszystko nie uda mu się załatwić jakiegoś połączenia lotniczego do Londynu. Niestety, za wszelką cenę musiał tam być w poniedziałek rano.

– Zgubiłeś bilet? – popisała się naiwnością Nina, żeby za chwilę usłyszeć:

– Nigdy go nie miałem. Ale przecież nie mogłem cię zostawić pod tamtą fontanną. Jeszcze ktoś inny by cię zabrał. – Nuno przytulał Ninę i delikatnie gładził jej ramiona, ale jej mięśnie już zaczynały się napinać.

A teraz stała przed nim sztywna i ze szczękami zaciśniętymi aż do bólu. Nuno spojrzał na nią, uśmiechnął się i poprawił okulary na czole. Idiotka nie zauważyła wcześniej, jakiej są marki. Niczego nie zauważyła. Zakochała się. Nagle, mocno i chyba boleśnie, oceniła z rezygnacją.

– Nina.

– Nuno.

Nawet ich imiona były czteroliterowe. Wszystko się zgadzało. I nic.

– Nie chcę nic mówić, bo będzie to brzmiało jak pożegnanie – mówił, kiedy odprowadzała go do odprawy. – A ja nie chcę się z tobą żegnać. To przecież początek. – Chciał ją pocałować, ale odwróciła głowę.

Nina musiała w końcu uwierzyć, gdyż od dnia wyjazdu Nuno utrzymywał z nią kontakt. Początkowo były to nieregularne pełne humoru e-maile, a potem, kiedy zaczęli się spotykać na czacie, pojawiło się coś więcej. Opowieści na temat ich życia. O parę miesięcy za późno! Dlaczego o tym nie rozmawiali, tak bardzo zafascynowani tu i teraz? Po paru bezsennych nocach, kiedy przerażenie ściskało ją za gardło, Nina postanowiła dać mu jeszcze jedną szansę. Poza tym jeszcze nic nie było przesądzone i tylko o tym zdecydowała się myśleć. Musi się przekonać. I to jak najszybciej!

„Nie mogę z Tobą wyjechać. Mam już umówioną pracę. Wiem, co sobie teraz myślisz, ale obiecuję, a wiesz, jaka jestem w sprawie obietnic, że natychmiast po zakończeniu kontraktu przyjadę. Czy mam przyjechać do Londynu? Nie mam amerykańskiej wizy".

Przyjadę po Ciebie, gdziekolwiek będziesz. Tylko powiedz kiedy i gdzie.

I właśnie w ostatnim e-mailu Nuno ponawiał tę prośbę, wzmacniając ją żarem wyznań i zapewnień. „Nie możemy się już nigdy rozstawać. To nie ma najmniejszego sensu. To nie przypadek, że się spotkaliśmy". Tego się właśnie obawiała.

Rozdział XI

Kraków, 1970

– No to co, chłopcy, jeszcze po jednym? – Drobny, ciemny mężczyzna, nie czekając na odpowiedź, skinął na kelnerkę i po chwili na stoliku stanęła przed nimi kolejna butelka czystej.

Janek rozejrzał się po twarzach kolegów. Wszyscy byli zaczerwienieni od alkoholu i palili jednego papierosa za drugim. Z ich kąta w „Stylowej" buchało już dymem jak z piekielnej otchłani. Tylko on nie palił. Następnego dnia miał wystąpić wraz ze swoim zespołem na dansingu w Nowej Hucie. Obawiał się, że zbyt dużo nikotyny może zaszkodzić jego głosowi. A śpiewać nadal lubił, i to bardzo.

Znał tylko jednego z tych trzech, Kostasa, z którym chodził do podstawówki. Drugi chłopak, a w zasadzie mężczyzna, był starszy od nich i miał nieco lalusiowaty wygląd. Był Polakiem o niebieskich oczach i jasnych włosach. Tym czwartym był Leon i to on właśnie zamówił wódkę. W zasadzie to on tu rządził.

– Fajnie, że znalazłeś dla nas trochę czasu – zwrócił się teraz do Janka i wzniósł toast: – To za nasze wspólne interesy.

Interesy? Kostas coś bąknął na ten temat, ale Kassalis nie miał większego pojęcia, czym się będą zajmować. To znaczy on. O Leonie już słyszał piąte przez dziesiąte. To był bardzo łebski gość i dość dobrze wykształcony. A poza tym miał plecy i był nie do ruszenia. Dobrze to wróżyło. Może interes wypali. Janek bardzo na to liczył, gdyż stale brakowało mu pieniędzy. I to na bieżące wydatki. A jeśli chciał kupić samochód i wyjechać wreszcie za granicę, musiał mieć ich o wiele więcej. W związku z tym patrzył na Leona z dużą nadzieją w oczach.

– Mieszkasz teraz w Gdańsku, prawda? – upewnił się gospodarz tego przyjęcia.

– No tak. Chodzę do Technikum Budowy Okrętów. A w przyszłym roku zdaję do szkoły morskiej.

– O! Ambitny chłopiec! Wspaniale! Tacy są najlepsi. – Leon pokręcił głową, jakby mu tym zaimponował. – To za parę latek odpłyniesz nam w siną dal. Masz krewnych w Trójmieście? Marynarza?

Janek chwilę się wahał:

– Nie.

– Ja mam – włączył się w rozmowę Kostas. – Wuja i kuzynów. Paru znajomych, co pływają.

– Świetnie. – Kiedy Leon zacierał ręce z radości, Janek dojrzał na palcu jego lewej ręki duży sygnet. – W takim razie poradzimy sobie znakomicie. To jest zupełnie prosta i bezpieczna sprawa, chłopcy. Krzycho – zwrócił się do blondyna – nauczy was potem kilku drobnych szczegółów, ale to nie one są tu ważne. Liczy się jedynie kurs zielonych. Kupujecie je tam, od waszych, a ja je sprzedaję tu, naszym. I dzielimy forsę.

– Od marynarzy? – upewnił się Janek.

– Cudzoziemców. Nie drożej niż po osiemdziesiąt–dziewięćdziesiąt złotych. Jasne?

Janek, mimo iż niemal pięć lat spędził w Trójmieście, nie bardzo się orientował, skąd miałby brać tych cudzoziemskich marynarzy. Nie wychylał się jednak z pytaniem, święcie przekonany, że za chwilę się dowie. I tak się stało.

– Najlepiej chyba w „Zorbie" w Sopocie – chrząknął Kostas. – Tam najwięcej ich przychodzi. Kiedy jednego z naszych spytali na granicy, do którego miasta się wybiera, odpowiedział właśnie, że do „Zorby". Tam są podobno najlepsze dziewczyny.

– Znaczy się kurwy, tak? Czy jak je tam nazywają, mewki... Tylko niech wam do głowy nie przychodzi, żeby się w takich zakochiwać. – Surowy wzrok Leona spoczął na Janku. – Po pierwsze ich alfons skuje wam mordę albo i gorzej. A po drugie jesteście po tej samej stronie co one: macie ten sam cel, robić interesy. Kurwy po swojemu, a wy tak, jak ja wam powiem.

– Wyjebać, a nie jebać – odezwał się nieoczekiwanie milczący do tej pory Krzycho, ale Leon spojrzał na niego złowrogo.

– Panowie, nie przesadzajcie. Nie znoszę takiego języka. A może chcesz dołączyć do swoich gazerów w bramie, co Krzycho?

Krzycho pośpiesznie spuścił wzrok, jakby się zawstydził. Widać było, że z Leonem to nie przelewki. Mimo swej wylewnej serdeczności i gościnności był kuty na cztery nogi i chyba, jak wyczuł nagle Janek, niebezpieczny.

– To kiedy zaczynamy? – spytał, odrzucając tym jednym pytaniem wszelkie niepewności.

– Od twojego powrotu do Gdańska. Pojedziecie razem z Kostkiem. I, chłopcy – Leon ściszył głos – dostaniecie ode mnie hajc i... macie na niego uważać. Bo jakby się coś stało... – westchnął – to ręka noga mózg na ścianie, jasne?

Pokiwali głowami, zapewniając go, że nic takiego się nie stanie.

– Tak będzie tylko za pierwszym razem. Potem już będziecie handlować za własny, ciężko zarobiony szmal. – Zaśmiał się. – No, i drodzy panowie, od dziś zaczyna się wasze nowe wspaniałe życie! – Leon wzniósł do góry kieliszek, ale zanim go wychylił, spojrzał na Janka: – Gdzie ty tam mieszkasz?

– W internacie – odpowiedział z pewną dumą, gdyż wreszcie po czterech latach skończyła się jego udręka związana ze stancją.

– To się rozejrzyj za czymś lepszym. Będziesz musiał mieć pewny lokal. Kostek też będzie u ciebie nocował. O forsę się nie martw – dodał.

O dwunastej w nocy Janek, lekko się zataczając, szedł ulicami Nowej Huty. Kurrwa! Życie było piękne. Wreszcie się zaczynało tak na dobre. Odczekał swoje. Przeczekał. I już za chwilę otworzy mu się jego wymarzony pomarańczowy świat. Aż zatykało go w piersiach na myśl, co on z tym światem zrobi. I pal diabli maturę. I tak ją zda!

Jednak gdy po kilkunastu minutach stanął pod blokiem, gdzie mieszkał ojciec z Renatą, buńczuczność znikła, a jemu zebrało się na mdłości. I to wcale nie od wódki. Już chciał wejść przez pobazgrane wulgarnymi napisami drzwi do klatki schodowej, gdy się zatrzymał i zawrócił.

Po kolejnych kilkunastu minutach zapukał do zupełnie innego domu, a w zasadzie do mieszkania na poddaszu.

– Janek? Na miłość boską! – Vasilissa przywitała go w szlafroku i w wałkach na głowie. – Aleś się urządził! Tylko cicho, bo wujek wreszcie zasnął. Wiesz, jaki on ma kłopot ze snem.

Wtoczył się za ciotką do środka.

– Co tam u was? – wyszeptał, ale ciotka, przykładając palec do ust, zabroniła mu rozmawiać do czasu, kiedy zamknęły się za nimi drzwi do kuchni.

– Zrobię herbaty. Dobrze ci zrobi. Wygalantowałeś się, nie powiem. No proszę, jaka późna rodzinna wizyta studencika.

Ciotka trochę zrzędziła, ale wiedział, że w jakiś dziwny sposób była zadowolona, że go widzi. Niezbyt często się to teraz zdarzało. Głównie ze względu na brak pieniędzy na bilet do domu. Do domu?

– Jak ci leci w szkole? Szykujesz się do matury? Jestem z was taka dumna. Z ciebie i z Nastka. Wasza matka cieszy się w niebie.

Janek miał co do tego wątpliwości. Jeśli widziała również zachowanie ojca, to z pewnością nie dawało jej ono powodów do radości.

– A Nastek kiedy przyjedzie?

– Dostał pracę. Pracuje w akademiku, ale czeka na etat asystenta.

– Żartujesz? I ja o niczym nie wiem? Spotkałam Renatę w warzywniaku dwa dni temu, ale nawet się o tym nie zająknęła. Bez przerwy tylko utyskiwała na twojego ojca. Że to obiecał, tamto. Że za mało zarabia... Za mało zarabia – powtórzyła ze złością. – Pracuje teraz w komitecie partii na świetnym stanowisku, ale to jeszcze nie uszczęśliwia tej Polki. A ona... pewnie widziałeś, wystrojona od stóp do głów. I nawet nie potrafi się zająć swoim biednym dzieckiem. Słodka ta Bożenka, nie powiem.

Akurat na Bożenkę Janek nie miał co narzekać. Ta ośmiolatka była wprost zakochana w starszych przyrodnich braciach i nie mogła zrozumieć, że za każdym razem, zamiast się z nią bawić, tak prędko znikają z domu. Ale od kiedy pojawiła się tam ich przyrodnia matka, Renata, życie w tym niewielkim mieszkaniu stało się nie do zniesienia. Tak skutecznie potrafiła skonfliktować męża z dziećmi, siostrą i społecznością grecką, że przejęła nad ojcem Janka pełną kontrolę. A ten pozwalał jej na to z jakimś ślepym zachwytem i zaangażowaniem. Wówczas obaj chłopcy zrozumieli, że nie mają już domu rodzinnego. Gdyby nie ciotka, ich domem stałaby się ulica.

Kraków, 1962

Pierwszym uciekinierem z nowohuckiego mieszkania stał się Nastek, który już po paru miesiącach despotycznych rządów Renaty oświadczył, że zamierza zdawać egzamin do Technikum Budowy Okrętów w Gdańsku. Dla Janka nie było to zaskoczeniem, gdyż brat zwierzył mu się ze swoich planów znacznie wcześniej. Tak bardzo liczył na to, że w ten sposób zerwie wszystkie kontakty z tą niespodziewanie narzuconą im macochą. Renata z uwagą wysłuchała, co miał do powiedzenia – teraz w domu mówiło się po polsku, gdyż ich „nowa matka" nie zamierzała sobie łamać języka i uczyć się niepotrzebnych rzeczy – a potem natychmiast pogładziła męża po ramieniu i powiedziała słodkim głosem:

– Wiesz, dziecko, to się doskonale składa. Mój brat wynajmuje pokój uczniom i przypuszczam, że z dużą ochotą przyjmie cię za mniejsze pieniądze, niż wyniosłaby zapłata za internat. Poza tym będziesz mógł się u nich stołować. Kochanie, prawda, że to znakomity pomysł?

– No, jeśli twój brat się zgodzi... – wyjąkał Jorgos, ale nie zdążył powiedzieć nic więcej, bo Renata kontynuowała wywód:

– Te internaty to wiesz, kochanie, jakie są. I czego dzieci z dobrych rodzin mogą się tam nauczyć. Chyba nie chcesz, żeby twój syn zszedł na złą drogę, prawda? A poza tym w ten sposób dopomoże się rodzinie.

– To prawda – przytaknął Jorgos, w duchu ciesząc się, że Nastek zdecydował się na naukę tak daleko od domu. Nawet jakby to miało słono kosztować, warto było. Wreszcie zniknie mu z oczu.

– Wiedziałam, że się ze mną zgodzisz. A czy możesz mi teraz zrobić herbaty. Tak źle się dzisiaj czuję i nogi mi puchną.

I obaj bracia mogli stać się świadkami tego, jak ich ojciec, który do tej pory nic w domu nie robił, zrywa się z kanapy i biegnie do kuchni, by dogodzić we wszystkim spodziewającej się dziecka żonie.

– Będziesz, Nastku, bardzo zadowolony. To wspaniali ludzie – uśmiechnęła się Renata szeroko, obnażając dziąsła.

– Uważaj, żebyś się nie poparzyła, skarbie – powiedział ojciec i po powrocie z kuchni podał żonie szklankę z gorącym napojem. – Dwie łyżeczki cukru, jak lubisz.

Jego synowie nadal nie mogli się przyzwyczaić do takiego widoku i patrzyli na to z otwartymi ustami.

Jak wspaniała jest rodzina Renaty, Janek sprawdził osobiście parę lat później, kiedy już się przekonał na własnej skórze, że wszystkie baśnie na temat złej macochy są prawdziwe, i dołączył do brata w Gdańsku. Wcześniej uważał, że Nastek przesadza i specjalnie odstręcza go od przyjazdu. Zawsze miał skłonności do przesady i marudzenia, więc Janek nie potraktował poważnie jego dość dramatycznego listu przesłanego na wszelki wypadek na adres ciotki. Nie bardzo wiedział, jak może mu pomóc. Był chyba na to za mały! Zastanawiał się nad tym przez kilka tygodni, a potem nie odpowiedział, bo po prostu zapomniał, przejęty szkołą i swoimi kolegami. Listów więcej nie było, jedynie czasem na adres ojca i Renaty przychodziła widokówka z kilkoma skreślonymi słowami. Janek tęsknił za bratem, ale ten w pierwszej klasie przyjechał do domu tylko raz, podczas świąt wielkanocnych. Wszyscy bardzo się wówczas dziwili, że tak bardzo wyrósł i schudł.

Pewnie za dużo się uczy, uznali, gdyż Nastek był znany ze swej miłości do książek.

Spędziwszy potwornie nudne dwa dni, w niedzielę wymknęli się obaj z domu już o siódmej rano, żeby pomóc wujowi Nikodemowi przy tradycyjnym pieczeniu barana, którego szykowano na Wielkanoc. Święta te, mimo iż w Kościele prawosławnym obchodzono je w nieco innym terminie, „polscy Grecy" wyprawiali w tym samym czasie co Polacy swoją Wielkanoc.

Na stole u Samarasów Janek dostrzegł wielką misę pełną pofarbowanych na czerwono jajek. Zawsze uwielbiał stukanie się nimi w Wielkanoc. Ciotka, zajęta gotowaniem wraz ze swoimi greckimi koleżankami, wydała im lekki posiłek i wygnała czym prędzej z domu, żeby nie przeszkadzali w przygotowaniach.

– A co u ojca? – spytała tylko przyciszonym głosem. Było jej wstyd przed znajomymi, że brat tak ostentacyjnie sprzeciwia się ich zwyczajom i tradycji, tłumacząc to swoimi komunistycznymi poglądami i ateizmem. Wszyscy jednak doskonale wiedzieli, kto się za tym kryje. Ta radykalizacja postępowania Jorgosa zaczęła się wraz z pojawieniem się Renaty, która w niepojęty sposób zupełnie go zdominowała, choć – o tym Vasilissa była święcie przekonana – wcale go nie kochała.

– Renata coś tam przyszykowała na święta, ale ojciec nie przyjdzie na pieczenie barana.

Tradycyjnie odbywało się ono na działce przyjaciela jednego z Greków.

– Na nasze największe święto nie przyjdzie? – Vasilissa westchnęła i złapała się za serce. – Po prostu nie mam słów – ale po chwili dodała: – Odłożę dla niego kawałek. Wy, chłopcy, oczywiście zjecie razem z nami. Jak zawsze.

– Nie wiem, co na to ojciec – zauważył Nastek, uciekając wzrokiem od ciotki.

Janek spojrzał na niego z niedowierzaniem. Zupełnie nie rozumiał jego zachowania. Ojciec zawsze traktował go okropnie i niesprawiedliwie, a ten zawsze w jakiś niepojęty sposób ciągnął do niego i liczył się z jego zdaniem. Dlatego też, aby go zadowolić, wybrał technikum, zamiast uczyć się w ogólniaku, jak mu radziła jego wychowawczyni. Tak jakby wyjazdem z Krakowa chciał się podlizać ojcu.

– Ja w każdym razie idę do ciotki – oświadczył z błyskiem w oku Janek.

On sam nie zamierzał się liczyć z ojcem. To już nie był ten sam tata co kiedyś. Dawniej zabierał go na spacery i nawet do kina na westerny, ale od kiedy w ich domu pojawiła się ta okropna Renata, zapomniał o nim w jednej chwili. Nastek także jej nienawidził, ale w przeciwieństwie do brata czuł, że nie powinien otwarcie się buntować.

Janek, mimo iż w lutym skończył dopiero jedenaście lat, czuł się czasem znacznie mądrzejszy i doroślejszy od brata. Szybko nauczył się konfabulować i kręcić, by nikt nie miał do niego o nic pretensji i wszyscy byli zadowoleni. Zdarzało się czasem, że Renata patrzyła na niego nieco podejrzliwym wzrokiem, pragnąc przyłapać go na czymś, co mogłoby mu zaszkodzić w oczach ojca, ale on dość szybko się zorientował, co należy robić, żeby zaskarbić sobie jej przychylność. Dwie rzeczy wprawiały ją w szczególnie dobry humor. Były to zapewnienia, że jest piękna i młoda.

– Ciociu Renato – tak kazała się do siebie zwracać – znowu mnie zaczepił na ulicy jakiś pan i pytał, czy moja siostra, z którą mnie widział w sklepie, jest jeszcze panną.

– Chyba żartujesz. – Na jej dekolcie wykwitał rumieniec. – A jak on wyglądał?

– To chyba był student. Niósł pod pachą pełno grubych książek.

– No coś podobnego, student. No widzisz, Jureczku – próbowała budzić drzemiącego przed telewizorem ojca. – Mam jeszcze szanse u studentów.

– Oczywiście, oczywiście – mamrotał zupełnie zdezorientowany Jorgos.

Drugą rzeczą były bombonierki, które Janek, z poświęceniem zbierając butelki i makulaturę, zdobywał dla macochy. Na dłuższą metę wszystko to się opłacało. Miał względny spokój i nikt się nie wtrącał w jego podwórkowe życie. Robił, co chciał, włóczył się po ulicach, zachodził do Vasilissy, a nawet do klubu greckiego na lekcje gitary, a w domu nikt o tym nie wiedział.

Próbował o wszystkim opowiedzieć bratu, który był od niego cztery lata starszy i powinien być mądrzejszy, ale ten go zupełnie nie słuchał. Miał zacięte usta i ponurą minę.

– Nastek, a czy w Gdańsku jest ci lepiej? – spytał tknięty niedobrym przeczuciem, kiedy wysiedli z autobusu, by dołączyć do Nikodema przy pieczeniu barana. Parę miesięcy wcześniej wpadł na pomysł, żeby po skończeniu podstawówki pojechać do brata do Gdańska. Przyłożył się nawet do wypracowań z języka polskiego, gdyż uznał, że nauczycielka jest na tyle surowa, że gotowa zostawić go w tej samej klasie na drugi rok. A on nie mógł sobie na to pozwolić.

– Szkoła jest w porządku. – Nastek nie zamierzał podejmować tego wątku i zacisnął usta.

Po chwili jednak obaj bracia dotarli do działki, którą nietrudno było namierzyć ze względu na smakowity zapach, który dało się wyczuć już z kilkunastu metrów i który sprawiał, że momentalnie ślinka napływała im do ust. Już trzeci rok z rzędu zbierali się na tym ogrodzonym terenie, którego jedyną zabudowę stanowiła niewielka niebieska altanka. Wokół prowizorycznego rożna, na którym kręcił się baran, wydzielając smakowity aromat, zgromadzili się zarówno starsi mężczyźni, jak i chłopcy. Janek momentalnie rozpoznał znajome twarze. Byli to głównie krewni i sąsiedzi wuja. Część z nich znała się jeszcze z partyzantki i wojny domowej. Biegających wokół płotu chłopców Janek też znał. Nieraz przecież bawił się na ich podwórku.

– Nastuś! – Ale to jego brat stał się bohaterem tego dnia. Mężczyźni z Samarasem na czele dokooptowali go natychmiast do swego towarzystwa, a potem przepytywali na temat życia w Trójmieście.

Ponieważ dzień nie należał do najcieplejszych, dostał nawet kieliszek wódki na rozgrzewkę. Janka nikt nie poczęstował, bo za smarkaty, więc musiał się nieźle nakombinować, by zwinąć coś dla siebie ze stołu. On po prostu uwielbiał pieczenie barana. Tę wspaniałą atmosferę oczekiwania na Wielkanoc i przysłuchiwanie się historyjkom z czasów młodości i partyzantki opowiadanych przez starszych. Dzielono się również nowinami o krewnych, których los po wojnie domowej porozrzucał po różnych krajach Europy Środkowej i Wschodniej, a czasem pokazywano różne ciekawe rzeczy przywiezione przez znajomych pływających na statkach. W ten sposób Janek stał się szczęśliwym posiadaczem wielu paczek z gumą do żucia, a także kart z gołymi babami. A poza tym... Można było powariować i pobawić się w berka czy w chowanego z kumplami. Janek zauważył też, jak z twarzy brata stopniowo schodzi napięcie i staje się coraz bardziej rozmowny.

– Ja też pojadę do tego Gdańska – wtrącił się Janek. – I będę marynarzem.

Powiedział to w gorączce chwili, ale kiedy te słowa padły

z jego ust, stwierdził nagle, że jest to doskonały pomysł. Postanowił natychmiast poinformować o tym wszystkich kolegów.

Czas galopował i nie wiadomo kiedy zrobiła się druga po południu. Z kawałkiem upieczonego barana dotarli do mieszkania Samarasów, gdzie został ułożony na honorowym miejscu na środku stołu, wraz z ziemniakami, sałatkami oraz gotowaną kapustą, własnym wariantem polskiego bigosu.

Obaj chłopcy mimo niedospania byli w doskonałych humorach. Wrócili do domu dopiero po jedenastej w nocy i nie chcąc obudzić małej siostry, zdjęli buty, by w samych skarpetkach przemknąć się do przedpokoju. Było ciemno i w pewnej chwili zderzyli się obaj czołami.

– Auć! – jęknął Nastek, a Janek zachichotał cicho, nie czując większego bólu.

W tej samej chwili drzwi do pokoju otworzyły się i stanął w nich Jorgos. Miał na sobie kraciastą piżamę i Janek stwierdził, że ojciec wygląda jak obcy człowiek.

– Gdzieście byli?

– Tam, gdzie zawsze – odparł bez zmrużenia oka Janek. – Wielkanoc jest.

– *Christos Anesti!* – powiedział Nastek i spojrzał na niego swymi niebieskimi oczami.

Słowa *Alithos Anesti* nie padły w odpowiedzi, natomiast zamiast nich nastąpiło silne uderzenie w twarz.

– Ja ci dam, gówniarzu!

A po chwili następny cios.

– Czy ja ci pozwoliłem tam chodzić?

I kolejny.

Janek przez chwilę stał zmartwiały i patrzył na twarz ojca wykrzywioną przerażającą wściekłością. Zza drzwi wychyliła się postać Renaty. Na jej twarzy, mimo iż miała zaciśnięte usta, malowało się pewne zadowolenie.

– Tato! Nie! Proszę, nie bij! – płakał Nastek, próbując chować głowę w ramionach.

Janek czuł w uszach narastający szum, tak jakby jego słuch się wyłączył, by nie dochodził do niego żaden płacz ani odgłos ciosów. I wówczas przebiegły mu przez głowę jakieś urwane obrazy i słowa. Jakby sobie coś nagle przypomniał. „Nie będziesz bił tego dziecka!"

– Nie bij tego dziecka! – wykrzyknął na cały głos Janek i w tej samej chwili ojciec opuścił rękę i wprost znieruchomiał. Wyglądał na bardziej przerażonego od Nastka.

Janek dłużej się nie zastanawiał. Wybiegł z domu, nie zamykając nawet drzwi, i w samych skarpetkach dobiegł do mieszkania ciotki Vasilissy.

Kraków, 1970

Kilka lat później Janek siedział znów u Samarasów w tej samej ciasnej kuchni i cieszył się, że jest takie miejsce na ziemi. I taka osoba jak ciotka, która potrafi bez jednego złego słowa wstać w środku nocy, by przyjąć gościa. I to nieważne, że był jej bratankiem. Vasilissa pomagała wielu innym potrzebującym, mimo iż wujostwu nie powodziło się najlepiej. Nigdy też nie spełniło się największe marzenie ciotki, by mieć własne dziecko. Jej jedyna ciąża zakończyła się w szóstym miesiącu przedwczesnym porodem. Niedługo potem wuj Nikodem na skutek zmian w polityce partii greckiej stracił stanowisko i pracę. Wybrał nie tę opcję, która była jedyną słuszną wśród greckich komunistów w Polsce, opcję zachodnią. Samarasowie musieli się również pożegnać z dużym trzypokojowym mieszkaniem i wylądowali w klitce na strychu. Nadal jednak byli bardzo zgodni i szczęśliwi, a Nikodem nadal ubóstwiał swoją młodzieńczą i serdeczną żonę.

Janek dopijał herbatę i prawdę mówiąc, nie miał ochoty wychodzić. Vasilissa doskonale to rozumiała i bez słowa przyniosła z pokoju pościel.

– Wiesz, gdzie stoi polówka?

Skinął tylko głową i uśmiechnął się do niej. Ileż to razy z niej korzystał!

Umył tylko twarz i ręce wodą z kranu, a potem położył się na przygotowanym łóżku polowym i zanurzył twarz w pachnącym świeżością jaśku. Nadal jeszcze lekko wirowało mu w głowie, ale oszołomienie alkoholem wydawało się mijać. Ponownie poczuł ekscytację związaną z propozycją Leona. To powinno się udać! Wreszcie zajmie się czymś poważniejszym niż drobny handelek związany ze sprzedawaniem Polakom różnych towarów, które przychodziły w paczkach z Grecji.

Ich nowy szef umówił się z nim i Kostasem dopiero za dwa dni, a jego już roznosiła energia. Wiedział jednak, że do tego czasu musi załatwić kilka zaległych spraw. Powinien również spotkać się z Alicją.

Kraków, 1970

– O! To ty? Proszę, wejdź! – Zielonooka szatynka wpuściła go do środka. – Nie spodziewałam się ciebie.

Janek zrobił przepraszającą minę i nie zatrzymując się nawet przez chwilę w korytarzu, wszedł za nią do jej pokoju, którego ściany pokryte były plakatami różnych zespołów muzycznych. Na samym środku, tuż nad wezgłowiem tapczanu znajdowało się duże zdjęcie Johna Lennona. Kassalis puścił oko do ulubionego muzyka Alicji, który swoją obecność w tym właśnie miejscu zawdzięczał właśnie jemu.

– Ale czego można się spodziewać po niepiśmiennym. –

Alicja była wkurzona, widział to wyraźnie w jej zmrużonych oczach.

– Wiesz, że nie lubię pisać – próbował się bronić. – Wolę się z tobą spotkać i porozmawiać.

– Dwa miesiące – odparła tylko, opierając ręce na biodrach.

– Nic się w tym czasie nie zmieniło. Tylko ty jesteś coraz ładniejsza.

– Daj spokój, Janek, zostaw te gadki dla swoich dziewczyn.

– Jakich dziewczyn? – Jego czarne oczy patrzyły na nią z pełną niewinnością. – Alu, chyba żartujesz?

Mógł nawet przewiercić ją wzrokiem, na niej jednak nie robiło to żadnego wrażenia.

– Jesteśmy przyjaciółmi. Mógłbyś więc być choć trochę bardziej uczciwy wobec mnie.

No tak, musiała się dowiedzieć o tych letnich balangach. Nie mógł zaprzeczyć, że coś się tam działo. Czy to była jego wina, że przyciągał te wszystkie Polki? Nie był może bardzo wysoki, miał tylko metr siedemdziesiąt osiem, ale umiał z nimi rozmawiać, a przede wszystkim miał atut w postaci czarnych oczu i ciemnych włosów, które tym dziewczynom wydawały się szalenie atrakcyjne. O zachodnich dżinsach nie wspominając! Ale te imprezy to była tylko zabawa, i o tym Alicja powinna dobrze wiedzieć. Czy ona myślała, że on się zamknie w klasztorze? Albo będzie jak ten jego wycofany brat, który pewnie jeszcze nigdy nie miał kobiety?

– Alu, skoro ty mnie nie chcesz... – Znów wbił w nią wzrok. Tym razem zmiękła.

– Daj spokój, Janek. Nie mam głowy do takich bzdur. Za tydzień mam pierwsze kolokwium.

Alicja była od niego o rok młodsza, ale ze względu na to, że nauka w jego technikum trwała pięć lat, już studiowała.

I to na swoim wymarzonym kierunku, jakim była anglistyka na Uniwersytecie Jagiellońskim.

Spotkał ją przypadkowo w Klubie Międzynarodowej Prasy i Książki przy Placu Centralnym w Nowej Hucie, kiedy siedział ze słownikiem i biedził się nad zrozumieniem artykułu o Beatlesach w angielskim tygodniku. Kątem oka zauważył wpatrującą się w niego intensywnie dziewczynę. Początkowo sądził, iż jej się spodobał, ale już po chwili się okazało, że to nie on, lecz gazeta była dla niej głównym przedmiotem pożądania. Im częściej dziewczyna zerkała na niego z rosnącym zniecierpliwieniem, tym wolniej Janek wertował kartki słownika. W końcu nie wytrzymała, na co liczył, i zapytała, ile czasu zajmie mu jeszcze lektura tego artykułu.

– Myślę, że kilka lat – odpowiedział. – Niewiele rozumiem.

– A mogę się przysiąść? – zaproponowała, więc przysunął jej krzesło. – Może mnie pójdzie szybciej?

Rzeczywiście uporała się z tekstem w ciągu paru minut, a potem szeptem opowiadała mu, co wyczytała, jednocześnie robiąc notatki. Podobno potrzebowała tego artykułu na lekcję angielskiego. Janek nie liczył, że wypije z nim kawę, ale Alicja nieoczekiwanie się zgodziła i spędzili następne parę godzin na rozmowie. Zrobiła na nim piorunujące wrażenie, bo on w zasadzie do tej pory nie rozmawiał po koleżeńsku z dziewczynami. W jego klasie byli sami chłopcy. A ona... ona o zespołach bigbeatowych wiedziała znacznie więcej od niego. I sama grała na gitarze, a jej głos... mógłby słuchać go codziennie. Intensywnie zaczął myśleć nad tym, w jaki sposób to urzeczywistnić.

– Kolokwium. Ala, ty jesteś geniuszem. Dasz sobie radę. Mam coś dla ciebie. – Sięgnął po kurtkę, którą wcześniej rzucił na tapczan, i wyjął z niej ćwierćkilogramowe opakowanie kawy.

Alicja wzięła je do ręki i pogładziła. Janek nie spuszczał wzroku z jej delikatnych drobnych palców i zagryzł usta.

– Dzięki. Ile?

– Półtorej godziny?

– To przecież za mało – zastanowiła się Alicja i zmarszczyła czoło.

– To może być i dziś, i jutro. Potem już wyjadę.

– Kiedy wrócisz? Trzeba to wszystko jakoś zaplanować.

– Będę teraz częściej, niż myślisz – odparł Janek i ponownie sięgnął po kurtkę. Tym razem wyjął z niej zeszyt.

– Nauczyłeś się wszystkich czasowników nieregularnych? Miałeś na to dwa miesiące.

– Możesz mnie przepytać.

Alicja usiadła przy biurku naprzeciwko niego i zmarszczyła śmiesznie czoło.

– To zaczynamy!

Jankowi pewnie nauka przychodziłaby znaczniej szybciej, gdyby mógł się bardziej skupić i na przykład nie poświęcał uwagi na przyglądanie się ustom Alicji. Kiedy pochylała głowę, niesforny kosmyk włosów opadał jej na oczy, a ona wówczas pełnym wdzięku gestem zakładała go z powrotem za ucho.

– *Awake*, nie pamiętasz, Janek?

Znów próbował się ratować swym uwodzicielskim spojrzeniem, ale Alicja była na nie zupełnie nieczuła.

– Skup się wreszcie! Wszystkiego zapomniałeś.

Janek miał lekcje z Alicją już od dwóch lat. To był ten pomysł, na który wpadł, żeby ją do siebie jakoś przywiązać. Ale korzyść była większa, niż przewidział, gdyż dzięki temu potrafił sobie już poradzić z przeczytaniem prostych tekstów i od biedy wydukać parę sensownych zdań. To, czego nie nauczyła go szkoła przez trzy lata, Alicji udało się błyskawicznie, mimo że lekcje - ze względu na dzielącą ich odległość - mogły się odbywać bardzo nieregularnie. Gdyby Janek podczas wakacji nie musiał pracować jako wychowawca na koloniach dla dzieci greckich i mogli spotykać się częściej, teraz umiałby już znacznie więcej. Rzeczywiście powinien się skupić. Być może oprócz Greków będzie spotykał w „nowej pracy" innych cudzoziemców. Przez chwilę zastanawiał się nad tym, czy nie opowiedzieć przyjaciółce o nowych planach, ale zrezygnował z tego. Nie wiedział, jak może zareagować. Jej nigdy nie imponowały żadne zachodnie ciuchy ani inne przedmioty, które chętnie by dla niej zdobył. Gdyby tylko...

– Wykończyłaś mnie dzisiaj – wystękał, kiedy skończyli.

Alicja wzruszyła ramionami i przyniosła mu z kuchni herbatę z sokiem malinowym.

– Jak z przygotowaniami do matury? – spytała.

O, właśnie! To był kolejny argument przemawiający za tym, żeby nic jej nie mówić o cinkciarstwie. Zaraz by usłyszał na temat nauki i przyszłych studiów. Ale sama Alicja nie była żadnym kujonem. Była mądra i błyskotliwa, ale to Janka zupełnie nie przerażało. Miał już przeróżne dziewczyny. Główną przeszkodą był fakt, że jego piękna, wspaniała Alicja o dużych zielonych oczach nie była nim w ogóle zainteresowana. Traktowała go wyłącznie jako dobrego kolegę, wyraźnie zakreślając granicę, której nie śmiałby przekroczyć. Wiedział jednak, że nie ma żadnego chłopaka. Ma tyle różnych zainteresowań, że być może brakuje jej na to czasu, wyjaśnił to sobie Janek, czując, że kiedy ta chwila nastąpi, będzie mu bardzo ciężko to zaakceptować.

– To teraz sobie pogramy? – spytała i nie czekając na jego odpowiedź, zdjęła z szafy najpierw jedną gitarę, a potem drugą. – Rodzice wyjechali, więc nie będzie narzekań. – Uśmiechnęła się i pochyliła głowę nad instrumentem. – Chociaż oni cię bardzo lubią, sam wiesz.

To prawda. I to oboje, zarówno ojciec, inżynier budownictwa lądowego, jak i matka, nauczycielka języka polskiego, bardzo polubili przyjaciela córki. Ufali mu również na tyle, by zostawiać ich ze sobą sam na sam lub by puszczać ich samych na koncerty. Janek znalazł u nich w domu kolejną przyjazną przystań podczas swych powrotów z Gdańska. Ciekawe, co by powiedzieli, gdyby wiedzieli, co on naprawdę czuje do ich córki i co by jej zrobił, gdyby tylko na to mu pozwoliła. Na samą myśl o tym uwierały go spodnie.

Czy to miłość, zastanawiał się Janek, przyglądając się z rozczuleniem drobnej dziewczynie strojącej gitarę. Żadna dziewczyna do tej pory tak na niego nie działała. Nawet jeśli się długo nie widzieli, wiedział, że i tak wcześniej czy później będzie musiał ją zobaczyć. To było jak nałóg! A nawet silniejsze.

Rozdział XII

Trójmiasto, jesień 1972

– Czy ty się nie wstydzisz? – Przystojna twarz Nastka była wykrzywiona złością.

– Ja? – zaśmiał się Janek, udając rozbawionego, i zapalił camela. – A niby czego miałbym się wstydzić? Nie podoba ci się tu?

On osobiście był bardzo dumny ze swojego dwupokojowego mieszkania w Gdyni-Redłowie. Stanowiło ono odrębną część domku jednorodzinnego. Jego atutem było wygodne położenie, niedaleko kolejki, skąd Janek miał dobry dojazd na uczelnię, jak również do Sopotu, gdzie najczęściej prowadził swoje interesy. Umeblowanie również niczego sobie, zupełnie według zachodnich standardów, jako że planowane było dla syna zamożnych właścicieli domu. Oprócz tego telefon, niezbędny w interesach. Po prostu bajka! Dziewczyny, które pojawiały się w tym mieszkaniu, najczęściej niechętnie je opuszczały. Tylko jego własny brat, tyle razy zapraszany, żeby zamieszkał razem z nim, za każdym razem odmawiał. Wolał mieszkać w akademiku. Całe szczęście, że teraz miał przynajmniej osobny pokój.

– Wiesz dobrze, o co mi chodzi – odpowiedział Nastek i z pewnym upokorzeniem przyjął od brata paczkę papierosów z obrazkiem wielbłąda. Zapalił jednego i mocniej się zaciągnął. – O tę twoją „pracę". Przecież ty naciągasz ludzi!

– Chyba cię, Nastek, struś kopnął w jaja. Ja naciągam? Pójdź tam ze mną choć raz i popatrz. Wystarczy, że ja tam przychodzę i sami się do mnie cisną. Czy wiesz, jaki jest oficjalny kurs dolara czy marki? Myślisz, że taki gość poszaleje choć trochę za to, co mu państwo wymieni? Gołą dupą po bruku! Mewka weźmie walutę, ale na resztę musi mieć facet złotówki.

– Ale to niemoralne!

– Że co? Niemoralne? – Janek po raz kolejny uważał, że jego brat jest chyba rzeczywiście trochę szurnięty. Być może któryś z ciosów zadanych przez ojca w dzieciństwie uszkodził mu mózg. – Ja kupuję i sprzedaję, a zarabiam na różnicy. Z tego, co wiem, to samo robił nasz dziadek Zarras, handlując futrami.

– Pomyśl, w jakim środowisku ty się obracasz. Nie wiem, jakim cudem, ale dostałeś się do szkoły morskiej, więc może skupisz się na tym. Za parę lat sam będziesz pływał i zarabiał w walucie.

Niech on sam sobie czeka. I na pracę, i na walutę, i na to, że spotka złotowłosą dziewicę, która się w nim zakocha. Janek chciał mieć wszystko tu i teraz, a na każdy kompromis w tej sprawie godził się z zaciśniętymi szczękami.

– A powiedz mi, czy to jest moralne mieć w jednym kraju dwa systemy płatności i sklepy, w których nie mogą bez twardej waluty kupować ludzie zarabiający w złotówkach? To jest według ciebie moralne? A ta cała pieprzona historia, którą teraz wykładasz, też ci się wszystko zgadza, co mówią? Kurwa mać, za mało ci milicja tyłek skuła w siedemdziesiątym w grudniu, że tak głupio gadasz? – Janek rozjuszył się do tego stopnia, że wstał ze skórzanego fotela i zaczął przechadzać się po pokoju. Sięgnął po kolejnego papierosa. – Wolałbyś wrócić do brata Renaty?

To był cios poniżej pasa. Nikt przy zdrowych zmysłach nie chciałby zostać u niego nawet przez godzinę. Nastek spędził tam pięć lat, a Janek cztery. Kiedy sobie przypomniał te spartańskie warunki, nieustanną inwigilację i głodowe porcje jedzenia – o jak bardzo im się wówczas chciało jeść! – ogarniała go wściekłość. Tyle razy próbował się przenieść do internatu, ale za każdym razem ojciec odmawiał złożenia podpisu na podaniu. W końcu udało mu się. Na dwa miesiące!

– Nie możemy tego zrobić bratu Renatki. To przecież nasza rodzina.

Rodzina? Rodzina to byli Samarasowie. Jedyna, jaką znał. Zawsze żałował, że w przeciwieństwie do innych kolegów nie ma wielu krewnych, których można byłoby odwiedzać lub z nimi korespondować. Tak bardzo zazdrościł innym tych bliskich więzów, które potrafiły doskonale przetrwać mimo odległości i upływu czasu. Ileż to rodzin było rozproszonych po świecie. Tak jak u Kostasa – siostra jego ojca trafiła do Rumunii, jeden brat do Jugosławii, a rodzina żony do Związku Radzieckiego. Mimo to wszystko o sobie wiedzieli i pomagali sobie wzajemnie, jak się tylko dało.

– Ten typ jest nienormalny, tato. Myślę, że on nawet siedział w więzieniu – próbował argumentować Janek. Nastek milczał, jak zwykle bojąc się ojca.

– Nie masz prawa mówić tak o starszych. Jak będziesz dorosły, to będziesz robić, co chcesz. Na razie masz nas słuchać.

Dzień, w którym Janek ukończył osiemnaście lat, należał do najszczęśliwszych w jego życiu. Wreszcie pozbył się prawnej opieki ojca i Renaty raz na zawsze. Tego dnia wypił bardzo dużo, ale nie przeszkodziło mu to przyjść wieczorem pod dom brata macochy w Letniewie i czarną farbą namalować na fasadzie czteroliterowego wyrazu. Chociaż w jego ortografii miał on trzy litery. Ale to nie było ważne. Najchętniej skułby mu pysk, ale Nastek, który powlókł się za nim, nie dopuścił do tego, żeby Janek zadzwonił do drzwi.

– Chcesz, żeby cię zamknęli? Widziałeś chyba, z kim on się spotyka.

To go trochę otrzeźwiło, ale obiecał sobie solennie, że już nigdy nie będzie żył w upokorzeniu. Dotyczyło to zarówno wszelkiej tyranii, jak i braku dóbr doczesnych. Janek był na tyle sprytny, że nie planował wszystkiego od razu. Widział, jak takie szybkie plany zgubiły kilku jego kolegów, szczególnie tych, którzy sprzedawali papier gazetowy jako walutę.

– Nastek, pojedziesz ze mną do Austrii po samochód? – To pytanie rzucił bratu na zgodę, który po przypomnieniu brata Renaty nagle pobladł.

– Nie mam paszportu.

– My, Grecy, nie dostajemy tu paszportów. Tylko dokumenty podróży. Musisz sobie taki załatwić. Jak tylko zechcesz, to załatwię ci od kumpla zaproszenie na Zachód.

– Słyszałem, że mogą na milicji kazać podpisywać jakieś zobowiązania. Że się będzie donosić na innych.

– Ludzie przesadzają! – mruknął Janek.

On bez wahania podpisał. Że niby ma informować, jak zobaczy nielegalne ulotki czy narkotyki. Niedoczekanie, jak on coś zobaczy. W dupę się mogą pocałować z tymi zobowiązaniami. Wprawdzie urodził się w Polsce, ale to nie był jego ojczysty kraj. Chociaż Grecja rządzona przez juntę też nie była żadnym rozwiązaniem... Nie szkodzi, znajdę jeszcze sobie odpowiednią przystań, pomyślał. I jeszcze do niej jakoś dopłynę!

Przed dwoma miesiącami Janek otrzymał prawo jazdy i teraz jego głównym marzeniem był samochód. I to nie jakaś durna syrena czy trabant, ale fantastyczna zachodnia maszyna, którą mógłby przywieźć Alicję tu, nad morze. Gdyby przeszła się z nim na spacer po sopockim molo przy zachodzącym słońcu, może w końcu spojrzałaby na niego innymi oczami? Tak zdecydowanie odmówiła mu przyjazdu w ubiegłe lato, że obrażony na nią nie odzywał się do niej prawie przez miesiąc. A potem nie wytrzymał i zadzwonił.

„Janek, chyba się na mnie nie gniewasz? Wiesz przecież, że miałam letnią praktykę. Obiecuję ci, że za rok przyjadę! Jesteś moim najlepszym przyjacielem". Mówiła do niego tym swoim ciepłym i melodyjnym głosem, że wszelki gniew natychmiast się ulatniał. I znowu zaczynał ją zapraszać. Wyjazd na narty, wyjście do „Piwnicy pod Baranami", która była jak jego kolejny dom, wspólny koncert w klubie. I znów usłyszał: „Zobaczymy, jak to wyjdzie". Nigdy jednak nie wychodziło, a on nie potrafił dać za wygraną.

– To co, Nastek, idziesz ze mną do „Zorby" w sobotę? – zwrócił się do brata, który już wkładał kurtkę.

– Nie wiem. Nie sądzę – odparł i pokręcił przecząco głową.

Również on nie był zainteresowany żadną propozycją z jego strony. Janek zacisnął zęby. Trudno, nie będzie się napraszał. Od tej pory będzie się zadawał tylko z tymi, którzy go akceptują.

Szczupła blondynka wiła się i jęczała pod nim tak głośno, że go to rozpraszało i nie był w stanie dojść. I te jej paznokcie, które co chwila próbowała wbić mu w plecy. Unieruchomił więc nad głową dziewczyny jej obie dłonie i kontynuował czynność, która tym razem nie sprawiała mu niemal żadnej przyjemności. Dopiero kiedy jak zwykle pomyślał o Alicji, udało mu się skończyć. Odbyło się to przy akompaniamencie takiego wrzasku, że o mały włos nie popękały mu bębenki. Osunął się na poduszkę nieco zmachany.

Za to jęcząca blondynka o imieniu Magda wyskoczyła z łóżka jak strzała i pobiegła do łazienki. Miał tylko nadzieję, że jej wrzaski nie zaalarmowały gospodarzy i za chwilę nie przyjedzie milicja, by szukać ofiary morderstwa. Do tej pory ci ludzie byli bardzo liberalni i nie wtrącali się w prowadzone przez niego życie, ale kiedyś mogło się to skończyć. Nie należało przeciągać struny.

Janek przewrócił się na brzuch i sięgnął po paczkę papierosów leżących obok tapczanu. Zaciągnął się, mając nadzieję, że Magda zostanie w łazience na dłużej. Było tam duże lustro i różne płyny do kąpieli, które na ogół stanowiły dużą atrakcję dla dziewczyn. Niestety, jak szybko uciekła, tak szybko wróciła. I chciała się z nim całować!

– Skarbie, zrobisz mi kawy? Za chwilę będziemy musieli się zbierać.

– Kawy? – Magda zastanawiała się, czy sobie z tym poradzi w obcej kuchni.

– Puszka stoi na stole. I spójrz na tę siatkę obok. Tam jest też dla ciebie kawa i jeszcze taki drobiazg.

Po chwili dziewczyna z rozjaśnioną twarzą przyciskała do piersi dezodorant i dwa pachnące zachodnie mydełka.

Dla mnie? Naprawdę?

Teraz wcale nie gra, pomyślał Janek. Gdyby jeszcze dorzucił do tego perfumy, miałaby orgazm na sucho. Zaciągnął się mocniej. Tyle zachodu dla tych kilku ruchów. Czasem wolałby iść do prostytutki i dokonać zwykłej transakcji. Byłoby to o wiele prostsze. W przypadku takich dziewczyn jak Magda trzeba było odbyć cały rytuał gestów i zachowań, a w dodatku spełnić oczekiwania, jakie miały w stosunku do dobrze ubranego, przystojnego Greka palącego zachodnie papierosy. Nie, był dla nich niesprawiedliwy! Może czasem udawały, ale na ogół darzyły go znacznie większym uczuciem niż on je. Nie chciał ich jednak oszukiwać. Starał się uważać i gdy widział, że jego partnerki zaczynają się zbyt angażować, zrywał z nimi albo zmniejszał częstotliwość kontaktów.

– Oczywiście, że dla ciebie, skarbie. A jest jakaś inna?

Magda przywarła do niego i zaczęła go zasypywać pocałunkami, aż zrobiło mu się naprawdę głupio. Bo przecież ten dezodorant kosztował grosze. I nawet niezła była z niej dziewczyna. I niegłupia. Uczyła się w pomaturalnej szkole hotelarskiej. Może dać jej jeszcze jedną szansę. Zgasił papierosa.

Miał rację. Tym razem Magda zapomniała o teatralnych sztuczkach i poczuł, że naprawdę mu się oddaje. Kiedy jednak zaczęło się robić całkiem miło, zadzwonił telefon. A Janek wiedział, że interesy są najważniejsze.

– Przepraszam, skarbie.

Kiedy wstawał, Magda z jękiem zawodu osunęła się na łóżko.

Telefon znajdował się w przedpokoju. Janek podniósł słuchawkę i spojrzał w lustro. Wspaniały wzwód, westchnął z żalem.

– *Jasu!* Cześć! – Usłyszał głos brata. – Czekałem tylko dlatego, że wiem, że się zawsze tak wolno zbierasz do telefonu.

– O co ci chodzi, Nastek? – Janek był wkurzony, że przerwano mu przyjemność. – Widzieliśmy się przedwczoraj. Jeśli chcesz wiedzieć, czy coś się zmieniło, to znaczy, czy zacząłem się uczyć, to odpowiedź brzmi nie. – Po drugiej stronie słuchawki zapadła cisza. Na dodatek jego brat był obrażalski. – No co jest, chłopie?

– Renata odeszła.

– Żartujesz? Szlag ją trafił? – zaciekawił się Janek. Z lustra z przedpokoju można było dostrzec, co się dzieje w sypialni. Magda przesunęła ręką po podbrzuszu i wsunęła ją między uda.

– Ha, ha. Szalenie dowcipne, ale nietrafne. Ona naprawdę odeszła i zostawiła ojca i Bożenkę.

– Żartujesz?! – Janek osłupiał. Jednocześnie obserwował Magdę, która wykonywała ręką koliste ruchy; jej pośladki unosiły się, a uda rozchyliły. Widok ten zupełnie nie przeszkadzał mu się skoncentrować na słowach brata.

– Pamiętasz, że była tego lata w sanatorium? To tam poznała tego gościa. Podobno jest dziany. Hoduje pieczarki.

– Skąd ty to wiesz?

Palce lewej ręki Magdy zacisnęły się na sutku, a prawa poruszała się coraz szybciej.

– Dzwoniła do mnie ciotka. Czy ty to rozumiesz? Renata wyniosła się z domu i zostawiła ojca i własną córkę. Vasilissa się nią teraz opiekuje, ale nie wiem, co z ojcem.

– Jak to co? Przy Renatce nauczył się parzyć herbatę, da sobie radę – zażartował Janek, nagle nabierając podejrzeń, że Magda doskonale wie, że on ją obserwuje w lustrze.

– Ty jesteś skrajnie niepoważny, Janek. Chyba zdajesz sobie sprawę z tego, że on nie da sobie sam rady. Poza tym ciotka mówi, że on jest w szoku. Przyszedł z pracy jak zwykle po południu, a na stole czekał na niego list od Renaty. Bożenka bawiła się w swoim pokoju i o niczym nie wiedziała. Ojciec odesłał ją do Samarasów i jest tam do tej pory. Vasilissa się nią zajmie, ale ktoś musi pojechać do ojca. On nie wychodzi z pokoju.

– Od kiedy?

– Od wczoraj.

– No to nic poważnego.

– Może mieć jakiś atak albo co. Trzeba do niego jechać. No, Janek!

– Co Janek? Czy ty słyszysz, co mówisz? – Narastała w nim irytacja. I na Magdę, która chyba ćwiczyła się do burdelu, i na brata, zasranego idiotę i kompletnego życiowego nieudacznika. – Weź się lepiej stuknij. Za mało dostałeś batów od ojca? Tak ci dobrze było w domu, żeby do niego teraz lecieć i się nim opiekować? A co, on sam nie potrafi się sobą zająć? Nie pamiętasz, jak po śmierci mamy zostawił cię u Lakidesów? Teraz też pozbył się Bożenki. Ja nie zamierzam mu w niczym pomagać.

– Ale to nasz ojciec.

– Gdybyś mi nie powiedział, tobym nie uwierzył. Ile razy odwiedził nas w Gdańsku podczas pięciu lat szkoły? Mam ci przypomnieć? Ani razu.

– Ja nie mogę jechać, bo mam jakąś ważną delegację studentów z NRD. Cholera, dobijają się mi tu do budki. Przyjadę do ciebie, co?

– Wykluczone, ja właśnie wychodzę z domu. – Magda tak podskakiwała na tapczanie, że obawiał się o stan jego sprężyn. Może powinien jednak wybierać mniej narwane dziewczyny. – Rób swoje, Nastek. I pamiętaj, że głównie dzięki mojej inteligencji obaj nie znaleźliśmy się na ulicy. Jadę do Krakowa w przyszłym tygodniu, to odwiedzę ciotkę. Ale na tym koniec. Nie będę się zajmował ojcem!

Nagle połączenie zostało zerwane. Pewnie ktoś wkroczył do budki telefonicznej i wyrwał Nastkowi z ręki słuchawkę. Czasem tak się zdarzało. Przez chwilę poczekał w przedpokoju, patrząc to na aparat telefoniczny, to na lustro. W końcu poddał się i zawrócił do sypialni. Magda leżała na plecach jak gdyby nigdy nic, z przymrużonymi powiekami. Jedynie jej policzki były lekko zaczerwienione i szybciej oddychała. Janek obserwował ją znów przez chwilę, tym razem stojąc w drzwiach pokoju.

– Przyjdziesz do mnie? – Otworzyła w końcu oczy i przestała się zgrywać.

A dlaczego by nie, skoro już tu jest, pomyślał i zanurkował w pościeli. Co go obchodził ojciec i ta jego stara latawica! Niech sami załatwiają swoje problemy! On ma wystarczająco dużo zajęć.

Tydzień później młodszy Kassalis wysiadł z kolejki w Sopocie i ruszył w stronę ulicy Monte Cassino. Był poirytowany, bo w Redłowie nie udało mu się złapać żadnej taryfy. Jak pech, to pech, bo również jego stały dryndziarz miał wóz w naprawie, a Janek akurat był przy forsie, gdyż liczył tego wieczoru na korzystny interes. Dostał cynk od kumpla, że przypłynęły trzy statki, a według jego obliczeń oznaczało to trzy tysiące pięćset dolarów do kupienia. Dzięki zyskowi z tej transakcji miałby brakujące pieniądze na zakup auta. Samochód ułatwiłby mu życie, stałby się bardziej niezależny. Wprawdzie przy większych transakcjach, kiedy trzeba było szybko przewieźć forsę do Warszawy czy Krakowa, korzystał z taryfy, ale auto niewątpliwie przydałoby mu się na co dzień.

I może miałby trochę więcej czasu na studiowanie. Wkrótce sesja egzaminacyjna, a on nie miał nawet okazji zajrzeć do książek. Będzie musiał przysiąść fałdów podczas świąt. Nauka wchodziła mu do głowy dość szybko, ale w porównaniu z Nastkiem było to zbyt wolne tempo. Jego brat miał fotograficzną pamięć, która pozwalała mu zapamiętać każdy przeczytany zaledwie raz tekst. Ale jakoś to będzie.

Nie, nie pojedzie do Krakowa. Obejdą się bez niego. I ojciec, i zimna Alicja! Do ciotki zawiezie jakiś świąteczny towar, ale zrobi to wcześniej, może już w przyszłym tygodniu.

Na dworze panowała obrzydliwa plucha i doskwierało dotkliwe grudniowe zimno. Janek postawił bardziej kołnierz i poprawił szalik, którym obdarowała go Magda.

Było też ponuro i ciemno, a na Monciaku nie widać było

żywej duszy. Jak przyjemnie i kolorowo mogłoby tu być, myślał Janek, przypatrując się odrapanym secesyjnym fasadom. Jakże miał dość tej wszechogarniającej nędzy i szarzyzny. Uciec, uciec, uciec. Już niedługo, obiecywał sobie w takich chwilach i rozkładał na stole swoją kolekcję widokówek z różnych stron świata. Trochę się wstydził, że nadal ma takie dziecięce zainteresowania. Alicja wręcz się z niego podśmiewała, ale za każdym razem, gdy się spotykali, przynosiła mu nowe zdobycze. Seszele, Gran Canaria, Australia. Gdzieś je zdobywała specjalnie dla niego, a on czuł się wyróżniony. Janek z każdym krokiem przypominał sobie kolejną egzotyczną nazwę. Na wysokości „Algi" skręcił w lewo. Po kilkunastu metrach znalazł się w mekce wszystkich przyjeżdżających do Trójmiasta Greków, w „Zorbie"; przychodził tu regularnie już od roku.

To właśnie tutaj najbardziej lubił robić interesy. Było to o wiele ciekawsze niż inne zlecenia Leona związane z wymianą walut, chociaż nie można zaprzeczyć, że miały również swój urok, jak choćby akcja związana z rolnikami spod Krakowa. On i Kostas, a czasem nawet Krzycho, jeździli do nich, by sprzedawać im dolary, w rozliczeniu otrzymując mięso i wędliny, które później Leon wstawiał do „swoich" sklepów. Często takie wizyty związane były z suto zakrapianymi poczęstunkami.

Ale „Zorba" to było to! Właścicielem knajpy był Grek, który dorobił się jako kucharz na zagranicznych statkach i próbował przenosić niektóre ze swoich autorskich pomysłów do jadłospisu. Knajpa, klub, a poza tym niemal przedsionek raju i świat korzystnych transakcji odbywanych przy dobrej muzyce i w obecności pięknych dziewczyn. Janek jednak doskonale pamiętał ostrzeżenie Leona i nawet nie próbował ich podrywać. One również dobrze wiedziały, że nie jest ich potencjalnym klientem, i nawet czasem chętnie z nim rozmawiały. Niektóre z nich były bardzo bystre i inteligentne, a kilka nawet studiowało.

Któregoś razu, kiedy szedł do toalety, przypadkowo strącił ze stolika opasłą książkę, którą okazał się *Dawid Copperfield* w oryginale. Podniósł ją i przeprosił jasnowłosą właścicielkę dzieła.

– Przeczytałaś?

– Kończę. – Uśmiechnęła się, podnosząc na niego ciemnoniebieskie oczy umalowane na Kleopatrę. Już kilka razy się tu spotkali. – Jestem Megi. – Pierwsza wyciągnęła do niego rękę.

– Janek.

W knajpie nie było jeszcze dużego ruchu, więc muzyka grała ciszej, ale dziewczyny już tkwiły na swoich posterunkach.

– Słyszałam, jak mówiłeś po angielsku. Nieźle ci idzie – pochwaliła go i uśmiechnęła się tak cudownie, że Janek spojrzał na nią z zainteresowaniem.

– Moja przyjaciółka studiuje anglistykę. To ona mnie tak męczy – powiedział, przyznając w duchu, że bardzo dużo zawdzięcza Alicji. Dzięki niej mógł bez problemu porozumieć się ze wszystkimi anglojęzycznymi marynarzami i pewnie dlatego Leon wyznaczał mu teraz najbardziej odpowiedzialne zadania.

– Naprawdę? Anglistykę? Ja też bym chciała, ale w Gdańsku nie ma jeszcze tego kierunku. Może pojadę do Poznania albo wybiorę inny kierunek?

Nie pierwszy raz Janek prowadził taką zaskakującą rozmowę w miejscu, które raczej nie kojarzyło się z intelektem. Megi była mocno umalowana i ubrana w minispódniczkę i bluzkę z połyskującego materiału, przez którą prześwitywały jej jędrne piersi.

– Jakbyś przypadkowo trafił na jakąś fajną książkę po angielsku, to pamiętaj o mnie – poprosiła.

– Nie ma sprawy. Będę pamiętał – odparł Janek i rzeczywiście pamiętał, gdyż tego wieczoru niósł za pazuchą oryginał książki Alistaira MacLeana *Lalka na łańcuchu*, którą wycyganił od jednego Amerykanina. Próbował ją sam przeczytać, ale ponieważ miał z tym jeszcze spore problemy, więc od razu pomyślał sobie o Megi. Tym razem zignoruje Alicję. Musi się w końcu tego nauczyć. Niech ona teraz za mną zatęskni, składał w myślach buńczuczne oświadczenia, w skrytości ducha mimo wszystko przekonany, że tak nie będzie i chyba nigdy się od niej nie wyzwoli.

– Cześć, chłopie – przywitał go znajomy bramkarz przy wejściu i potrząsnął jego ręką.

Janek czasem odpalał mu trochę dolców, więc facet zawsze był dla niego wyjątkowo miły i pomocny. Domyślał się, że ma on zapewne drugi etat donosiciela, więc nigdy nie pozwalał sobie przy nim na żadną aluzję polityczną.

– Jacyś moi są?

– Zjeżdżają już z portu. Przyjechały pierwsze taryfy. Dopiero się rozkręca.

Janek skinął głową i postanowił, że wychodząc, znowu sobie zaskarbi jego dozgonną wdzięczność. Przeszedł do szatni, wymienił kilka słów powitania z szatniarką, kolejnym elementem „łańcucha pokarmowego", i zostawił jej kurtkę. W lustrze poprawił marynarkę w kratę włożoną na białą koszulę bez krawata. Lubił wyglądać dobrze, kiedy robił interesy, wiedział też, że nie może przesadzić. Wziął głęboki wdech i ściskając w ręku książkę, wszedł na salę niczym aktor na scenę.

Rzeczywiście w knajpie panował jeszcze dość senny nastrój. Muzyka była przyciszona, ale Janek błyskawicznie rozpoznał *Can't Buy Me Love* Beatlesów. Trochę zabawne, stwierdził, gdyż właśnie w tym miejscu kupowano miłość co noc. Błyskawicznie namierzył wzrokiem tajniaków tkwiących przy swoim stałym stoliku, jak również potencjalnych klientów, którzy dopiero byli na etapie zamawiania kolacji. Megi siedziała przy swoim stoliku, co jakiś czas wdzięcznie unosząc do ust kieliszek – napełniony wodą, jak wiedział – i z równym zainteresowaniem zerkała zarówno na salę, jak i na książkę, którą miała przed sobą. Ta dziewczyna straci wkrótce wzrok w tym kiepskim świetle, pomyślał Janek i pierwsze kroki skierował prosto do niej.

– Cześć, ślicznotko!

O rany, jaki ona miała uśmiech. Janek miękł na jego widok. No, może nie do końca! Zdawał sobie jednak sprawę z tego, że dzięki temu uśmiechowi Megi zarabiała bodajże najlepiej ze wszystkich dziewczyn w tej knajpie.

– Mam coś dla ciebie.

Położył przed nią MacLeana.

– To dla mnie? – Te jej oczy. Równie piękne jak oczy Alicji.

– Oczywiście. Przecież obiecałem.

Megi z uśmiechem kartkowała powoli książkę, a Janek zastanawiał się przez chwilę, czy też ma taki radosny wyraz twarzy, gdy podlicza nocny „utarg" w zielonych. Nie zadawał sobie jednak standardowego pytania, co taka dziewczyna jak Megi tu robi – ze swoim wykształceniem i urodą nie miałaby żadnych problemów ze znalezieniem dobrze płatnego zajęcia – gdyż słyszał już wystarczająco wiele odpowiedzi tłumaczących motywację tych dziewczyn. Na pewno ma swoje powody, uznał Kassalis.

– Świetnie. Dzięki. Pierwszego bojka wyślę do ciebie – i znów podniosła na niego ciemnoniebieskie oczy, które – podkreślone grubą kreską i oprawione długimi rzęsami – robiły niesamowite wrażenie.

– Megi, ja nie dlatego... – zaciął się nagle. Rozzłościło go to, gdyż stwierdził, że zaczyna poruszać się po zbyt grząskim gruncie.

Rozejrzał się po sali i zobaczył, że kilka osób im się przygląda. Czas do odwrotu, bo Megi straci swoich klientów, a on miał do załatwienia interesy.

– Trzymaj się! – dość obcesowo urwał rozmowę i odwrócił się, by odejść. W tej samej chwili niemal zderzył się z nieco niższym od siebie, ale znacznie szerszym mężczyzną.

– Przepraszam – powiedział odruchowo, ale tamten tylko spojrzał na niego ponuro, pochylił się nad Megi i zaczął jej szeptać do ucha.

Tak, teraz dopiero go rozpoznał. Alfons Megi i paru innych dziewczyn. Pewnie ją teraz objeżdżał, że marnotrawi cenny czas. Janek zacisnął zęby, ale wiedział, że to nie są jego sprawy i nie powinno go to interesować. Już po chwili zresztą skinął na niego jeden z obcokrajowców, którzy zakończyli wybieranie dań z karty. Teraz pewnie zaczęli myśleć o sposobie zapłaty. Kelnerowi też muszę coś odpalić, myślał Janek, ruszając z promiennym uśmiechem w kierunku nowego klienta.

Wieczór rozkręcał się po jego myśli, a nawet jeszcze lepiej. Po paru wódkach krew krążyła szybko, zrobiło się zbyt gorąco, więc zdjął marynarkę i powiesił ją na oparciu krzesła. Jego umysł dokonywał błyskawicznych obliczeń i nagle stwierdził, że w takim tempie wkrótce zabraknie mu złotówek i będzie musiał połączyć siły z jakimś znajomym trójmiejskim cinkciarzem. Ze stratą oczywiście, bo tamten też będzie musiał zarobić. Kostas, niestety, nie dał rady tym razem przyjechać, ale się odgrażał, że od nowego roku sprowadzi się do Trójmiasta na stałe. Janek uważał, że raźniej i sensowniej chodzić w takie miejsca we dwójkę, ale zdarzały się nagłe sprawy, tak jak tego wieczoru, że trzeba było zaryzykować. Postanowił przeliczyć wszystko jeszcze raz, by uniknąć pomyłki. Tych klientów nie można było w żadnym wypadku oszukać. Musiał dbać o swoją reputację, na którą pracował już od dwóch lat.

Janek siedział właśnie przy stoliku z dwoma Anglikami, których prawie nie rozumiał. O życiu nie musieli na szczęście gawędzić. Do interesów wystarczał kalkulator, czasem długopis i kartka. Przeprosił ich na chwilę i wyszedł do toalety. Tam zamknął się w kabinie i wyjął z kieszeni wszystkie złotówki i walutę. Powinno wystarczyć, odetchnął z ulgą. Nawet jeśliby pojawił się jeszcze ktoś nowy. A gdyby zgłosiła się do niego jeszcze jakaś prostytutka z walutą od swego bojka, mógł się z nią umówić na następny dzień.

Kiedy wrócił, przy stoliku było pusto, a obaj Anglicy tańczyli na parkiecie otoczeni wianuszkiem pięknych dziewczyn. Janek sięgnął po marynarkę i nagle tknięty przeczuciem sięgnął do wewnętrznej kieszeni. Zawsze nosił tam swoje pozwolenie na stały pobyt. Kurrrwa! Nie było go tam! Zaczął nerwowo przeczesywać wszystkie kieszenie z tym samym skutkiem. Jeszcze raz i jeszcze. I kiedy podnosił głowę, jego wzrok nagle spotkał się ze spojrzeniem alfonsa Megi, który siedział przy stoliku i przypatrywał się swoim tańczącym dziewczynom.

Janek znieruchomiał i nagle zrozumiał, co się stało. Szybko rozejrzał się po sali. W drugim jej końcu siedzieli jego znajomi Grecy, z którymi zakończył tego dnia transakcję. Nie wyglądało na to, że zamierzali w najbliższym czasie wyjść z restauracji. Ruszył więc w kierunku alfonsa.

– Czego? – usłyszał ochrypły głos. Alfons nawet nie otworzył ust. Brzuchomówca czy co, przyszło na myśl Jankowi.

– Słuchaj, to chyba jakaś pomyłka. Pomyliłeś się, stary. Oddaj mi moje dokumenty.

Alfons lekko zmrużył powieki, ale i tak było widać, że patrzy na niego z rozbawieniem.

– Jakie dokumenty? Chyba coś się panu przywidziało. – Przekrzywił znacząco głowę w kierunku siedzących przy jego stoliku innych mężczyzn, dając Kassalisowi do zrozumienia, że nie warto z nim niczego próbować.

– Słuchaj, ja jestem Grekiem, ale nie zajmuję się twoją działką.

– To uważaj, jak przyjeżdżasz tutaj. – Alfons patrzył mu bezczelnie prosto w oczy. – To nie są twoje strony. – Janek ledwie usłyszał to drugie zdanie, gdyż nagle poczuł tak dotkliwy ból w okolicy splotu słonecznego, że zaparło mu dech. Zgiął się wpół i pociągnął za obrus stolika, przy którym stali. Kieliszki i butelka wódki pospadały z brzękiem na podłogę, a ponieważ w tym momencie muzyka przycichła, wszyscy zwrócili głowę w ich stronę.

– Jannis? Co się dzieje?

Wiedział, że nie może wywołać awantury. Było tu za dużo tajniaków, ludzi z półświatka i... przyszłych klientów. Wyprostował się z trudem i uniósł ręce w bezradnym geście, demonstrując, że szkło znalazło się na podłodze zupełnie przypadkowo. Nie patrząc już na alfonsa, ruszył w kierunku greckich marynarzy, którzy w każdej chwili gotowi byli mu pomóc.

– I co, stary?

– Ten pajac zasunął mi dokumenty. To sutener i myśli, że jestem klientem, który nie ma ochoty płacić – wycedził Janek po chwili, kiedy paraliżujący ból zaczął ustępować. Zbyt jednak wolno. Trafił mu się widać pieprzony karateka.

– Dać mu po ryju? – Mały czarny Dimitris aż się gotował do bitki. Był już lekko podpity, a walka dostarczała mu chyba więcej adrenaliny niż uganianie się za kobietami.

– Nie. – Janek pokręcił głową. – Nie możemy tego zrobić, bo nas już tu nie wpuszczą.

Znał dobrze zasady właściciela knajpy, byłego marynarza, który doskonale wiedział, jak unikać burd portowych. Poza tym to nie żaden port, tylko Sopot. Można się było jedynie domyślać, co robił właściciel, żeby dostać pozwolenie na prowadzenie tego lokalu.

– Zrobimy to inaczej, jeśli chcecie mi pomóc. – I wyjaśnił im swój plan.

Około drugiej w nocy ktoś zastukał do drzwi. Janek zdziwił się, widząc, że oprócz Dimitrisa stoi tam jego trzech pozostałych kompanów.

– Nudno było? – spytał, ale widząc ich uśmiechnięte od ucha do ucha twarze, nabrał nadziei, że wszystko poszło pomyślnie. Jednak te parę godzin po powrocie do Gdyni było naprawdę nerwowych. Bo gdyby nie udało mu się odzyskać dokumentu, nie mógłby pojechać do Wiednia po samochód. Wszystkie jego plany wzięłyby w łeb.

– Po strip-teasie nie było już po co zostawać – oświadczył Dimitris i pierwszy wszedł do środka. – Postanowiliśmy zakończyć ten wieczór u ciebie.

– Wódeczka już czeka.

– No to masz w takim razie. Pewnie cię to ucieszy. – Sięgnął do kieszeni i podał Jankowi jego dokument w ciemnozielonej plastikowej oprawie. – Daliśmy mu dyszkę. Ale nie, nie – zaczął się bronić, kiedy Janek, chciał wyjąć pieniądze. – Nie jesteś nam nic winien! Każdy z nas wolałby oczywiście inaczej to załatwić, ale skoro nie pozwoliłeś nam obić mu mordy, to...

– Rzucał się?

– Nie, załatwiliśmy sprawę elegancko.

Janek wyjął wódkę z zamrażalnika i rozdał kolegom kieliszki. Pokręcił głową.

– To ostatnia menda. Mówiłem mu, czym się zajmuję.

– Ta dziewczyna jest... – Dimitris pokręcił głową – niesamowita.

Nagle Janek poczuł się dziwnie i to go zaniepokoiło.

– Droga jest – wycedził tylko przez nagle stężałe szczęki.

– Nie, ona nie dla mnie, chłopie! – Dimitris zaczął się tak śmiać, że rozlał wódkę. – Mam swoją stałą w Rotterdamie. Może się nawet z nią ożenię, kto wie?

Janek, bardziej rozluźniony, nastawił płytę z muzyką i przysiadł się do czarnowłosego greckiego kolegi, który wyraźnie miał ochotę bliżej się z nim zaprzyjaźnić.

– Ile ty masz lat, Jannis?

– Dwadzieścia jeden.

– Piękny wiek. Nie myślałeś o tym, żeby się zaciągnąć? – spytał Dimitris, który od paru lat pracował jako mechanik na statkach armatorów greckich pływających pod obcą banderą.

– Jasne. Studiuję nawet nawigację. Dopiero drugi rok, ale miałem już praktyki na żaglowcu. Latem znowu.

Jego rozmówca pokiwał głową i lekko się skrzywił.

– Wydaje mi się, chłopie, że marnujesz czas. Po co masz tu siedzieć w tym syfie? Powinieneś zacząć pływać już teraz, a za parę lat zostaniesz kapitanem. U nas się szybko awansuje. Wystarczy, żeby ktoś miał trochę oleju w głowie, a z ciebie jest bystry chłopak. Nie powinieneś mieć żadnych problemów.

Janek spojrzał na niego z uwagą. To prawda, on też o tym myślał, ale jego obecne życie wydawało mu się dość atrakcyjne. Sporo zarabiał, rysowała się przed nim perspektywa wyjazdów, kupno samochodu. Wśród dziewczyn mógł tylko przebierać. Ale może...?

– Ktoś musiałby mnie zatrudnić, prawda? – spytał bez większej wiary.

Po raz kolejny żałował, że nie ma normalnej licznej rodziny jak jego greccy koledzy. Ojciec nawet miał jakichś znajomych z partyzantki, którzy obecnie pływali na statkach, ale nigdy się nie kwapił, aby pomóc jemu lub Nastkowi w czymkolwiek. Poza tym teraz, kiedy Renatka dała w długą, najprawdopodobniej będzie jeszcze bardziej nieużyty.

– Wiesz, mogę pogadać z chłopakami z Londynu. Oni stale przeprowadzają rekrutację. Jak ci coś zaproponują, cokolwiek, bierz. Szybko się wyżresz, nie ma obawy. Najważniejsze, żeby się zahaczyć. Potem idzie jak po maśle. To co, chcesz?

Janek się zawahał. Nie lubił takich szybkich deklaracji, ale z drugiej strony do tej pory jeszcze nikt nie złożył mu takiej propozycji.

– Kiedy będziesz następnym razem?

– Nie jestem pewien. Może zrobię sobie trochę wolnego. Anita chce gdzieś jechać na urlop. Za pięć dni będę na lądzie. Zadzwoń, jak się zdecydujesz. Zaraz zapiszę ci numer.

Janek przełknął ślinę i sięgnął po nabazgrany nerwowym pismem numer telefonu.

– A co ja mogę dla ciebie zrobić? – spytał.

Dimitris roześmiał się, pokazując białe jak śnieg zęby.

– Jak dostaniesz tę robotę, to się zastanowimy. Ale nie pożałujesz. – Dimitris mówił to wszystko niby żartem, ale Janek nie był o tym do końca przekonany.

– A może nami się też zajmiesz? – przygadał Jankowi inny grecki marynarz, więc zakończył pospiesznie rozmowę z pierwszym mechanikiem.

Dimitris miał jednak mocniejszą głowę niż jego towarzysze, którzy po paru godzinach już spali, a na placu boju pozostał tylko on z Jankiem. Sięgnął wówczas po kolejne marlboro, zaciągnął się i powiedział:

– Mojego brata rozwaliła junta w zeszłym roku. Też miał dwadzieścia lat. – Dimitris wyjął z ust papierosa i przez dłuższą chwilę przyglądał się ustnikowi. – I to praktycznie za nic. Napisał jakieś podejrzane wierszydło, to wzięli go na celownik. Przyszli do domu po nocy. Miał za długie włosy, więc go zabrali. I uderzyli zbyt mocno na przesłuchaniu. – Ciemnowłosy mężczyzna zgasił papierosa. – Kurwa, chciał być poetą.

Jankowi momentalnie przypomniało się, jak w grudniu 1970 roku po zajściach w stoczni Kostas i Nastek ukrywali się w piwnicy, ale i tak im się nie udało, bo kiedy tylko opuścili kryjówkę, zostali złapani przez milicję, dotkliwie pobici, a Kostasa, który nie miał stałego zameldowania w Gdańsku, odesłano do Krakowa z nakazem stawiania się w komendzie co tydzień przez trzy miesiące.

Dimitris miał rację. Powinien jak najszybciej zostawić ten kraj w cholerę i zakotwiczyć się w jakimś normalnym miejscu, gdzie bez problemu można kupić najnowsze płyty. Musiał się jednak nad tym zastanowić. Miał wrażenie, że w jego życiu ostatnio działo się zbyt dużo naraz. Nie narzekał, ale...

– Przykro mi, stary! – Poklepał ramię Dimitrisa, któremu na wspomnienie zamordowanego brata łzy stanęły w oczach. – Może jeszcze kiedyś będzie normalnie na tym świecie.

– Na to bym nie liczył. Postaraj się raczej, żeby tobie było normalnie. Dobrze ci radzę.

Janek pokiwał głową. Wiedział, że musi się zastanowić nad tą propozycją. Czuł jednak, że jeszcze nie jest na nią gotowy. Teraz przede wszystkim pragnął jak najszybciej pojechać do Wiednia po nowy samochód.

Parę dni później po powrocie z wykładów zastał przed willą siedzącego na schodach brata. Widać, że czekał na niego od dawna, gdyż na schodach leżało już kilka niedopałków po klubowych. Nastek palił, niestety, takie siano.

– Czołem! – Janek klepnął brata po ramieniu. – Znowu jakaś grecka tragedia?

– Ta sama – mruknął niechętnie Nastek i wszedł za nim do środka. Potem powiesił kurtkę w przedpokoju i opadł na kanapę. – Masz wódkę?

– Uuu... No to poważna sprawa, jeśli o to pytasz.

Podszedł do lodówki i wyjął stale tam obecną flaszkę.

– Wróciłem właśnie z Krakowa.

– I co? – Janek rozlał alkohol, ale zanim zdążył sięgnąć po kieliszek, Nastek jednym haustem opróżnił swój.

– Ze starym jest naprawdę źle. Nadal nie chodzi do pracy i jest na zwolnieniu lekarskim. Tyle udało mi się załatwić, żeby go nie wylali z roboty.

– Dało się z nim gadać?

– A skąd! Siedzi w fotelu i wszystkich olewa. Non stop gapi się tępo w telewizor.

– Przejdzie mu. Zaskoczyła go ta dziwka i tyle.

– Ciotka gotuje obiady i zajmuje się Bożenką. Całe szczęście, że ją mamy.

– To prawda. Wyślę jej trochę hajcu, bo stary z pewnością nawet nie myśli o takich rzeczach. Własne dzieci nigdy go za bardzo nie obchodziły.

– On jest nienormalny.

– No jest. Czasem się zastanawiam, jak do tego doszło, że nasza matka za niego wyszła za mąż.

– Pamiętasz ją, Janek?

Skinął głową i momentalnie zaszkliły mu się oczy. Nie chciał jednak tego po sobie pokazać i ponownie rozlał wódkę.

– Starego wykończyła wojna i partyzantka – zauważył. – Całe to ich pokolenie.

– Nie wszystkich. Chryste, mam nadzieję, że my tacy nie będziemy – westchnął Nastek i wypił drugi kieliszek. Otarł usta i spojrzał na brata. – Wiesz, kiedy byłem w Krakowie, wpadłem na twoją korepetytorkę.

– Moją korepetytorkę? – powtórzył Janek i zrobiło mu się momentalnie jakoś nieprzyjemnie.

– Tę studentkę, Alicję. Świetna z niej dziewczyna.

– Taa.

– To było prawdziwe zrządzenie losu, że na siebie wpadliśmy. Brakowało jej jednego chętnego na obóz narciarski po świętach. No i mnie namówiła. Odwiedzę najpierw ojca, a potem skoczę na parę dni do Bukowiny. Podobno jedzie fajne towarzystwo. Dawno nie jeździłem na nartach.

Janek myślał, że trzeci kieliszek wódki pomoże mu się rozluźnić. Rysy mu stężały i nie był w stanie wydusić z siebie ani słowa. Narty, obóz, Alicja? I jego brat? Przecież znała jego sopocki numer telefonu. I nigdy, ani razu do niego nie zadzwoniła. Nastek dalej opowiadał mu o swoich planach. Patrzył na swego brata, jasnookiego blondyna, który tak bardzo się od niego różnił, i próbował panować nad rozsadzającą go od środka wściekłością.

– Szkoda, że nie pojechałeś ze mną do Krakowa, Janek. Może znalazłoby się jeszcze dodatkowe miejsce.

– Jestem zajęty – udało mu się wreszcie wydusić.

– Tak, tak, jasne. Zastanów się, czy jednak coś ci nie ucieka. Pieniądze to nie wszystko.

Oczywiście, że nie wszystko. A kto ci, ty durniu, sfinansował te zachodnie dżinsy, które masz na dupie? I tę puchową kurtkę, w której mogłeś ponad godzinę kiblować przed moim domem.

W Janku aż wrzało. Przepełniała go nienawiść. Do ojca, który był bezuczuciowym świrem, do matki, że umarła i zostawiła ich na jego pastwę, do Nastka, że śmiał mu głosić takie komunały, a najbardziej do Alicji.

– Żyj sobie, jak chcesz – odezwał się do brata. – Ja w każdym razie stąd wyjeżdżam. I to niedługo. Powiem ci konkretnie, jak już będę miał wszystko załatwione.

– Janek, no co ty? Jak możesz? A twoje studia, nauka? A siostra? Cała rodzina? Jak możesz być tak nieodpowiedzialny?!

Nastek mówił, ale on wcale tego nie słyszał. Wyrzucił z siebie te słowa bez zastanowienia, ale nagle okazało się, że miały one sens. Tak, bo naprawdę już nic nie mogło go tu zatrzymać.

Rozdział XIII

Korfu, 2010

– Umówił się ze mną na drinka!

Mirela tańczyła po pokoju z uśmiechem od ucha do ucha.

– Kto? – spytała Nina, która właśnie wpadła do mieszkania, by się przebrać. Jej zmiana nieoczekiwanie się przedłużyła, mieli przyjechać jacyś ważni goście, a za pół godziny była umówiona z Jannisem.

– No jak to, nie wiesz? Mój Czech.

Aha, już „jej". Czyli coś ciekawego się wydarzyło.

– Zaczepił mnie dzisiaj, jak skończyliśmy wydawać śniadania. Mamy gdzieś pójść późnym wieczorem. Jak mam się ubrać? Powiedz mi, bo oszaleję. Wiesz, jaki był dla mnie miły?

– Mirelka, a dlaczego miał być niemiły? Fajna dziewczyna z ciebie. Chłopak ma szczęście.

– Żartujesz sobie ze mnie?

– Nie. Ale za bardzo się nie entuzjazmuj. Może on wcale nie jest taki atrakcyjny, jak ci się wydaje. Daj mu mówić. Faceci to uwielbiają. Ale zwróć uwagę, czy on też będzie cię o coś pytał. Jak nie, to daj sobie spokój z takim megalomanem.

– Dobrze. – Mirela zatrzymała się w połowie piruetu. – A ty dokąd się wybierasz? – Spostrzegła, że Nina energicznymi ruchami wyjmuje z szafy świeże ubrania.

– Też się umówiłam. – Uśmiechnęła się do koleżanki. –

Ale to nie jest to, o czym myślisz. Wrócę pewnie, zanim ty się wybierzesz na swoją randkę. A teraz lecę pod prysznic. – Zebrała z łóżka wybrane w pośpiechu ubrania i zniknęła z nimi w łazience.

Domyślała się, dlaczego Jannis chciał się z nią spotkać tak nagle. I to w Eleotrivio, a nie w lokalnej tawernie. Zapewne przyszły wyniki badania DNA i chciał o tym spokojnie porozmawiać. Na samą myśl o tym zasychało jej w gardle. Spokój, spokój. Niezależnie, co będzie, nie powinna się martwić. Wszystko się ułoży. Wszystko się, Ninuś, ułoży.

Tak mawiała jej ciocia, do której trafiła po krótkim pobycie w domu dziecka. Monika, siostra jej matki, tym razem umyła ręce. Jej kolejny kochanek również nie lubił dzieci. Na szczęście! Bo tym razem znalazła się w domu osoby wprawdzie znacznie starszej, ale pełnej miłości i oddania.

– Dziecko kochane. Nie bój się. U mnie nic strasznego cię nie spotka – mówiła ciocia Ania do dziesięciolatki. – Jestem wprawdzie tylko kuzynką twojej babci, ale byłyśmy ze sobą zżyte jak siostry.

Nina stała w kącie i dygotała z zimna, podobnie jak trzy miesiące wcześniej, kiedy w lutym chowano jej matkę. Wówczas zobaczyła tę ciocię Anię po raz pierwszy. Chciała ją zabrać do siebie już po pogrzebie, ale opiekunka z domu dziecka, która towarzyszyła Ninie, nie pozwoliła na to. Syknęła tylko do starszej kobiety, że „takie sprawy to ustala sąd, a nie ulica".

– Nie będziesz miała u mnie źle. Chodź, pokażę ci twój pokój. Mieszkał tam mój syn, który wyjechał w osiemdziesiątym pierwszym do Szwecji. Są tu jeszcze jego rzeczy, ale możemy się ich pozbyć. Wstawimy je do piwnicy. Pewnie cię nie interesują te wszystkie mapy?

Te mapy przez wiele lat były dla Niny najwspanialszym

towarzystwem. Nawet kiedy już na studiach przyjeżdżała do cioci Ani, ich widok sprawiał, że czuła, iż wróciła do bezpiecznej przystani, do swego domu. Bo przecież mimo wszystko jakoś się jej ułożyło. Choć było jej ciężej niż innym i stale prześladowały ją jakieś koszmarne wspomnienia z dzieciństwa, jednak udało jej się iść do przodu. Ciocia Ania miała rację. Była doświadczoną kobietą, podobnie jak teraz sama Nina, która przed chwilą z dużą pewnością siebie udzielała wskazówek Mireli. Ciekawe tylko, że człowiek dla siebie nie ma żadnych dobrych rad i nie potrafi sam siebie ocenić w szerszej perspektywie.

Na odchodnym młoda kobieta spojrzała na swoje odbicie w lustrze. Usta miała zaciśnięte ze zdenerwowania, a pod oczami sińce. Na przekór sobie uśmiechnęła się do siebie i zabrawszy kluczyki do skutera ze stolika, wyszła z pokoju.

Po niedługim czasie wjechała na teren posesji Eleotrivio. Brama była otwarta. Postawiła skuter w cieniu pod dachem i zadzwoniła do drzwi. Nikt się jednak nie pojawił, postanowiła więc poszukać Jannisa na zewnątrz. Obeszła dom dokoła, słysząc płynącą z zewnętrznego głośnika muzykę Theodorakisa. Po chwili zobaczyła, że mężczyzna rzeczywiście stoi przy basenie i trzymając ręce w kieszeniach, wpatruje się w horyzont. Wydawał się zupełnie nieświadomy jej obecności. Nina zerknęła również w tamtą stronę i zauważyła ogromny statek wycieczkowy wpływający do portu.

– *Kalispera*, Jannis!

– A, to ty, mała? – Obrócił się w jej stronę i uśmiechnął dość blado. – Jakoś się tak dziwnie zamyśliłem. Nawet nie usłyszałem tej twojej pukawki. No, chodź do środka. Ifigenia przygotowała nam coś dobrego.

– A może...

– Tak?

– Może byśmy chwilę tutaj posiedzieli? – zaproponowała. – Teraz jest tak przyjemnie, znacznie chłodniej. I ten widok...

Jannis skinął głową.

– To chociaż przyniosę ci coś do picia. Twoją retsinę?

– Chętnie. Dziękuję.

Patrzyła na znikający za skałą wycieczkowiec i starała się pozbyć wszelkich myśli. Był tylko ten zapierający dech w piersiach widok, powiew wiatru z gór, odgłosy cykad i aromat pinii rosnących poniżej tarasu. Chciała go zatrzymać w sobie na zawsze, niezależnie od tego, co miałoby się wydarzyć.

– Pewnie się domyślasz, dlaczego chciałem się dziś z tobą zobaczyć? – spytał Jannis, postawiwszy przed Niną butelkę wina i kieliszki.

Skinęła głową.

– Patrz – wyjął z kieszeni złożoną kartkę. – Napisali po angielsku, tak jak prosiliśmy.

Nina pospiesznie przebiegła wzrokiem tekst i poczuła taką ulgę, że nagle zrobiło jej się słabo i osunęła się na fotel. Jannis jednak mylnie zinterpretował jej zachowanie jako wyraz skrajnego zdenerwowania.

– Nino, nie przejmuj się. Naprawdę. Powiem ci, że mnie też zrobiło się bardzo przykro. Tak się już przyzwyczaiłem do myśli, że jesteś moją córką. – Poklepał ją po ręce i nalał wina do kieliszka, ale zanim zdążyła mu odpowiedzieć, ciągnął dalej: – Nie ukrywam, że na początku, kiedy dostałem twój list, nie byłem tym uszczęśliwiony. Wiesz, facet w moim wieku... Wydaje mu się, że wszystko jest już w życiu poukładane, nie ma w nim miejsca na żadne niespodzianki. Myślałem o moich dzieciach, obawiałem się ich reakcji, ale... kiedy się bliżej poznaliśmy, zacząłem się cieszyć z tej „nowości", która mi się przydarzyła. Tym bardziej... kurczę, jakoś ciężko mi o tym mówić, ale nagle wydało mi się, że twoje pojawienie się tutaj, to wszystko ma jakiś głębszy sens. Zacząłem odkrywać podobieństwa między nami i zrozumiałem, że rzeczywiście musisz być moją córką. Wiesz, jak się teraz czuję? – Potarł czoło ze zdenerwowania.

– Dziwnie – odpowiedziała Nina, która zaczęła teraz doświadczać niezrozumiałego uczucia pustki.

– Wiesz, nie chcę, żebyśmy przerwali naszą znajomość. – Zdenerwowany Jannis bębnił palcami w blat stolika. – Chciałbym, żebyś poznała moje dzieci, moją rodzinę.

– Jako kto? – wydusiła z siebie Nina.

– Jako córka mojej dawnej... hmm, przyjaciółki.

– Matka sama nie wiedziała, z kim zaszła w ciążę. – Nina spuściła głowę. – Powinnam była wiedzieć. Mimo iż byłam mała, kiedy z nią mieszkałam, to pamiętam, że przez dom i jej łóżko przewinęło się wielu mężczyzn. Przepraszam, to okropne. W końcu to była moja matka.

Jannis uznał, że wprowadził Ninę w zły nastrój, i postanowił zmienić temat rozmowy.

– Chciałbym, żebyś spędziła tu z nami gwiazdkę.

– Mnie tu nie będzie.

– Nina, to są święta. Z kimś musisz je spędzić. Zapłacę za bilet, więc się nie przejmuj pieniędzmi. Do nas co roku przyjeżdżają goście. Nie zawsze tacy, których lubię. A tak przynajmniej zyskam miłe towarzystwo.

– Nie wiem, Jannis. Nie mam pojęcia, gdzie wtedy będę. – Dostrzegła jego urażone spojrzenie. – Ale pomyślę o tym, słowo daję. – I po chwili: – Chciałabym mieć takiego ojca jak ty.

– Hmm. Powinienem to nagrać i puszczać moim dzieciakom.

– Z pewnością cię doceniają. I są z ciebie dumni.

– Może... czasem... Teraz mam z nimi lepszy kontakt, niż

kiedy byli mali. Jest mi przykro, jak sobie pomyślę, że tak mało się nimi wówczas zajmowałem. Moja żona też. Trójka dzieci przekraczała jej możliwości. Wiesz co?

– Tak?

– Myślę, że mogą ci się spodobać. Szczególnie mój starszy syn, Alex.

– To on jest tym dziedzicem?

– Nie – zaśmiał się Jannis. – Chyba nie ma szans ze swoją młodszą siostrą. Afi zajmie się kiedyś całą firmą. Jest szalenie dynamiczna i lubi wyzwania. Alex pracuje w Londynie w centrali firmy. Widziałaś zdjęcia moich dzieci?

Powinien wiedzieć, że nigdy jej ich nie pokazał. Dlaczego o to pyta? Nie czekając na odpowiedź, poszedł szybkim krokiem w stronę domu. Nina sięgnęła po kieliszek wina i wypiła jego zawartość duszkiem. Nadal czuła dziwny niepokój. Nie zdążyła się jednak nad tym zastanowić, gdyż po chwili pojawił się Jannis. Tym razem z tabletem w rękach.

– No zobacz. To jest Alex. Przystojny chłopak, prawda?

Nina spojrzała na twarz mężczyzny na iPadzie.

– Podobny do ciebie.

– Tak, on jest do mnie najbardziej podobny. Myślę, że moglibyście się zaprzyjaźnić.

Nina patrzyła na Jannisa z niedowierzaniem. O co mu chodzi? Bawi się w swatkę? Ona i najstarszy Kassalis?! Może nie dziedzic fortuny, ale wystarczająco bogaty, żeby nawet na nią nie spojrzeć.

– A to kto? – Na ekranie pojawiła się twarz innego mężczyzny.

– A to Nikolas. Mój drugi syn.

– I to wszystko? – spytała Nina po dłuższej chwili.

– Eeee, taki romantyk z niego. Niepoukładany życiowo. W babcię Ismenę się wrodził.

– Przystojny – zauważyła Nina, przyglądając się uważnie mężczyźnie trzymającemu w rękach rakietę tenisową.

– To prawda. Ale Alex jest bardziej męski. Nie, ja niczego nie sugeruję – zareagował natychmiast na zdziwioną minę Niny.

– A to nasza księżniczka Aphrodítē, czyli Afrodyta. Na szczęście jest piękna, bo nie wiem, co byśmy zrobili z brzydulą o takim imieniu. Ale Jana się uparła i postawiła na swoim.

– Ona się nadaje na okładkę „Vogue'a". – Ninę co chwila coś zaskakiwało. Ta dziewczyna była wprost bajkowo piękna.

– Ta z kolei z urody czysta babcia Ismena. Jeśli chodzi o umysł, to nie mam pojęcia. Może ktoś po stronie Zarrasów miał liczydło zamiast serca. Patrz, pokażę ci skan jej fotografii.

I już za chwilę można było stwierdzić, że się nie mylił. Te same regularne rysy twarzy, pełne usta, mimo iż czarno-białe zdjęcie i skromne ubranie nie oddawały jej pełnej urody, można było od razu się przekonać, że była prawdziwą pięknością.

– Nic dziwnego, że ojciec oszalał na jej punkcie. Oczywiście do czasu spotkania Renatki, bo wtedy oszalał po raz drugi – dokończył złośliwym mruknięciem Jannis.

– Dziwne, że każdy ma jakiś kłopot z własnymi rodzicami.

– Nie jesteśmy w stanie ich zrozumieć, bo oceniamy ich zawsze przez pryzmat naszych przeżyć i doświadczeń. Ojciec stał mi się bliższy dopiero na krótko przed śmiercią.

– Zajmowałeś się nim?

– Był ciężko chory. Operacja, którą załatwiłem mu w Stanach, nie na wiele się przydała. Ale był z nami. I wreszcie opowiadał, zamiast oglądać telewizję. Czasem nawet chciałem, żeby się zamknął, bo te jego wojenne historie... Zimno się od nich robiło. – Jannis potrząsnął głową, jakby chcąc odgonić nieprzyjemne wspomnienia. – Ale lepiej mi powiedz, czy nie fajny facet z tego mojego najstarszego chłopaka.

Rozmawiali jeszcze przez godzinę, a potem weszli do środka, żeby nie zrobić Ifigenii przykrości i zjeść kolację. Jednakże żadne z nich nie było zbyt głodne. Nawet baklava, popisowy deser gospodyni Jannisa, została całkowicie nietknięta.

– Nina?

– Tak?

– Myślę, że powinnaś pojechać do Skopie porozmawiać z moim bratem Anastazym. On tam teraz mieszka. Jest znanym historykiem. Kupię ci bilet na samolot, więc się nie musisz martwić kosztami.

Zdziwiona podniosła na niego wzrok.

– Patrz, to on. – Palce Jannisa przebiegły po tablecie. I nagle na ekranie ukazała się przystojna twarz starszego mężczyzny z krótko przystrzyżoną siwą brodą.

– Jannis, co ty sugerujesz?

Kassalis spuścił wzrok, jakby nie bardzo wiedział, jak wybrnąć z tej trudnej sytuacji.

– Wiesz, pomyślałem, że jesteś do niego podobna. Więc skoro szukasz ojca... To niewykluczone...

Nina dojechała na kwaterę po północy. W knajpach po drodze siedziało jeszcze mnóstwo turystów. Balowali i pili, ciesząc się wakacjami na tej urokliwej wyspie. Wyznawali sobie miłość przy dźwiękach buzuki, marząc o ekscytującym dalszym ciągu udanego wieczoru. Przez chwilę się zastanowiła, czy kafejka internetowa jest nadal czynna. Nie, to nie był dobry pomysł. Jeszcze nie czas, bo jeszcze nie mam pewności, stwierdziła, zatrzymując się przed budynkiem, w którym mieszkała.

Zdążyła wziąć prysznic i włożyć piżamę, kiedy usłyszała zgrzyt zamka u drzwi. Wróciła Mirela. Nie wyglądała na osobę, która spędziła wspaniały wieczór, raczej na śmiertelnie znużoną. Nina nie zdążyła spytać, jak było, gdy koleżanka przewróciła oczami i stwierdziła:

– Porażka. Totalna.

– Dlaczego?

– Miałaś rację, żeby dać mu się wygadać. No to gadał. Godzinę, dwie, trzy... O tym, jaki jest wspaniały, mądry i inteligentny. A ja słuchałam, ale potem poczułam, że niknę, i musiałam się zmyć. Gdybym go jeszcze trochę posłuchała, nic by ze mnie nie zostało. A tak jeszcze się zdołałam zebrać do kupy. – Mirela nieoczekiwanie zachichotała. – Lepiej się dobrze wyspać, niż marnować czas – dodała i zanim Nina przestała się dziwić, koleżanka przebrała się w koszulę nocną i wskoczyła do łóżka.

– Mam całe życie przed sobą. – Usłyszała jeszcze mruknięcie znad poduszki.

Święta prawda, pomyślała Nina. I nie należy go marnować na głupców. Kto by pomyślał, że Mirela tak szybko się uczy?

Nakryła się prześcieradłem, które i tak wydawało się ciepłe jak pierzyna, bo w pokoju nie było klimatyzacji. Ninie kręciło się w głowie od wina i wszystkiego, co usłyszała od Jannisa. Od Jannisa, który nie był jej ojcem, a który w nieoczekiwany sposób zmienił się w przyjaciela. Była zmęczona, ale wiedziała, że tej nocy najprawdopodobniej nie zaśnie. Musiała sobie powtórzyć w głowie te jego słowa. Tę historię sprzed lat, w której i jej matka, i ona sama miały własny los.

Rozdział XIV

Kraków, wiosna 1975

– Janek, chłopie! To ty?! – usłyszał głos, gdy zaspany, z niemal zlepionymi snem oczami wynurzył się z wagonu sypialnego.

W pierwszej chwili nie zareagował. Wzdrygnął się. Mimo początku kwietnia na dworze było dość zimno. Dopiero po chwili dotarło do niego, że ktoś go woła. To imię! Ostatnio się od niego zupełnie odzwyczaił. W agencji i na statkach przedstawiał się tym greckim, jakby chcąc przyjąć nową tożsamość, z którą łatwiej sobie poradzi w nowym życiu. Choć „Janek" nie dawał sobie w kaszę dmuchać i należał do tych przedsiębiorczych, mimo wszystko ulegał różnym kompleksom i ograniczeniom. Do „Jannisa" należał cały świat! Nawet na początku, kiedy musiał wykonywać brudne i śmierdzące prace, był święcie przekonany, że to tylko chwilowe niedogodności, które prędko uda mu się przeskoczyć i wylądować na szczycie żeglugowego Olimpu. Do trzydziestki powinno mu się udać. Szmat czasu. Miał dopiero dwadzieścia cztery lata.

– Kostas! Ale niespodzianka! – zaczął mówić po grecku do kolegi, którego nie widział od ponad roku.

Wówczas był w Polsce po raz ostatni. Potem jego konsorcjum, które miało podpisane umowy z armatorami greckimi i zajmowało się remontami statków, wysłało go na inną trasę. Głównie do Związku Radzieckiego. „Znasz rosyjski, prawda?” Nie był z tego powodu szczególnie nieszczęśliwy. Dostał awans, miał możliwość poznania nowych krajów, nowych portów. Przy kilku okazjach zawitał również do Rotterdamu i Antwerpii. Jego kolekcja widokówek znacznie się powiększyła. Teraz jednak ponownie skierowano go do Polski, w której dzięki łapówkom najłatwiej było przeskoczyć kolejkę i skrócić czas oczekiwania na remont w stoczni. Bo jak wiadomo, statki, które nie mogą wypływać w rejs z towarem, to strata pieniędzy, a jego rodacy umieli liczyć jak mało kto.

Kiedy wcześniej w dość regularnych odstępach przypływał do Polski, czuł się już tym zmęczony. Zamiast mieć chwilę spokoju, bez przerwy załatwiał jakieś interesy. Stale ktoś czegoś od niego chciał. Najczęściej forsy! Kursował pomiędzy Gdańskiem i Krakowem, przekazując ludziom różne przedmioty, licząc pieniądze i słuchając narzekań na wszystko. Dobrze było odpocząć! Ale teraz, kurczę, się stęsknił. Cieszył się, że znowu jest na tym śmierdzącym papierosami i moczem dworcu. A na myśl o schabowych ze smażoną kapustą i barszczu z kołdunami ślinka sama ciekła do ust.

– Co tu robisz? – Kostek rzucił się na dawnego przyjaciela z niedźwiedzim uściskiem.

Przez chwilę radośnie walili się po plecach.

– Mam urlop! Całe trzy tygodnie!

– Świetnie, stary. To kiedy impreza, co? Idziemy do „Baranów”? Z Leonem?

– Wszędzie pójdziemy, tylko daj mi chwilę. Wczoraj po południu zszedłem ze statku i w ostatniej chwili udało mi się załatwić sypialny. Był ten sam kuszetkowy, który nas zawsze wpuszczał na lewo, pamiętasz?

– A jak! – Kostas uśmiechał się od ucha do ucha. – Dobry znajomy, a co! Pracuję nadal dla Leona. Ale tylko do jesieni. Potem znikam stąd podobnie jak ty.

– Na statki?

– Nie, odezwała się krewna ojca ze Stanów. Zmarł jej mąż, nie ma dzieci i chce, żeby poprowadzić dla niej firmę. Przełknęła nawet to, że ojciec był komunistą i że nie rozmawiali ze sobą od trzydziestu lat. Jest zdesperowana.

– Jaką firmę?

– Odzieżówka.

– No stary, to coś dla ciebie.

Kostasowi zawsze najbardziej wychodził handel zachodnimi ciuchami. Do waluty serca nie miał, ale kiedy w grę wchodziły przemycane lee lub wranglery, zawsze udawało mu się je upłynnić w mistrzowskim wprost tempie.

– Też tak myślę. – Poczochrał swoje kędzierzawe ciemnoblond włosy. – Najpierw wyjadę do Grecji, do Salonik, teraz, jak junta upadła, wreszcie jest to możliwe. A potem, bracie, hajda za ocean. Koniecznie musimy się napić. Czekaj, dam ci mój nowy adres. Mam własną kawalerkę na starówce, a co!

– A nie żenisz się?

– Żartujesz chyba. Jeszcze nie pora. W tym Nowym Jorku z pewnością znajdę jakąś miłą Greczynkę.

Miał podobne plany jak większość z nich. Ich greckie koleżanki wychowane w cnocie i zgodnie z tradycją mogły być tylko materiałem na żony. Przygód szukało się gdzie indziej. A te czyhały na każdym kroku, wabiąc błękitnymi oczami i jasnymi włosami. Chętne, przymilne i tak szczodre, że myśl o ożenku odwlekała się z roku na rok. Któż by rezygnował dobrowolnie z takiego bogactwa? Dopiero zdecydowane naciski ze strony rodziny potrafiły czasem przywołać do rozsądku. I wówczas robiło się to, czego wszyscy oczekiwali. Greckie wesele.

– A masz jakieś nowe płyty? – zainteresował się Kostas. – Może mógłbym przegrać.

– Pewnie! Pink Floydów, Deep Purple i oczywiście Stonesów. Przegrywaj, ile chcesz. Ale powiedz, co nowego w mieście? – dopytywał Janek, zmierzając wraz z Kostasem w stronę postoju taksówek. Po drodze zatrzymał się i kupił od ulicznego sprzedawcy precel, który momentalnie zaczął jeść. Tych przysmaków też mu brakowało.

– Znacznie większy luz. Coraz więcej peweksów, coraz więcej zorganizowanych wycieczek z Zachodu. Żyć nie umierać! Roboty zatrzęsienie, ale Leonowi stale mało.

Zaśmiali się. Ich szef znany był z wyjątkowej pazerności, którą przypisywali jego pochodzeniu. Nie mogli jednak zaprzeczyć, że miał łeb do interesów jak mało kto. I jakie koneksje! Ten facet miał wejścia wszędzie. U glin, w komitecie wojewódzkim partii i w sklepie mięsnym. Żaden z jego podopiecznych ani przez moment nie kwestionował jego pozycji i władzy w mieście. Może byli i mocniejsi od niego, ale oni takich na swojej drodze nie spotkali.

Poza tym, o czym się wkrótce Janek miał przekonać, nie lubił być lekceważony i to on decydował, kiedy się kończy robić z nim interesy.

– Janek, Jannis! – ciotka Vasilissa wołała do niego, jakby miał syjamskiego brata. Od kiedy opowiedział jej, że na statku używa swojego prawdziwego imienia, chciała zrobić mu przyjemność i tak się do niego zwracać, ale wciąż jej się wszystko mieszało.

Wszedł do kuchni i spojrzał na stół niemal uginający się od różnych potraw. Westchnął załamany.

– *Thija* Vasilissa, kto to wszystko zje? Przecież tydzień temu była Wielkanoc. A ciocia znowu pichci? Teraz takie zaopatrzenie jest? No, rzeczywiście długo mnie nie było.

– Ty mnie nie będziesz pouczał ani mówił, co robić. Mam

własny rozum. Zjesz, zjesz. Zawsze miałeś zdrowy apetyt. Poza tym po południu przyjdzie Anastazy, bo akurat jest w Krakowie na konferencji naukowej. I też będzie głodny. Jak się dobrze złożyło, że trafiliście mi się obaj naraz.

– I ja jestem głodna. – Usłyszał za plecami głos Bożenki, która wyrosła przez ten rok i zaczynała już przypominać młodą panienkę. Poza tym poprzedniego dnia, kiedy wręczał „swoim kobietom" prezenty, zauważył, że Bożena najbardziej ucieszyła się z ubrań. Na zabawki ledwie spojrzała. Może uznała, że dwunastolatce nie wypada się już bawić. Teraz uśmiechnęła się do niego.

Sympatyczna z niej dziewuszka, pomyślał Janek. Na szczęście niepodobna z charakteru ani do matki, ani do ojca.

– Chodź, chudzino, dobrze, że to mówisz. – Vasilissa zaczęła stawiać na stole kolejne półmiski.

Bożenka wywróciła oczami i uśmiechnęła się do Janka.

– Umrzeć z głodu to tu się nie da.

– Milcz, mądralo jedna. I jedz, ty niejadku.

– Tylko uważaj, bo jeszcze dla wuja nic nie zostanie – zażartował Kassalis, ale ciotka, z obsesją na punkcie jedzenia, nie złapała dowcipu i zaczęła tłumaczyć, że jeszcze ma dużo w lodówce.

– No i dzięki tobie mam też zamrażarkę. Nikodem zamraża owoce i warzywa z działki.

Już nie mieszkali na strychu, lecz na pierwszym piętrze w tym samym domu. Przeprowadzka była konieczna ze względu na Bożenkę. Ojciec oddał ją swojej siostrze jak psa lub kota, tłumacząc, że sam sobie nie da z nią rady. Vasilissa nie miała mu tego za złe, gdyż zawsze marzyła o własnym dziecku, a Bożenka i tak była z nią mocno związana. Nikt nie przypuszczał jednak, że ojciec, przekazując córkę siostrze, całkowicie straci nią zainteresowanie, zapomni też o zobowiązaniu alimentacyjnym. Ale pieniędzy od brata Vasilissa nigdy się nie domagała. Miała swój honor! Tylko że gdyby nie pomoc Janka, starczyłby on na bardzo ubogie życie. To także dzięki niemu dostali to trzypokojowe mieszkanie, które stało się królestwem Vasilissy. Po śmierci głównego lokatora nigdy nie trafiło ponownie do puli spółdzielni. Janek wręczył umówioną kwotę w zielonych zastępcy prezesa i Samarasowie mogli się tam wprowadzić już następnego dnia.

– Ile my ci, chłopcze, zawdzięczamy.

Janek jadł, aż mu się uszy trzęsły, i słuchał opowieści ciotki, która z wielkim zapałem relacjonowała, co się podczas tego roku zmieniło.

– Najciekawsze, że Lakidesowie się tu sprowadzili. Myślałam, że już na zawsze uwolniłam się od tej całej Filipy, i raptem widzę babę u Molivasów. Ledwie się tam wtoczyła. Gruba jak szafa trzydrzwiowa. Jest jakaś sprawiedliwość na tym świecie. Ile się twoja biedna matka przez nią napłakała! – mówiła szczupła i energiczna Vasilissa, dolewając Jankowi kawy do kubka. – Kilku z naszych już wyjechało. Głównie młodzi. Podobnie jak ty, na statki. Starsi nie mają szans. Rodziny nadal są tak potwornie skłócone. No i ta polityka ciągle nam we wszystkim bruździ. Co za los! – Nagle coś jej się przypomniało: – Obiad będzie o piątej. Pasuje ci, Janek?

– Eee, nie wiem. Chciałem się umówić z kolegami.

– No to się umawiaj na później. Chyba chcesz się spotkać z bratem, co?

Kontakty z Nastkiem były nadal dość dziwne. Brat pisał do niego listy, na które on czasem odpowiadał, ale za każdym razem, gdy się spotykali, dochodziło do spięcia. Janek nie mógł wyczuć, o co chodzi. Wydawało się, że Nastek ma mu za złe, że wyjechał i go zostawił. Ale przecież tyle razy go namawiał do wyjazdu. Wysyłał zaproszenie do Anglii, gdzie mieli się spotkać, i pieniądze, żeby nie było kłopotu z otrzymaniem wizy, ale brat nigdy nie mógł się zdecydować. Stale coś stało na przeszkodzie. W końcu Janek machnął ręką i uznał, że jeśli Nastek będzie chciał, to sam o to poprosi.

– Dobrze, będę o piątej. Dzięki.

– Bożenko, zbierz naczynia ze stołu. Ja idę się przebrać do pracy.

Ciotka pracowała w kiosku Ruchu na pół etatu.

– Przyniosę ci greckie gazety.

– Ciocia, ja mam pełno greckich gazet – machnął ręką Janek.

– Ale te są nasze!

– No dobrze – zgodził się. Zostawszy sam na sam z siostrą, postanowił do niej zagadać. I już, już miał na ustach szalenie oryginalne pytanie: „I jak ci idzie w szkole?", gdy rozległ się dzwonek do drzwi.

W pierwszej chwili pomyślał, że to ojciec. Napisał do niego, że będzie w Krakowie, ale na progu stał Kostas.

– Cześć. Nie wyspałem się przez ciebie – rzucił na powitanie po polsku, a potem, widząc kręcące się po domu kobiety, przeszedł na grecki.

– Leon chce się z tobą widzieć. Masz być w „Cracovii" o dwunastej.

– Że co? – zdziwił się Janek. – Ja mam być?

Nagle wkurzył go ten rozkazujący ton. Czy zawsze taki był, czy może jego uszy się od niego odzwyczaiły?

– Czegoś od ciebie chce.

– Idziemy razem?

– Nie, on chce z tobą pogadać sam.

– Wejdziesz?

Kostas pokręcił głową.

– Potem wpadnę – odpowiedział.

Janek wolno zamknął drzwi. Prawdę mówiąc, nie miał ochoty na spotkanie z Leonem. Jednak wiedział, że nie może go zlekceważyć odmową.

Za dziesięć dwunasta podjechał taksówką pod hotel „Cracovia". Jeszcze parę lat temu, kiedy zaczynał pracę dla Leona, był on dla niego symbolem luksusu. Największy, najdłuższy i najwspanialszy hotel w Krakowie ze ścianami ze szkła i błyszczącego aluminium. A dla niego przedsionek do wielkiego świata zaludnionego bogatymi ludźmi, naiwnie wymieniającymi pieniądze u niego i jego kolegów. I te kremówki, po które przyjeżdżali tu z całej Polski. Ale on najbardziej lubił usiąść w barze i rozkoszować się jedynym w Krakowie zimnym piwem, zaciągając się przy tym marlboro.

Teraz ten hotel działał na niego odstręczająco, podobnie jak czekająca go rozmowa z Leonem. Ile ten facet może mieć lat? Ciemny, szczupły i suchy jak wiór, mógł być pomiędzy czterdziestką a sześćdziesiątką. Nigdy w krawacie, za to zawsze z fularem wystającym spod koszuli. A na palcu jak zwykle błyszczący złoty sygnet.

– Janek! – Nagle wyrósł przed nim jak spod ziemi. – Kopę lat! Zmieniłeś się, chłopie.

– Ja?

– A do kogo mówię? Elegancik jak ta lala. Siadaj. – Leon skinął na kelnera. – Dwie kawy i dwa koniaczki. – Mrugnął do Janka. – Mam nadzieję, że gust ci się aż tak bardzo nie zmienił?

– Nie, może być – odpowiedział, choć najchętniej napiłby się piwa. Ale niech Leon decyduje. Potem zobaczymy, pomyślał. – Chciałeś się ze mną spotkać – zaczął sam rozmowę, nie chcąc tracić czasu na jałowe opowieści.

– Bo, chłopie, nie ma czasu. Sprawa jest wyjątkowo pilna.

Leon, paląc marlboro, relacjonował mu kolejny złoty interes. Jego chłopcy ostatnio dużo zarobili na ruskich. Przywieźli z Kijowa spore ilości diamentów. „Takich dobrze chodzących, po półtora karata". Teraz trzeba było to upłynnić, a w związku z tym, że było ich znacznie więcej, niż można było zagospodarować w Krakowie, należałoby przerzucić je na inny rynek, a konkretnie do Wiednia.

– A ty masz tam, Janek, świetne wejścia.

– Ja? To są twoi krewni.

– No tak – przyznał niechętnie Leon i odczekał, aż kelnerka postawiła przed nimi napoje i się oddaliła. – Ale oni ciebie kochają i ty się z nimi świetnie dogadujesz.

Pewnie dlatego, że ci jubilerzy nie mieli zbytniego zaufania do dalekiego krewnego. Dochodziły ich różne opowieści związane z jego profesją i bali się ryzyka.

– Chciałbym, żebyś załatwił tę sprawę. Masz teraz trochę czasu. Kostek mi mówił.

Cholerny Kostek! Nie przypuszczał, że wypaple wszystko Leonowi. Czyim on był kumplem?

– Jestem na urlopie. Miałem prawdziwą orkę. Odpocząć muszę.

– To załatwisz sprawę w trymiga i będziesz mieć kupę czasu. I to przyprawionego luksusem. Chociaż ta twoja laleczka już tu nie mieszka.

– Moja co?

– Ta anglistka.

Janek zacisnął dłonie pod stołem. O Ali też wiedział? A niby skąd? Nikt przecież nie wiedział o tej jego nieszczęsnej szczeniackiej miłości!

– Wyszła za mąż jakiś czas temu. I wyniosła się stąd.

Nie mógł udawać, że go to nic nie obchodzi, skoro tak bardzo chciał usłyszeć, co się z nią stało.

– Dokąd? – Wydało mu się, że nagle ochrypł.

– A gdzieś na Wybrzeże. Hajtnęła się z jakimś dzianym gościem. Coś mi się o uszy obiło, że jego ojciec jest szychą. – Leon zaciągnął się kolejnym papierosem, który oprócz alkoholu musiał być podstawą jego jadłospisu. Facet prawie niczego nie jadł. – Nie martw się! Znajdziesz sobie inną.

– Ja się wcale nie martwię – żachnął się Janek. – Nie widziałem jej od lat.

Od rozpoczęcia nowej pracy. To, że Ala umówiła się na narty z Nastkiem, przekreśliło zupełnie ich znajomość. I co z tego, że brat w końcu nigdzie nie pojechał, bo złamał rękę na nieodśnieżonej ulicy. Liczyły się intencje. Ala jednak tak łatwo nie rezygnowała z tej nienormalnej przyjaźni. Jeszcze przez rok przychodziły od niej kartki i listy, przekierowywane na krakowski adres ciotki. A potem nastąpiła cisza, z którą było mu bardzo dobrze i wygodnie. Tylko że teraz Leon właśnie ją zakłócił, wywołując skrajne rozdrażnienie, które zaburzyło mu prawidłowy sposób myślenia. I kiedy jego dawny zleceniodawca ponownie nawiązał do wyjazdu do Wiednia, Janek zareagował stanowczo:

– Leon, bardzo ci dziękuję. Wiem, ile dla mnie zrobiłeś, naprawdę to wszystko doceniam, ale nigdzie nie pojadę. Zrozum mnie. Ja mam teraz inną pracę, inne życie. Tamte biznesy to już dla mnie przeszłość. Nie chcę się znów w to bawić.

– Bawić? Co ty mi, kurwa, o zabawie pierdolisz? – zachrypiał wychudły mężczyzna. Przekleństwa nie wróżyły niczego dobrego. Leon klął tylko w chwilach skrajnego wzburzenia. – To ja cię, skurwysynu, na piersi wychowałem, forsę ci pożyczałem, a ty mi nie chcesz pomóc w ważnej dla mnie sprawie? Kim ty, kurwa, myślisz, że jesteś? Odwaliło ci od tego pieprzonego Zachodu, wale jeden!

Janek podniósł się z fotela i wyjął pieniądze z kieszeni. Położył je na stole i sięgnął po skórzaną kurtkę.

– Słuchaj, Leon. Jakbyś był chory lub trafiłbyś do mamra, to ja ci oczywiście zawsze pomogę. Ale w tej sprawie nie zmienię decyzji.

Mężczyzna odstawił z łoskotem opróżniony kieliszek. Hałas sprawił, że momentalnie zwróciły się na nich oczy wszystkich gości w barze.

Leon uśmiechnął się szeroko, udając, że nic się nie stało, ale do Kassalisa wyraźnie doszły jego mówione szeptem słowa:

– Jeśli myślisz, gnoju, że ty sam podejmujesz takie decyzje, to się grubo mylisz. To nie jest jakiś pieprzony kontrakt, który można sobie zakończyć według swojego widzimisię. Ze mną tak się nie załatwia spraw. Zapamiętaj to sobie!

Gdy Janek wychodził z baru, słowa Leona wciąż brzmiały złowieszczo w jego uszach. Ale prawdę mówiąc, nie przejmował się tym zbytnio. Podjął decyzję i nie zamierzał się teraz zajmować jej konsekwencjami.

– Byłeś u ojca? – to było niemal pierwsze pytanie, które padło z ust Nastka.

– Jutro pójdę – odparł Janek, przyglądając się ponownie suto zastawionemu stołowi, na którym leżały greckie specjały, takie jak pieczona baranina czy zupa fasolowa, ale także polskie schabowe i barszcz.

Ciotka musiała opróżnić całą spiżarnię na przyjazd braci.

– Ty zawsze wszystko jutro. Nie mogłeś dzisiaj? On już wie, że przyjechałeś.

– Byłem zajęty – zamruczał niechętnie.

Tak, bardzo zajęty. Po rozmowie z Leonem Janek postanowił się przejść, żeby ochłonąć. Skręcił w Manifestu Lipcowego i doszedł do Straszewskiego. Widok budynku Collegium Novum momentalnie przypomniał mu o tym, o czym tyle razy chciał zapomnieć. Skręcił w lewo, by przez Podwale dojść do Dunajewskiego do „Warszawianki". No nie, knajpa była zamknięta. „Deratyzacja". Przez chwilę popatrzył smętnie na wywieszkę i poszedł dalej w stronę Rynku Głównego, biorąc za kolejny cel „Feniksa". Na szczęście ta restauracja była czynna.

I tak wyglądały jego zajęcia tego dnia. Włóczył się po mieście i zaglądał w stare kąty. Czasem trafiał na dawnych znajomych, z którymi zamieniał parę słów, wypił też jakieś dwa piwa. Nie był jednak w dobrym nastroju. Jego dobry humor skończył się w hotelu „Cracovia". O ojcu nie pomyślał nawet przez chwilę, za to bez przerwy pojawiała mu się przed oczami Ala. Odtwarzał w myślach ich wspólne występy z zespołem greckim, granie na gitarze w jej pokoju pełnym zachodnich plakatów. Nie poczekała na niego i wzgardziła nim. Wolała jakiegoś ustawionego chłystka z prominentnym tatusiem. Im dłużej o tym myślał, tym bardziej irytował go fakt, że może być takim słabym durniem.

– Powiedziałem ci, że pójdę do niego jutro. Jak tam u niego? Jak byłeś, to wiesz – zwrócił się do brata.

– Od jakiegoś czasu znacznie lepiej. Przekonał się do pigułek i nawet się zaczął interesować różnymi rzeczami.

– Ale nie swoimi dziećmi.

– Daj mu szansę, Janek. To wina jego stanu psychicznego.

– Ojciec przychodzi do mnie co miesiąc – wtrąciła się Bożenka.

– Alelluja! – odparł młodszy Kassalis. – Należy mu się medal zasługi.

– On cały czas próbuje. Daj mu szansę, stary! Dostał lepszą pracę. Pracuje teraz jako magazynier.

Załamany odejściem Renaty Jorgos stracił pracę w komitecie i przez długi czas był w stanie wykonywać jedynie proste prace fizyczne.

– Dam. I jutro do niego idę. Zmieńmy temat. Opowiedz lepiej o tej swojej konferencji.

Nastek, choć nadal męczący, zmienił się. Nie pracował już w akademiku, tylko dostał asystenturę na uniwersytecie. Być może dzięki temu przywiązywał teraz większą wagę do swojego stroju, stał się też bardziej rozmowny. Jak obroni doktorat, co miało nastąpić już w tym roku, to pewnie jeszcze bardziej się rozkręci, myślał Janek, ciesząc się z przemiany, która zaczęła następować w bracie. Przestał też marudzić na każdy temat, wypominać Jankowi nieskończone studia, pouczać ciotkę i wychowywać Bożenkę. Ciekawe, czy znalazł w końcu jakąś dziewczynę. Może to ona go ustawiła do pionu?

– Hej, Janek. Czy ty w ogóle mnie słuchasz?

Po takiej porcji jedzenia, jaką właśnie wchłonął, jego koncentracja znacznie osłabła. Z przyjemnością przyglądał się swojej rodzinie. Sympatycznemu i nieco już zgarbionemu wujowi, zarumienionej od pracy przy kuchence ciotce, śmieszce Bożence i bratu, którego niebieskie oczy potrafiły wyśledzić każdego nieuważnego słuchacza.

Janek skinął głową.

– Pojutrze jadę do Gdańska. Pojedź ze mną, co ci szkodzi. Wynajmuję teraz z kumplem mieszkanie. Jego nie będzie przez najbliższe dwa tygodnie. Miałbyś u mnie dobre warunki.

– On nigdzie nie pojedzie. Dopiero przyjechał – oburzyła się Bożenka.

Młodszemu Kassalisowi przypomniała się nagle wykrzywiona gniewem twarz Leona. Może to był dobry pomysł, żeby się zabrać z Krakowa? Tymczasem sprawa przyschnie. Za parę tygodni wyśle Leonowi kilka flaszek najlepszego koniaku i stary przestanie się wściekać. Poza tym miasto bez Ali straciło swój urok. Nie będzie po nim łaził i szukał wspomnień pod każdym starym kamlotem. Coś musiał z sobą zrobić przez te najbliższe tygodnie; żałował, że nie wybrał się na wycieczkę do Paryża lub Rzymu. Teraz było już na to za późno, więc...

– No dobra. To przyjadę. Ale... za pięć dni – powiedział, widząc błagalne spojrzenie Bożenki.

Rozdział XV

Trójmiasto, wiosna 1975

Nastek naprawdę się zmienił, stwierdził Janek, omiatając spojrzeniem pokój brata. Magnetofon szpulowy, gramofon Telefunken, porządny dywan na podłodze, a w szafce prawdziwy barek z peweksowskimi alkoholami. Gdzieś po drodze zahaczył wzrokiem o skórzaną kurtkę i nowiutkie levisy. No, przyszpanował chłopak, westchnął Janek, widząc, że brat wykorzystał pieniądze na przyjemności.

Do tej pory Nastek odkładał każdy zaoszczędzony grosz na książeczkę PKO, a lepsze ciuchy wkładał od święta, szczególnie wtedy, kiedy miał się spotkać z Jankiem, i to tylko dlatego, żeby ten nie wypominał mu dziadowania. A teraz...

– No i co? Podoba ci się?

– Fajnie. Pewnie, że mi się podoba. A tego kolesia naprawdę nie będzie?

– Nie. Wyjechał na krótkie stypendium. Do Paryża. Widzisz, stary, jak tu się zmienia!

– Co? Że coca-colę można kupić w sklepie?

– No co ty! Te wszystkie inwestycje. Zachodnie licencje. Większa swoboda.

– Taaa. Racjonowana przez czerwonych. Nie gadaj ze mną o polityce – uciął Janek.

Nastek chciał coś powiedzieć, ale się powstrzymał. Najwyraźniej zależało mu na dobrych układach z bratem, a dyskusje na tematy polityczne źle się kończyły. Janek też się powstrzymał. Dwa dni wcześniej usłyszał od Bożenki, że brat zapisał się do PZPR. Podobno ze względów koleżeńskich na uniwersytecie. Podobno. Jednak Janek uważał, że zrobił to ze względu na swój doktorat. Pewnie liczył, że władze spojrzą na niego łaskawszym okiem. Nie musiał tego robić. I tak był zdolniejszy niż większość z nich.

Podczas swojej kilkuletniej cinkciarskiej kariery Janek widział zbyt wielu z tych przedstawicieli klasy, tfu, rządzącej głównie w okolicznościach imprezowych i knajpianych. Naprutych, krytykujących system polityczny, opowiadających kawały o Związku Radzieckim, jak również napastujących młode kobiety. Nie chciał nawet przypominać sobie tych sytuacji, bo napełniały go obrzydzeniem. Pewnie byli i inni, lepsi, ale on takich nie spotkał na swojej drodze.

– Co robimy dzisiaj wieczorem? – zapytał brata i trochę złośliwie dodał: – A może nigdzie nie idziemy, tylko sobie poczytamy?

Nie chciał nic Nastkowi mówić, ale podczas pracy na morzu pochłonął furę książek. Czytał już biegle w trzech językach i oddawał się tej nowej przyjemności po parę godzin dziennie. Koledzy trochę się z niego naśmiewali, ale nie szkodzi. Nadrabiał wszystkie zaległości w lekturach łącznie z Szekspirem i Homerem. Natomiast brat nie musiał o tym wiedzieć. Jeszcze pomyślałby, że to pod jego wpływem!

– Znam jedną dziewczynę – zaczął Nastek.

– Wreszcie – zatarł ręce Janek. – Ma koleżankę?

– Niejedną – roześmiał się brat. – Rozrywkowa laska. Jej matka umarła parę lat temu. Ojciec jest marynarzem i pływa w dalekie rejsy.

– I sama mieszka?

– Tak, ma chatę na Wzgórzu Nowotki.

– No, Nastusiu, bracie. Proszę, proszę. Jakie ty czasem masz zaskakujące pomysły! Skąd ją znasz?

– Aaaa! – Zaczerwienił się lekko. – Byłem tam kiedyś ze znajomymi. Wiesz, na prywatce. Ktoś kogoś zna, idzie się dalej i ląduje w zupełnie nieznanym miejscu.

Cuda się zdarzają. Brat jeszcze przed trzydziestką zdołał odkryć uroki prywatek. Janek był tym lekko rozbawiony, ale i zaciekawiony, dokąd trafi tego wieczoru.

Mieszkanie Nastka znajdowało się na nowo powstałym osiedlu Żabianka, które miało mieć wkrótce doskonałe połączenie komunikacyjne z całym Trójmiastem poprzez budowany właśnie nowy przystanek kolei miejskiej. Tymczasem jednak było to szczere pole i obaj szybko uznali, że do Gdyni najszybciej dojadą taksówką, jeśli oczywiście jakieś będą na postoju. Na imprezę zabrali, po długich konsultacjach, butelkę czystej i szampana, którego Janek kupił w Baltonie.

Był to jeden z tych wczesnomajowych zimnych wieczorów, kiedy wszyscy się zastanawiają, czy wrócą jeszcze mrozy. Obaj mężczyźni pozapinali więc szczelnie kurtki i nastawili kołnierze. Byli w dobrym nastroju, nad którym pracowali całe popołudnie, opróżniając pół litra żytniej i przekąszając ją smakołykami, które Janek przywiózł z Krakowa od Vasilissy. „Już ja dobrze wiem, jak się tam będziecie odżywiać".

Na postoju stała tylko jedna taryfa jakby na zamówienie. Taksówkarz ucieszył się, że trafiła mu się nieco dłuższa trasa niż zwykle, i chcąc zabawić gości, włączył na cały regulator muzykę, a potem próbował ją przekrzyczeć, rozmawiając z nimi donośnym głosem. Janka to bawiło, więc mu odpowiadał, jak zwykle bardzo ogólnie, wiedząc, czym może się skończyć nadmierna szczerość okazana taryfiarzowi. Wiadomo było, że połowa kierowców taksówek to donosiciele, a nie chciało mu się zgadywać, do której części należy ten konkretny.

Po niecałych piętnastu minutach dojechali na ulicę, która po obu stronach zabudowana była domkami jednorodzinnymi. Mieszkali tu niewątpliwie ludzie zamożni, gdyż tylko takich stać było na własny dom. Tylko że wszystkie były podobnymi, brzydkimi sześcianami, zapewne też pomalowanymi na ten sam szary kolor, choć akurat tego nie było widać w ciemnościach. Janek nic nie miał przeciw takiej unifikacji, która pozwalała mu w każdym takim domku bez problemu trafić do toalety, jednak największym szokiem po powrocie z długiego pobytu na Zachodzie była przytłaczająca szarzyzna otoczenia i wszechobecny smród; jego prozaiczną przyczyną był brak higieny wśród ludzi, ale też dym z kominów i zapach taniej benzyny.

Jednakże siermiężność, o której rozmyślał Janek, zniknęła raptownie, kiedy otworzyły się przed nimi drzwi domu. Stała w nich rozbawiona postać w długiej, kolorowej jak tęcza sukni, niczym nieróżniąca się od tych, które można było spotkać na podobnej imprezie w Londynie czy innym zachodnim mieście. Dziewczyna miała długie jasne włosy i natychmiast zawisła na szyi jego brata.

– O, jest mój Nastuś kochany. Wiedziałam, że nie zapomnisz o nas.

Nastek się zaczerwienił i postawił dziewczynę na ziemi dopiero po dłuższej chwili.

– To jest Zuza, a to mój brat Janek.

– Cześć! – Wyciągnęła rękę, którą polskim zwyczajem ucałował, co Zuza uznała za zabawne i zachichotała.

– Chodźcie do środka. Impreza już się rozpoczęła.

Powiesili kurtki i przeszli korytarzem do opróżnionego niemal z mebli dużego pokoju. Były tam tylko półki z książkami, a pod przeciwległą ścianą stał sprzęt grający. Całe pomieszczenie wypełniali po brzegi tańczący ludzie. Oświetlała je tylko jedna zapalona nocna lampka i rząd świeczek na parapecie.

Zabawa nabierała już tempa. Dziewczyny poubierane w zachodnie dżinsy i kolorowe bluzki były roześmiane i pozwalały się obściskiwać, a jedna para migdaliła się już w najlepsze przy oknie. Barek zaaranżowano obok, w kuchni, z której usunięto drzwi. Na okrągłym stole stały alkohole, których wybór nie ustępował Baltonie. Jedzenie było mniej oryginalne, kanapki – tak jak na większości prywatek – przygotowywane przez najmniej atrakcyjne dziewczyny. Przyszły same, bez partnerów, i pitrasząc w kuchni, próbowały jakoś uzasadnić swoją obecność, chociaż te laski, jak musiał przyznać Janek, były młode i całkiem atrakcyjne. Uważając, że trzeba od czegoś zacząć, uśmiechnął się do nich i już po chwili siedział sobie w najlepsze przy stole, podjadał co lepsze składniki do kanapek i słuchał świergotania dziewcząt, które popijały wódkę z sokiem pomarańczowym.

Czyli to bananowa młodzież, najprawdopodobniej dzieci aparatczyków lub marynarzy. Słuchając rozmowy domorosłych kucharek, zorientował się, że niewiele się pomylił. Rzeczywiście takiej młodzieży było sporo pośród imprezowiczów, a resztę stanowiły dzieci sąsiadów oraz kilka koleżanek Zuzy ze studiów. Tylko co ta Zuza mogła studiować? Zachowywała się jak dziecko, ale emanowała erotyzmem. Wybuchała śmiechem po każdym dowcipie i cieszył ją nawet każdy papieros, którego zapalała. Janek musiał przyznać, że jest cholernie atrakcyjna, nie mogąc zrozumieć, dlaczego jego brat tak głupio się zachowuje. Stał jak kołek pod ścianą, rozmawiając z jakimś nabzdyczonym łysiejącym gościem, podczas gdy do Zuzy najwyraźniej dobierał się ktoś inny.

Janek otarł usta i odstawiwszy kieliszek po wódce, podniósł się z krzesła.

– Stary, rusz się, bo ci ją odbije – szepnął do Nastka.

Ten obrócił się i spojrzał na niego swym profesorskim wzrokiem.

– Przestań. To nie jest moja dziewczyna.

– Nie? A chcesz, żeby była?

– Daj spokój! Mnie ona nie obchodzi. To dziwka. Zajmij się czymś. Nudzi ci się? – Nastek był wyraźnie wściekły.

Znów zachowywał się jak kiedyś. Potworny sztywniak. O co mu chodzi? Przecież nie jest najstarszy w tym gronie. Na środku pokoju wraz z dziewczyną wyglądającą na licealistkę podrygiwał w rytm *Waterloo* znacznie starszy od niego facet. Byli też inni.

Janek wzruszył ramionami i zostawił brata. Nie będzie nikogo uszczęśliwiać na siłę. Zerknął na dwie mocno umalowane dziewczyny próbujące go wabić uśmiechami i zalotnym trzepotaniem rzęs. Już chciał do nich podejść i zagadać, kiedy magnetofon na chwilę zarzęził, a potem zabrzmiały pierwsze akordy *Stairway to Heaven* Zeppelinów. Momentalnie obrócił się na pięcie i podszedł zdecydowanym krokiem do Zuzy.

– Chyba mi obiecałaś ten taniec – powiedział do niej dość głośno, by usłyszał go obmacujący ją gość, i zanim oszołomiona zdążyła zareagować, objął ją w talii i wolnym tanecznym krokiem przesunął się z nią w stronę okna.

– O! To mi się podoba – zaśmiała się Zuza. – Umiesz podejmować szybkie decyzje.

– To zależy od okoliczności – odpowiedział i przytulił ją do siebie.

Pachniała dobrymi, choć może zbyt mocnymi perfumami i dymem, od którego w pokoju było aż gęsto. I była bardzo szczupła, jak wyczuł, obejmując ją w talii.

– Tym bardziej mi się podoba.

– Naprawdę to jest twój naturalny kolor? – Dotknął długich jasnych włosów i przepuścił je między palcami. Były takie żywe i lśniące jak u lalki.

– Moja matka miała takie same włosy. Jestem do niej bardzo podobna. – Znów się zaśmiała, ale nagle coś się jej przypomniało i spoważniała. Przesunęła ręce na szyję Janka i zmieniła szybko temat: – A ty jesteś Jannis, żeglarz siedmiu mórz?

– Ha, jeśli tak mówił mój brat, to pewnie powinien jeszcze dodać, że ten, który nie chadza prostymi drogami.

Zuza podniosła głowę i spojrzała na niego – jej ciemnoniebieskie tęczówki w tej chwili wydawały się zupełnie czarne. Jej powieki były ciężkie od grubej warstwy cienia do powiek. Muzyka była pełna obietnic, a oni dali się nim unieść.

– Takich właśnie najbardziej lubię – powiedziała Zuza i musnęła wargami jego usta.

Z magnetofonu popłynęły dźwięki *Dark Side of the Moon* Pink Floydów, a oni kołysali się w rytm muzyki. Zuza odchyliła głowę do tyłu i zamknęła oczy, a jej wygięta szyja kusiła do pocałunków. Janek zauważył, że Nastka nie ma w pokoju.

– Chodź – powiedziała nagle Zuza. Zdecydowanie chwyciła Janka za rękę i poprowadziła go pomiędzy tańczącymi parami na korytarz. Po chwili zamknęła za nimi drzwi do ubikacji. Kassalis był pod wpływem alkoholu, ale nie był tak mocno pijany, żeby się nie zdziwić, jak dziewczyna zdołała klęknąć w tak małym pomieszczeniu. Poczuł, że rozpina mu pasek, a potem rozporek. Ogarnęło go podniecenie, ale tym razem postanowił nad nim zapanować. Kiedyś to może... No cóż, nie pierwszy raz zdarzyło mu się coś takiego, ale to było kiedyś.

Chwycił Zuzę za nadgarstki i szarpnął ją zdecydowanie w górę. Popatrzyła na niego mocno skonsternowana.

– Nie, moja droga, to nie będzie tak, jak ty chcesz. – Zerknął na zegarek. Dobiegała właśnie jedenasta. – O drugiej pozbędziesz się tego całego towarzystwa, jasne?

– Ja? Dlaczego?

– Bo ja tak mówię. I nie pij już więcej, rozumiesz?

Zuza nerwowo oblizała usta.

– Jesteś... jesteś bardzo zdecydowany.

– Czasami – odpowiedział, a potem ją pocałował. Oddała mu pocałunek z taką pasją, iż przez chwilę miał wątpliwości, czy dobrze zrobił, powstrzymując ją. Do diabła, co za seksowna dziewucha!

– A teraz idziemy do gości – powiedział, a kiedy Zuza odwróciła się do drzwi, sięgnął ręką między jej pośladki. Wskazującym palcem przycisnął to ciepłe miejsce. Drgnęła jak porażona prądem i ponownie obróciła się do niego.

– Janek?

– No już, wymarsz. I zachowuj się!

Miał tylko nadzieję, że Nastek nie zauważy, jak będą wychodzili z ubikacji. To byłby cholerny pech. Na szczęście jedyna para, którą minęli na korytarzu, była zbyt zajęta sobą, by dostrzec nawet lądujący koło nich statek marsjański.

Zuza, nieco spłoszona, pobiegła natychmiast na górę, a Janek zaczął zaglądać do wszystkich pomieszczeń, żeby znaleźć brata. Wyglądało na to, że Nastek już poszedł.

Nie znał tego sufitu. Nie była to kajuta, bo nie słychać było szumu motorów, poza tym zza okna dochodziło wkurzające ćwierkanie, a nawet trele. Gdzie on był? I nagle mu się przypomniało.

Kiedy otworzył oczy, zobaczył rozsypane na poduszce jasne włosy Zuzy.

Niezła była. Trochę się zabawili tej nocy, kiedy dziewczyna postanowiła mu się podporządkować i wyrzuciła nieco zaskoczonych gości punktualnie o drugiej w nocy.

– Ale kolejki jeszcze nie jeżdżą – próbowali protestować, jednak była niewzruszona.

– Miałam telefon. Jutro rodzinna kontrola z samego rana. Przychodzi młodsza siostra mojej matki. To istna jędza z piekła rodem – mówiła, popychając gości w stronę drzwi.

A potem zaprowadziła go do swojej sypialni, gdzie ściany pomalowane były na czarno i panował nieludzki bałagan. Zuza jednym ruchem ręki zrzuciła stos ubrań z łóżka z metalowymi poręczami i zapaliła kilka ogarków świec stojących na biurku. A potem... potem zrzuciła sukienkę i się zaczęło.

Janek, czując, że chętnie powtórzyłby pewne sceny z ubiegłej nocy, przysunął się do pleców Zuzy. Jak dobrze, że dał się namówić na ten przyjazd do Gdańska.

– Nastek, nie. Chcę spać! – Te słowa podziałały na niego jak zimny prysznic.

Dość brutalnie odwrócił ją do siebie. Spojrzała na niego rozkojarzonym wzrokiem.

– Sypiałaś z Nastkiem? – wysyczał, czując wzbierającą panikę.

Zuza chciała usiąść na łóżku, ale chwycił ją za ramiona.

– Odpowiedz.

Przewróciła oczami.

– Mam ci się spowiadać? Spałam, to spałam. W sumie jesteście podobni do siebie. Wczoraj cię posłuchałam, ale nawet nie myśl, że tak zawsze będzie. Ten twój głupi brat tego nie rozumiał.

Janek się roześmiał. Podobała mu się taka.

– Chciał się ze mną żenić. Ja mam dwadzieścia lat. Po co mi to? Chcę się jeszcze w życiu pobawić. Studia wystarczająco mi w tym przeszkadzają.

Janek odrzucił jej włosy z oczu.
– A co ty w ogóle studiujesz?
– Rachunkowość – odpowiedziała ta niezwykła dziewczyna. – Rozmawiasz z przyszłą księgową. – I roześmiała się na cały głos jak z najlepszego dowcipu.
Janek musiał przyznać, że to było zabawne.

Kilka godzin później było mniej zabawnie, kiedy pojechał do Nastka, zostawiwszy Zuzę na poimprezowym pobojowisku. Nie mógł uprzedzić brata, że przyjedzie, gdyż ten nie miał telefonu, i oczywiście, jak na złość, nie było go w domu. Janek krążył więc po osiedlu przez parę godzin coraz bardziej zły i zmęczony, zanim ten się łaskawie pojawił.
– Dlaczego mi nie powiedziałeś, że byłeś z Zuzą? – spytał Janek, kiedy Nastek otworzył drzwi. Było mu głupio i niezręcznie. Nie przypuszczał, że kiedyś znajdzie się w podobnej sytuacji.
Brat rzucił mu ironiczne spojrzenie.
– Czy to by coś zmieniło?
– W życiu bym jej nie tknął.
– Tego już nie sprawdzimy. – Machnął ręką, ale Janek zobaczył, że jest wściekły. – Daj spokój, to puszczalska. Ale jak chcesz się zabawić, to powodzenia. – Odwrócił się i poszedł do pokoju, gdzie zasiadł przy biurku i zaczął wertować jakieś papiery, robiąc wrażenie szalenie zapracowanego.
Koniec audiencji, stwierdził Janek i pospiesznie spakował swoją torbę podróżną.
– Cześć – rzucił na odchodne, ale Nastek nawet mu nie odpowiedział.

Zaledwie po kilku dniach mieszkania z Zuzą Janek doszedł do wniosku, że to nie był najlepszy pomysł. Powinien dogadać się z bratem, a nawet go przeprosić, jeśli poczuł się zraniony. To on był dla niego ważny, a nie ta dopiero co poznana dziewczyna, która choć śliczna i seksowna, była, prawdę mówiąc, nieco uciążliwa.

Nie mógł pojąć, dlaczego nie wywalili jej jeszcze ze studiów, gdyż interesowało ją jedynie urządzanie hucznych imprez. Na to nie brakowało jej ani czasu, ani pieniędzy. Widocznie tatuś dobrze zabezpieczył swoją jedynaczkę, choć nie wyglądało, żeby troszczył się o nią w jakiś inny sposób. Ani do niej nie dzwonił, ani nie pisał, a jego powrót planowany był dopiero za pół roku.

Janek odkrył, że Zuza miała mnóstwo zainteresowań, ale nie należało do nich sprzątanie. A ponieważ po każdej prywatce dom był coraz bardziej zdewastowany, zastanawiał się nawet, czy doczeka do powrotu jej ojca. Dowiedział się od dziewczyny, że po raz pierwszy została sama w domu. Po śmierci matki mieszkała z nią znienawidzona ciotka. Kiedy Zuza stała się pełnoletnia i rozpoczęła studia, Monika wreszcie się wyniosła. „Wredna suka. Próbowała wyciągać forsę od tatusia", skarżyła się Jankowi.

Kiedy w południe wypełzali z łóżka, Zuza jechała, żeby się pokazać na chwilę na uczelni, a potem, nagle niezmordowana i kipiąca energią, rozpoczynała przygotowania do kolejnej imprezy. W związku z tym Janek czuł się zmuszony do przybijania oderwanych framug, usuwania śladów po papierosach czy wynoszenia kubłów ze śmieciami. Był to dość dziwny sposób spędzania urlopu, gdyż wszystkie te zajęcia nie pozostawiały mu czasu na nic innego. Czuł, że żyje w stanie jakiegoś dziwnego zawieszenia, a wrażenie nierealności pogłębiało się każdego wieczoru, kiedy prywatka rozkręcała się na nowo. Imprezy miały różny charakter, bo czego jak czego, ale wyobraźni Zuzie nie brakowało.

Kiedy odkryła, że Janek gra na gitarze i buzuki, mieli

„muzykę na żywo", a on po raz kolejny w życiu musiał uczyć wszystkich „zorby". Był też wieczór z Abbą, bal przebierańców i zabawa w poszukiwaczy skarbów. W ciągu jednego tygodnia drzwi bardzo przyjaznego domu Zuzy aż czterokrotnie otwierały swoje podwoje przed gośćmi. Po tym, jak parę razy przegonił kopulującą parę z pokoju gospodyni, Janek miał wrażenie, że część tych ludzi przychodziła tu nie tylko po to, by się bawić, ale także po to, by uprawiać seks z braku lepszego miejsca.

W każdym razie panująca tu atmosfera była zdecydowanie swobodna, szczególnie gdy Zuza wymyśliła jednego wieczoru bal nudystów. Nie wszyscy się rozebrali. On zdecydowanie zaoponował i za karę musiał siedzieć w kuchni z tymi nielicznymi ubranymi, którzy mieli zakaz zabawy z nagusami. Próbował jednak kontrolować sytuację, gdyż zauważył studenta, który wyraźnie próbował zarwać mu dziewczynę. Kiedy wszedł do pokoju pozabierać szklanki, ze zgrozą dostrzegł w księżycowej poświacie – bo wszystkie światła były wyłączone – że większość tam obecnych zmieniła pozycje na horyzontalne, a Zuzę w tańcu, a w zasadzie jej nagie piersi, obejmuje wcale nie student, ale starszy facet, i to o bardzo oczywistych zamiarach. Tylko tyle zdążył dostrzec Janek, zanim przyładował mu z całej siły w twarz.

– Wypierdalaj stąd! Już! – Mężczyzna zatoczył się i wpadł na stolik, na którym stały na wpół opróżnione szklanki. Szkło posypało się na podłogę.

Ciekawe, czy jakiś fakir zdoła się teraz na tym położyć, pomyślał z satysfakcją Kassalis.

– Janek. – Zuza się zaczerwieniła. – Nie wygłupiaj się! Bawimy się tylko!

– Na górę! – zarządził. – Ubieraj się natychmiast. Koniec tej orgietki.

– Zwariowałeś?

Kątem oka zauważył, że nadzy imprezowicze zaczęli się podnosić z podłogi. Kilka dziewczyn usiłowało się zasłonić.

– Koniec zabawy. Spadajcie stąd! – Wyłączył magnetofon.

Zuza nie okazywała wstydu. Stała przed nim dumnie wyprostowana.

– Nigdzie nie idziecie. To on wychodzi.

– Jeśli tak, to już nie wrócę.

Wzruszyła ramionami, więc odwrócił się na pięcie. Po drodze pchnął jeszcze z całej siły gramolącego się na nogi obłapiacza i wyszedł z pokoju.

No i co teraz? Była już prawie dwunasta, ale Janek nie miał żadnych wątpliwości. Poszedł na górę do sypialni i spod góry kiecek wydobył swoją torbę. Po ośmiu dniach tej nieprawdopodobnej historii znów się pakował. Nastek pewnie pęknie ze śmiechu, pomyślał, wiedząc, że właśnie do niego skieruje teraz kroki. Nie mógł jednak odnaleźć części swoich ubrań i przeszedł z torbą do łazienki.

Na dole znów muzyka wyła na cały regulator, a parę osób próbowało się siłować na głosy z Animalsami w piosence *Dom wschodzącego słońca*.

W co on się wdał? Janek miotał pod nosem wszystkie znane przekleństwa polskie, greckie i angielskie i próbował odnaleźć swoje przybory do golenia. Otworzył szufladę Zuzy i zauważył zużytą strzykawkę. W pierwszej chwili zatkało go ze zdumienia, ale kiedy wziął ją do ręki, wszystko zaczęło mu się układać w całość.

To nienormalne zachowanie Zuzy, bo wyraźnie odstawało od normy, nagłe zmiany nastrojów, odloty, których był świadkiem. Ależ z niego dureń! Związał się z ćpunką i nawet tego nie zauważył. Akurat ją musiał wydupczyć, tak jakby na świecie nie było innych równie ładnych i normalnych dziewcząt?

Ze wściekłością wrzucił maszynkę i krem do golenia do torby i zszedł po schodach.

Kiedy znalazł się w przedpokoju i miał już zamiar nacisnąć na klamkę, przy drzwiach rozległ się dzwonek. Miał zamiar otworzyć drzwi i posłać dzwoniącego do wszystkich diabłów, a najchętniej zrzucić ze schodów. Wziął głębszy wdech i otworzył drzwi.

I nagle całe powietrze z niego uszło. Przed nim na podeście, w świetle lampy, stała Ala.

Rozdział XVI

W pierwszej chwili jej nie poznał. Miała teraz krótkie, ścięte na chłopaka włosy i wyglądała jak zagubiony elf. A potem... potem przyszło mu na myśl, że być może skaleczył się strzykawką Zuzy i to, co widzi przed sobą, to nie żywa osoba, ale jakaś narkotyczna wizja, która zmąciła mu umysł. Dopiero kiedy stojąca przed nim dziewczyna odezwała się do niego, zrozumiał, że to nie jest żaden sen nocy letniej, tylko najprawdziwsza prawda.

– Przepraszam, ale tym razem przesadziliście z tym hałasem. Sąsiedzi zamierzają zadzwonić na milicję, jeśli się natychmiast nie uspokoicie.

Ona też go nie poznała?

– Alu?

Dopiero teraz podniosła głowę, spojrzała mu w oczy i rzuciła mu się w ramiona. To było tak nieoczekiwane i cudowne, że chciał ją tulić bez końca, jednak cały uścisk trwał ułamek sekundy, gdyż szybko się z niego wyswobodziła.

– Skąd ty się tu wziąłeś? Po prostu nie wierzę!

Równie dobrze mógł ją zapytać o to samo. I powinien był to zrobić, bo teraz znalazł się w sytuacji, w której musiał czym prędzej wymyślić właściwą odpowiedź.

– Hmm. Zostawiłem torbę u koleżanki mojego brata. Wróciłem późno...

– Zuza jest koleżanką Nastka? – przerwała mu Ala, zanim zdążył zakończyć przygotowaną na poczekaniu perorę.

– Taak. A ja wróciłem późno...

– No proszę. Tak mi się wydawało, że go kiedyś widziałam.

– Kogo?

– Twojego brata. Z okna.

W tej samej chwili dudnienie za drzwiami nagle umilkło jak nożem uciął, a on już nie widział Ali, bo zniknęła w ciemnościach.

– Prąd wyłączyli – zauważyła. – I to chyba w całej dzielnicy. Mam nadzieję, że trafię do domu.

Usłyszawszy te słowa, mgła, która otulała jego umysł od chwili, gdy ujrzał Alicję, nagle się rozwiała i Janek momentalnie wykorzystał okazję.

– Przecież cię odprowadzę. Mieszkasz tu?

– W tym domu obok. Mamy mieszkanie na piętrze.

Kiedy padło to „my", Janek pożałował swojej propozycji. A niech sobie sama idzie do mężulka, skoro jej pozwolił samej chodzić po nocy. To było zaledwie głupie dwadzieścia metrów, ale przemierzał tę drogę na bezdechu i ze ściśniętym sercem, bo znów był zadurzonym i nieszczęśliwym uczniem technikum. Po chwili stanęli przed jej domem i wówczas usłyszał:

– Może wejdziesz ze mną, Janek? Jest ciemno i ja... ja się trochę boję. Nikogo nie ma w domu.

Skinął głową, ale tego przecież nie mogła zobaczyć.

– Pewnie.

Wdrapali się po pogrążonych w ciemnościach schodach i Janek zaczekał w przedpokoju, aż Ala znajdzie w kuchni świece i je zapali, a potem opadł na skórzaną kanapę, którą mu wskazała. Sama usiadła obok, bokiem do niego, jak dawniej podciągnęła nogi i objęła je rękami. Miała na sobie dżinsy i obcisły sweterek w paski. Zawsze była szczupła, ale teraz wyglądała na wręcz wychudzoną.

– Wyszłaś za mąż – stwierdził smutny fakt, potwierdzony obserwacją „salonu" zastawionego modnym segmentem, afrykańskimi posążkami i różnymi dość banalnymi pamiątkami z podróży na Zachód. Nigdy by nie podejrzewał Ali o takie bezguście.

– Wprowadziłam się tu na gotowe – oznajmiła nagle, tak jakby odgadła jego myśli. – Teściowie wszystko dokładnie zaplanowali. Oni mieszkają na górze i ofiarowali nam to mieszkanie.

– A gdzie on teraz jest? – Zupełnie go to nie interesowało, ale chyba wypadało zadać to pytanie.

Ala zmieniła pozycję i usiadła prosto. Gładziła teraz ramiona, tak jakby ta chwila spędzona na dworze podczas tej majowej nocy wymroziła ją do szpiku kości. Jej usta drżały lekko, aż musiała przygryzać wargi.

– Teściowie wyjechali do sanatorium do Ciechocinka. A Jarek... pojechał na kontrakt do Algierii. Jest inżynierem.

Ona nie pojechała z nim od razu, bo decyzja o wyjeździe męża bardzo ją zaskoczyła. Uczyła teraz angielskiego w jednej z gdańskich szkół i nie chciała zostawiać swoich wychowanków w połowie semestru. Zaplanowali więc, że dojedzie do męża, kiedy tylko rozpoczną się wakacje. „Jeszcze półtora miesiąca", powiedziała z wyraźnym brakiem entuzjazmu w głosie. W blasku świec Janek widział wyraźnie jej twarz, na której nie gościł nawet ślad uśmiechu. Unikała jego spojrzenia, błądząc wzrokiem po pokoju.

– Słyszałam, że jesteś bardzo zadowolony z pływania. Udało ci się zrealizować swoje plany, prawda? Zawsze chciałeś podróżować, zwiedzać, być niezależny.

Mówiła teraz tak cicho, że Janek słyszał co drugie słowo.

– Wyrwałem się stąd. Wtedy to było najważniejsze. Ale czy zrealizowałem swoje plany? Alu, przecież mam dwadzieścia cztery lata. Myślę, że to dopiero początek. – Zaśmiał się cicho, nie przypuszczając, że jego słowa podziałają w ten sposób na jego przyjaciółkę.

Zaczęła płakać. W pierwszej chwili tego nie widział, bo miała spuszczoną głowę, dopiero, gdy się odchyliła, zobaczył, że jej policzki podejrzanie błyszczą.

– Ala? – Chciał się do niej nachylić, ale w tym samym momencie zerwała się z kanapy.

– Źle się dziś czuję.

On również wstał, przepełniony słowami, których przez ściśnięte cholernym skurczem gardło nie był w stanie wypowiedzieć. Wszystko szło nie tak, jak powinno, ale ona mu też niczego nie ułatwiała.

– Pójdę już. – Chyba nic innego mu nie pozostało.

– Jest pierwsza. Nie wiem, czy kolejki jeszcze jeżdżą.

– Złapię taryfę.

Spuściła głowę jeszcze niżej. Była zgaszona i zgarbiona, a on nie mógł nic zrobić, by ją pocieszyć przez jakąś niewidzialną, ale namacalną zaporę, która wisiała pomiędzy nimi.

– Postój jest strasznie daleko. – Nagle Ala wyprostowała się i widać było po niej, że podjęła decyzję. – Janek, to bez sensu. Zanocujesz u mnie. Tu jest mnóstwo miejsca. Po co masz się tułać po nocy.

Gdyby to było kiedyś, szalałby ze szczęścia, a teraz wiedział, że to nie ma sensu, bo potem będzie sobie pluł w brodę, że zachował się nie tak, jak powinien.

– Alu, teraz już pójdę, ale może spotkamy się innego dnia. Pójdziemy gdzieś na kawę? – Wypadało wziąć jej numer telefonu.

– Koniecznie. Musimy porozmawiać. Proszę, zadzwoń.

I po chwili opuścił jej dom z karteluszkiem, na którym nabazgrała numer telefonu.

Cała dzielnica nadal pogrążona była w ciemnościach i trochę pobłądził, zanim doszedł do kolejki, ale rzeczywiście przestała już jeździć. Taksówek nie było, jak zwykle, kiedy są potrzebne. Zrezygnowany usiadł na ławce niedaleko postoju i patrzył, jak od czasu do czasu przemykają obok niego z wyłączonymi „kogutami". Próbował skupić myśli na wydarzeniach ostatnich dni i godzin. Pogubił się w tym wszystkim, gdyż tempo życia na lądzie było znacznie szybsze niż to, do którego przywykł na statku, a relacje między ludźmi wydawały się zbyt trudne i nieprzewidywalne. Najdziwniejsze, że przyszedł mu do głowy ojciec i ich ostatnie spotkanie w Krakowie. Powiedział mu wówczas coś bardzo podobnego o tym, jak życie rozczarowuje mimo najlepszych starań i planów. Mówił to podstarzały, apatyczny mężczyzna, który całymi godzinami siedział na kanapie przed telewizorem. Gdzie się podział ten człowiek, przed którym drżeli z Nastkiem. Ten, którego samo pojawienie się w domu wzbudzało strach? On już na nic nie czekał. Wyglądał tak, jakby wszystko, co miało mu się przydarzyć, już dawno temu się zdarzyło.

Gdy Janek ponownie spojrzał na zegarek, zobaczył, że jest po drugiej. Kiedy minął ten czas? I wówczas zobaczył nadjeżdżającą taksówkę. Jednak zamiast wyciągnąć rękę i skinąć, by się zatrzymała, chwycił torbę i ruszył z powrotem pieszo na Wzgórze Nowotki.

Otworzyła mu drzwi w śmiesznej flanelowej piżamie w kwiatki. W świetle lampy – musieli włączyć prąd – jej twarz wyglądała na opuchniętą po długim płaczu. Spojrzała mu prosto w oczy i po raz pierwszy zrozumiał wszystko bez słów. Jednak zamknął najpierw drzwi. Zanim ją pocałował. I zanim powiedział, że zawsze tylko ją kochał.

– Stałam w oknie przez pół godziny i płakałam ze złości, że znów pozwoliłam ci wyjść. I co jest warta taka samoobrona, jeśli jest skierowana przeciwko tobie. I niszczy, uniemożliwia spontaniczność, krępuje ruchy, knebluje usta. Myślałam o tym, że jestem zimna i że nie potrafię się zachowywać jak prawdziwa kobieta. Tak niewiele brakowało, żeby wszystko przepadło na zawsze. Nie wiem, co bym zrobiła, gdybyś nie wrócił.

– Po prostu musiałem.

Żeby nigdy tego w życiu nie żałować, dodał w duchu i tak mocno przytulił głowę do jej piersi, że słyszał bicie serca. Po wydarzeniach tej nocy, i po tym, co sobie powiedzieli, nie miał żadnych wątpliwości, że ją kocha i nigdy nie pozwoli jej skrzywdzić. Miała rację – tak niewiele brakowało, by wsiadł do tej taksówki. Robiło mu się zimno na samą myśl o tym. Rozminęliby się? Na zawsze? Na szczęście zaryzykował – po raz pierwszy od kiedy się znali.

Uczucie do Ali zawsze pozbawiało go odwagi. Wydawało mu się też, że tak naprawdę bał się zbliżenia między nimi. Przecież te dziewczyny, z którymi wcześniej sypiał, szybko przestawały go interesować i w jakiś przewrotny sposób czuł do nich pogardę, że mu uległy. A z Alą miało być inaczej i tak na zawsze, do końca życia. Tej nocy odkrył ze zdumieniem, że naprawdę było inaczej. Zupełnie tak jak opisywali to w książkach. Magia jakaś czy co? Mógł tak po prostu leżeć przy niej i patrzeć na nią.

– Już teraz będziesz ze mną na zawsze – powiedziała, kiedy rano przestali się kochać. On myślał dokładnie tak samo. – Będę mogła zabierać cię wszędzie. – Zaśmiała się i pocałowała go w nos.

– Byle nie do Algierii, bo tam z pewnością nie pojedziesz. – Usiadł na łóżku i spojrzał na zaróżowione policzki dziewczyny, szukając na jej twarzy oznak protestu, ale ona nawet nie mrugnęła.

– Wiem. Odejdę od Jarka.

Ala już od dłuższego czasu wiedziała, że zamążpójście było jej największym błędem. Nie powinno się wiązać z drugim człowiekiem z rozpaczy, zawodu miłosnego ani też z potrzeby ucieczki, ale po wyjeździe Janka wszystko nagle straciło sens, bo przecież zawsze tylko jego kochała. Niemożliwe, żeby on się tego nie domyślał? Ślepy był czy co? Przecież nigdy nie miała nawet innego chłopaka. A ci, co się koło niej kręcili? Co on za głupstwa plecie. To po prostu koledzy, koledzy, których towarzystwo lubiła. A sprawa Janka wydawała jej się zawsze beznadziejna i skazana na niepowodzenie. Kraków mimo wszystko jest mały i nieraz dochodziły do niej słuchy o tym, jak się on obchodzi ze swoimi dziewczynami. I jak długo to trwa. Czy mogła sobie pozwolić na coś takiego? Nie. Po pierwsze była zbyt dumna, a po drugie bała się, że wówczas on zniknie z jej życia i że to będzie ją potwornie bolało. Zachowywała się jak tchórz, unikała bólu, nie wiedząc, że na dłuższą metę będzie znacznie bardziej cierpieć. Głównie z niemocy i wielkiego zawodu po jego wyjeździe.

I wówczas, kiedy oprowadzała po Starym Mieście amerykańskich turystów, spotkała Jarka. Przyjechał do Krakowa, by spotkać się ze swoim wujkiem z Detroit i towarzyszyć mu podczas zwiedzania miasta. Umówili się później na kolację. We trójkę, bo trzeba było zająć się krewnym z daleka. Starszy pan okazał się jednak tak zajmującym rozmówcą, że Ala wypiła aż trzy kieliszki wina, a potem, kiedy wujek przeprosił i opuścił ich towarzystwo, z entuzjazmem kontynuowała rozmowę z Jarkiem.

Wydawał jej się wówczas taki sympatyczny, a szczególnie później, gdy wyjechał i pisał do niej długie listy. Zakochała się w tych listach i stale na nie wyczekiwała. I kiedy po paru miesiącach Jarek ponownie przyjechał do Krakowa i nieoczekiwanie się jej oświadczył, pomyślała, że chce wyjść za niego za mąż i jak najszybciej zacząć nowe życie.

– Znasz moich rodziców. Oni są bardzo kochani, ale tak szalenie nadopiekuńczy, że w ostatnich latach czułam się przez nich przytłoczona. A jednak zupełnie nie zdawałam sobie sprawy z tego, jak bardzo wolna byłam wówczas.

Przyszli teściowie wydawali się bardzo mili, kiedy przyjechali na ślub do Krakowa. Wcześniej ich nie poznała, bo decyzja zapadła bardzo szybko. Nikt nie mógł uwierzyć, że panna młoda nie jest w ciąży, a o tym, że była jeszcze dziewicą, wiedział tylko Jarek. Nie było ślubu kościelnego ze względu na teściów, ale nikt nie robił z tego wielkiego problemu, bo rodzice Ali nie byli zbyt gorliwymi katolikami i bez trudu zgodzili się na uroczystość cywilną.

– Na początku było nawet fajnie, bo pojechaliśmy w podróż do Budapesztu.

Tam Ala naprawdę się zakochała w tym mieście, wschodnioeuropejskim Paryżu. Wyjeżdżając po tygodniu, uroniła z tego powodu niejedną łzę.

– Będziemy dużo podróżować, zobaczysz – obiecywał Jarek, a ona układała pieczołowicie widokówki z Węgier. Nadal je zbierała. Dla Janka... Podczas tej podróży zrozumiała po raz pierwszy, że to nie z mężem pragnęła zwiedzać otaczający ją świat.

A potem przyjechała do Gdyni i wtedy całe poczucie wolności i radość z nowego życia wyparowały jak kropla wody na pustyni, gdyż nagle stała się zakładnikiem innych ludzi.

To oni mówili jej, co ma robić, gdzie i jak mieszkać. Nawet nie musiała szukać pracy, gdyż ta, dzięki koneksjom teścia, sama do niej przyszła na nogach dyrektorki szkoły, jego znajomej. Nie będzie żadnym tłumaczem, praca nad doktoratem nie wchodzi w grę, przynajmniej w tej chwili, bo musi zajmować się rodziną. Najważniejsze, że ma odpowiedzialnego męża na posadzie i to powinno jej wystarczyć. A potem Jarek dostał propozycję wyjazdu. Zgodził się natychmiast i nawet jej nie spytał o zdanie. Zrozumiała wówczas, że tak naprawdę ona nic dla niego nie znaczy, a przynajmniej nie więcej niż urządzenie tego mieszkania. Parę dni później okazało się, że Ala jest w ciąży.

„Moja droga, to nie jest właściwy moment na to dziecko", powiedział jej teść, bo tego samego dnia ta intymna informacja, którą przekazała mężowi, stanęła na ogólnorodzinnym forum dyskusyjnym. „Przed wami taki ważny wyjazd. Jarek będzie zbyt zajęty, by ci pomagać".

– Sama sobie poradzę z dzieckiem – odpowiedziała, zaciskając zęby, żeby się nie rozpłakać. Jej mąż siedział obok i udawał, że problem go w ogóle nie dotyczy, a dziecko zostało wtłoczone w brzuch Ali przez jakąś pozaziemską siłę.

– To wykluczone. Nie teraz. Dopiero po powrocie. – I teść wstał od stołu, zamykając dyskusję, jakby to było partyjne plenum.

Walczyła z nimi, nie chciała się poddać zabiegowi usunięcia ciąży, ale chyba pod wpływem stresu pod koniec następnego tygodnia zaczęła krwawić i poroniła.

– No widzisz, sam Bóg tak chciał – oznajmiła jej teściowa, nagle przywołując w tym ateistycznym domu pierwiastek boski.

Po tym, co się stało, Ala znienawidziła ich wszystkich. Jej stan zdrowia i anemia, która się wywiązała, wykluczały wyjazd do Afryki, w związku z tym Jarek oznajmił jej, że jedzie sam, a ona do niego dołączy w późniejszym terminie.

– To nie jest zły człowiek, tylko całkowicie podporządkowany swoim rodzicom i ich wizji świata. A potem oni wszyscy wyjechali i zrozumiałam, jak bardzo nie chcę ich znowu widzieć. Postanowiłam się z nim rozwieść, jak tylko dojdę trochę do siebie i zbiorę wystarczająco dużo sił, by się im przeciwstawić.

– Kiedy oni wracają? – spytał Janek, myśląc o tym, że za dwa tygodnie musi się ponownie zamustrować na statek. Wysłuchał tej przerywanej płaczem opowieści ze ściśniętym sercem. Nie mógł przecież jej zostawić w tym przybytku zła. Jeśli do tej pory wydawało mu się, że jego rodzina jest nienormalna, to to, o czym teraz słuchał, było dla niego niepojęte.

– Za dziesięć dni.

– To wobec tego mam tydzień, by wynająć dla nas mieszkanie. Powinienem wrócić w ciągu miesiąca.

– Mówisz poważnie?

– Alu, ja wiem, jak ty nadal na mnie patrzysz. Ale zaufaj mi. Nigdy w życiu nie byłem niczego tak pewny. O co chodzi? – spytał, widząc, że przez jej twarz przemknął cień niepokoju.

– Ten mój teść... Boję się trochę. To jest taki oślizgły typ. Może nawet skrzywdzić.

Janek miał zbyt długie doświadczenie w kontaktach z półświatkiem, by miał się przejmować jakimiś oślizgłymi typami. Zbyt wielu ich w życiu spotkał.

– Teraz już niczym się nie musisz martwić. Bo ja tu jestem – powiedział i spojrzał w oczy Ali, które mimo iż nadal zaczerwienione od łez nigdy dotąd nie były tak piękne i ufne. – I kocham cię! – oświadczył po raz drugi w ciągu paru godzin, a przecież po raz pierwszy w życiu. – A teraz włóż tę ohydną piżamę w kwiatki i błagam, zrób mi kawy!

– Już druga? – Zerwała się na równe nogi. – Zupełnie zapomniałam. Za godzinę przychodzi do mnie uczennica na korki.

– W niedzielę?

– No niektórzy mają czas tylko w niedziele. To moja sąsiadka, Zuza.

– Zuza? Ta Zu...za... Są...siadka? – wyjąkał nagle przerażony, że Ala może dowiedzieć się o tym pozbawionym znaczenia epizodzie. I wówczas... Nie, nawet nie mógł o tym myśleć.

– Ta sama. Koleżanka twojego brata. Umawiamy się na niedziele, ale ona nie zawsze przychodzi, bo czasem zdarza się jej zabalować, ale muszę przyznać, że ma duże zdolności językowe. To długo nie potrwa. Godzinkę.

Zdecydowanie za długo jak na niego. Musiał czym prędzej uciekać, a potem wymyślić coś takiego, by Ala nigdy się o tej historii nie dowiedziała. Nic nie mogło wymazać tej łagodnej ufności z jej oczu.

– I ja mam udawać przy Ali, że Zuza jest moją dziewczyną? Prywatkę mam wyprawiać? Na łeb upadłeś! Daj mi spokój. Teraz mnie jeszcze mieszasz w swoje miłosne gierki. Po cholerę się przyczepiłeś do mężatki? Chcesz jej zrujnować życie? – Nastek ze złości aż się opluł.

– Chyba żartujesz. Ja się chcę z nią ożenić. Muszę ją zabrać od męża. Pomożesz mi znaleźć dla niej mieszkanie?

– I to dlatego mam ją do siebie zaprosić? I to z Zuzą?

Na pomysł z prywatką wpadła Ala. W pierwszej chwili Janek się zgodził, ale potem nie bardzo wiedział, jak z tej sytuacji wybrnąć. Oczywiście jej się wydawało naturalne, że skoro się wszyscy znają, to powinni się również razem spotkać. Natychmiast więc wymyślił, że lepiej będzie, jak to nastąpi na obcym terenie. U Nastka!

– Ja wiem. Moje zachowanie było nie w porządku, ale, stary, nie psuj mi tego. Proszę cię! Jesteś moim bratem.

– Hmm. – Nastek spojrzał na niego pogardliwie, no i nie mógł się oprzeć, by go jeszcze nie dobić: – I dopiero teraz sobie o tym przypomniałeś?

Janek przełknął ślinę i postanowił tego nie komentować. Potrzebował teraz pomocy Nastka jak nigdy w życiu. Ktoś musiał zająć się Alą do czasu jego powrotu do Gdańska. Nie da się sprowokować, bo straci tę jedyną szansę.

Z Zuzą rozmawiał już dwa dni wcześniej, kiedy Ala w poniedziałek poszła do szkoły. Na jego szczęście nie pojawiła się na korkach. Mógł jeszcze uratować sprawę.

– Czegoś zapomniałeś? – spytała i bez słowa wyjaśnienia pozwoliła mu wejść do domu.

Musiała się szykować na zajęcia, gdyż była w swoich „studenckich ciuchach" i wyglądała tak świeżo, jakby się dobrze wyspała i wypoczęła, a nie jak po parodniowych balangach. Kiedy jej wszystko wytłumaczył, roześmiała się na cały głos:

– I to jest moja pani od angielskiego? Taaaa Ala? No nie mogę! Nie podejrzewałam jej o to. Ciebie też nie, ha, ha!

Jednak zanim zdążył się na nią zdenerwować, zrobiła poważną minę.

– Janek, myślisz, że mogłabym ci coś zepsuć? Tak źle o mnie myślisz? Jeśli ją naprawdę kochasz, to...

Wymamrotał jakieś podziękowania, biczując się przed nią słowami, że nie zachował się w stosunku do niej we właściwy sposób, że może ją zranił i wykorzystał, że może to wszystko stało się zbyt szybko.

Spojrzała na niego spod przymrużonych powiek.

– Spędziliśmy ze sobą kilka fajnych chwil. Wcale tego nie żałuję. Nie musisz się martwić. Nic jej nie powiem.

Przed przyjściem Janek zamierzał porozmawiać z Zuzą również na temat strzykawki i swoich podejrzeń w sprawie narkotyków, ale kiedy ona okazała się wobec niego taka wspaniałomyślna, natychmiast z tego zrezygnował. Nie chciał jej drażnić, więc stanęło tylko na tym, że obiecała przyjść do Nastka w piątek.

– Wiem, będę się przyzwoicie zachowywać. Nie jestem aż taką wariatką, za jaką mnie masz – rzuciła mu na do widzenia.

Po chwili przyjechał po nią facet w dużym fiacie i odjechała z nim w siną dal.

– No dobrze – zgodził się Nastek. – Zrobię to raz i więcej już o nic mnie nie proś. Wpadnijcie na parę godzin i jeśli Zuza tego chce, to nie będę jej zabraniał tu przyjść. Jesteście wszyscy nienormalni i amoralni. Ale w sprawie mieszkania na mnie nie licz. Co najwyżej to mogę popytać w akademiku, czyby ją przewaletowali przez dwa tygodnie. Przyjdź pojutrze, to powinienem się już dowiedzieć czegoś konkretnego.

Janek miał ochotę zamknąć brata w niedźwiedzim uścisku, ale ten się okręcił na pięcie. Nastek nie miał łatwego charakteru i trudno go było do czegoś przekonać, ale jeśli coś obiecał, zawsze można było na niego liczyć.

– Dzięki, stary – powiedział tylko i klepnął go niezdarnie po ramieniu. – Jak będziesz czegoś potrzebował...

– Daj mi spokój! – usłyszał tylko, kiedy wychodził już z pokoju, który Nastek dzielił na uniwersytecie z kilkoma innymi asystentami.

Spojrzał na zegarek. Miał jeszcze sporo spraw do załatwienia. Przede wszystkim musi zdążyć do adwokata, z którym umówił się na pierwszą. Ten człowiek załatwił mu już kilka ważnych spraw, a nawet uratował go przed poważnymi problemami, kiedy parę lat temu podczas jakiejś pokazowej akcji ubecja przyskrzyniła go za posiadanie nielegalnej waluty. Teraz chciał, żeby mecenas Mirosiński pomógł w sprawie rozwodu Ali. Jak najszybszego!

– To jest synowa...?

– Tak.

Na twarzy adwokata pojawił się wyraz zafrasowania. Chyba nie zamierzał mu odmówić?

– Ja pokrywam wszystkie koszty – błyskawicznie wtrącił Janek. Nie było ceny, której by nie zapłacił za wolność Ali. Od paru dni znajdował się w stanie jakiejś dziwnej euforii i podniecenia, które wcale się nie zmniejszało. Jeśli ona go kocha, to nie ma spraw, których nie można by załatwić.

– Wie pan, to może nie być kwestia pieniędzy – zauważył Mirosiński i sięgnął po papierosa.

Janek momentalnie podsunął mu pod nos swoją paczkę marlboro.

– Jeśli teść się postawi, to będę miał kolosalne problemy. Nie powinniście się pokazywać razem, bo jeśli znajdzie świadków...

– Pan od razu widzi wszystko na czarno. Może pójdzie gładko? Dlaczego mają ją zmuszać do tego małżeństwa? Ona niczego od nich nie chce.

– Ja muszę przewidzieć różne scenariusze. Czasem to nie jest kwestia majątku, tylko chęci zrobienia komuś na złość. Wie pan, ile mam takich spraw? I jak długo one się ciągną? No cóż, miejmy nadzieję, że tym razem pójdzie to łatwo.

Janek zapłacił za poradę, a poza tym zdeponował u prawnika pieniądze, które mogłyby być potrzebne Ali podczas jego nieobecności. Ona sama miała się pojawić u niego w następnym tygodniu.

– Niech się pan nią zaopiekuje, jak mnie nie będzie. Ja naprawdę potrafię się odwdzięczyć. – Zostawił na stole kopertę z dolarami, a potem uścisnął prawicę mecenasa.

Po wyjściu z budynku zespołu adwokackiego we Wrzeszczu postanowił, mimo wstępnej obietnicy Nastka, podzwonić po ludziach w sprawie wynajmu mieszkania. Sam to załatwi, bo Ala pewnie nie da sobie z tym rady. Jest zbyt dobra i naiwna. Nie będzie umiała niczego wyczytać z twarzy tych ludzi. Ich chciwości i pazerności. Po paru latach mieszkania z potworem, bratem Renaty, Janek czuł się ekspertem w tej dziedzinie. Zadzwonił najpierw do znajomego taksówkarza i kazał mu przyjechać za godzinę, a potem kupił „Głos Wybrzeża" oraz „Dziennik Bałtycki" i zasiadł w restauracji „Newska", by zakreślić interesujące go oferty.

Po pięciu godzinach jeżdżenia po nic niewartych kwaterach, które w rzeczywistości okazywały się znacznie gorsze, niż opisywano w ogłoszeniu, czuł się wyczerpany. Wykończyły go rozmowy, targi i przepytywania przez potencjalnych najemców. Jego południowe rysy twarzy i karnacja już od progu podbijały cenę.

– Ale się pan świetnie nauczył polskiego.

– Ja się tu urodziłem!

Janek był zmęczony, ale nie zniechęcony. Wiedział, że znajdzie dla nich odpowiednie lokum. Jutro zacznie szukać od razu, kiedy Ala pójdzie do pracy. Spojrzał na zegarek. Jeszcze w życiu nie był tak punktualny, jak mieszkając z nią. Była szósta, a ona miała wrócić z dodatkowych zajęć w szkole dopiero po ósmej. Taksówka przejeżdżała właśnie przez Sopot i Janek zaczął sobie przypominać czasy, kiedy zatrzymywał się w „Grandzie". I nagle wpadło mu do głowy, żeby zajrzeć do „Zorby". Ciekawe, czy spotka któregoś z dawnych kumpli. To było miejsce, którego pod żadnym pozorem nie mógł odwiedzić z Alą. Ale to będzie ostatni raz, zanim zacznie nowe życie. Zagadał do kierowcy, który skinął głową i niemal momentalnie się zatrzymał na wysokości restauracji.

– Długo tam będziesz? Zabrałbym moją starą do teściowej, bo mi suszy wciąż głowę. Wrócę za godzinę.

Godzina to akurat odpowiedni czas, by coś wypić i wtrząchnąć małą przekąskę. Wystarczy z okładem. Umówili się, że taksówkarz poczeka na niego obok galerii BWA przy zejściu z Monciaka, i Janek wysiadł z samochodu.

Tak, w tej okolicy czuł się bardziej w domu niż gdziekolwiek. Z uśmiechem na twarzy wszedł do restauracji. A tam pierwszą osobą, na którą wpadł, był jego stary kumpel, Kostas.

– Nie do wiary! Wygląda na to, że za mną jeździsz.

– Tak, na pewno. – Przyjaciel wyszczerzył zęby. – Dałeś nogę z interesu, więc ktoś musiał cię zastąpić.

– Leonowi przeszło? – spytał i przyszło mu na myśl, że zupełnie zapomniał o tych przeprosinach, które wcześniej zaplanował. Ale tyle się zdarzyło w ciągu tych ostatnich dni, że było to jak najbardziej zrozumiałe.

– Przypomina sobie po wódeczce. Trochę złorzeczy, ale jeszcze trochę i pewnie będzie po ptakach. Kurczę, muszę wyjść, bo umówiłem się z klientem w „Grandzie". Nie zmyj się stąd beze mnie. W Krakowie nawet nie było czasu pogadać.

Janek pokręcił głową.

– Wpadłem tylko na chwilę. Gdzie mieszkasz?

– Mam całą chałupę do dyspozycji. Nie jakiś pałac, ale Górny Sopot, blisko tego całego bajzlu. Dam ci numer telefonu. Zadzwoń.

– Sam tam mieszkasz? – Na twarzy Janka pojawił się czarujący uśmiech.

Piętnaście minut później Kassalis ze smakiem zajadał

śledzia w śmietanie i zapijał pięćdziesiątką czystej. Mimo iż nie spotkał w knajpie żadnego ze znajomych oprócz Kostasa, humor mu się znacznie poprawił. Jego kumpel, początkowo nieufny, zgodził się, żeby Ala wprowadziła się do niego już w przyszłym tygodniu, kiedy Janek roztoczył przed nim wizję świeżo upranych i wyprasowanych koszul. Zaprosił go też na sobotę do Nastka. Będzie doskonała okazja, żeby wszystko wspólnie ustalić. A im więcej osób, tym lepiej. Miał nadzieję, że w tym wszystkim nie przesadził i Ala mu za to głowy nie zmyje.

Ala, moja Alicja, rozmarzył się, przypominając sobie jej pocałunki. Nawet nie przypuszczał, że jeszcze staną się dla niego największą przyjemnością. Wcześniej często starał się pomijać fazę pocałunków, żeby natychmiast przejść do konkretów. Ale i w konkretach to Ala była... Uff. Aż mu się gorąco zrobiło. Wypił drugi kieliszek wódki. Wyjątkowo mu smakowała, ale powinien czymś jeszcze zagryźć, żeby nie zionęło od niego alkoholem.

„Kocham cię". „Ale się tego wstydziłaś". „Mogę wejść na wieżę mariacką i to wykrzyczeć. Już nic dla mnie nie będzie takie samo".

No dobrze, wystarczy tych marzeń na jawie. Za chwilę ją zobaczy na żywo, bo dobiegała już siódma. Może Ala wróci nieco wcześniej? Ciekawe, czy jej się spodoba łańcuszek z kryształowym serduszkiem, który kupił u jubilera?

Kiedy wychodził z knajpy, dostrzegł za rogiem przygarbioną postać, która paliła papierosa. Miał wrażenie, że próbowała się chować w cieniu. Już miał minąć kobietę i pójść dalej, lecz nagle ją rozpoznał. Nigdy nie musiała tlenić włosów, bo była naturalną blondynką.

– Megi?

Dziewczyna podniosła głowę. Nawet w półmroku mógł

zobaczyć, że jedno oko było półprzymknięte i purpurowo-czerwone.

– Janek? – Rozgniotła niedopałek czubkiem buta i rzuciła mu się w ramiona, jakby był jej najlepszym przyjacielem. – Tak dawno cię nie było!

– Megi, co ci się stało? – Odgarnął jej włosy z czoła i zobaczył na nim ukrytą pod nimi szramę. – Kto ci to zrobił?

– Nie, nikt. – Szybko zasłoniła twarz włosami. – Miałam wypadek. Przewróciłam się.

– Megi, nie chrzań. To nie jest z upadku. Ktoś cię uderzył? Kto? Ten twój...? – To byłoby co najmniej dziwne, bo alfons Megi, choć karateka, to jednak swoich dziewczyn nie ruszał.

– Nie, to nie Waldek. – W oczach dziewczyny pojawiły się łzy i ponownie zawisła na jego szyi. – Janek, wiesz, byłam wczoraj na takiej prywatnej imprezie i słyszałam... – Zaczęła coś mówić, ale nagłe trzaśnięcie otwieranych drzwi gdzieś na zapleczu sprawiło, że nagle zamilkła i błyskawicznie odskoczyła od niego.

– Tak, Megi? Coś się stało? Powiedz.

– Nie. – Pokręciła głową. – Nic, to nie jest ważne.

– Megi, mogę ci pomóc.

Po zeszpeconej twarzy dziewczyny płynęły łzy. Powinna iść do lekarza. To oko wyglądało naprawdę paskudnie.

– Ty! – Zaśmiała się i pociągnęła nosem. – Nie, Janek. Ty mi nie możesz pomóc.

– Spróbuję – nie poddawał się Kassalis i w tej samej chwili dostrzegł wychodzącą zza rogu męską sylwetkę.

– Gdzie ty łazisz? – rozległ się głos Waldka. – Kto tam jest z tobą? – Nie zbliżał się, tylko mrużył oczy, próbując zobaczyć, z kim dziewczyna rozmawia.

Janek pochwycił tylko rękę Megi i uścisnął ją mocno.

– Masz, to jest mój adres i numer telefonu. – Zamknął

jej dłoń na małym karteluszku. Wypisał takich kilka z myślą o rozmowach z wynajmującymi. Nie wykorzystał żadnej z nich.

– To dawny znajomy, Waldi. Już do ciebie idę. – Wyjęła z torebki chusteczkę i szybko wytarła twarz.

– Jaki znajomy? – usłyszał tylko Janek, bo już się odwrócił na pięcie i zaczął iść w drugim kierunku.

– Aaa, taki. Nie znasz go.

– Ty uważaj no, mała, bo to się dla ciebie źle skończy.

Janek podświadomie przyspieszył kroku. Nie po raz pierwszy widział pobitą prostytutkę, ale nie przypuszczał, że coś takiego może spotkać Megi. Tę promienną gwiazdę, która każdego potrafiła zauroczyć. Co jej się stało? Była wyraźnie przerażona, ale nie liczył nawet, że kiedykolwiek skorzysta z jego pomocy i do niego zadzwoni. Pomyślał, że w tym świecie inaczej reguluje się rachunki, i po raz kolejny poczuł radość, że już do niego nie należy. I nigdy nie będzie należał. Przede wszystkim dlatego, iż miał przy sobie Alę.

Rozdział XVII

– Ala ma Janka, a Janek ma Alę! No i napijmy się jeszcze po maluchu.

Janek pomyślał, że dowcip Kostasa skrzy się jak koński nawóz w słońcu, ale nie skomentował. Najważniejsze, że wszystko ułożyło się po jego myśli, nalał więc kumplowi kolejny kieliszek, aby ten skoncentrował się na czymś innym. Za chwilę pożałował, bo Kostas rozdarł się w jakiejś greckiej solówce, uważając zapewne, że ma głos jak słynny tenor Raptis.

Anastazy też stanął na wysokości zadania. Mimo iż Janek przyniósł prowiant z delikatesów i Baltony, jego brat własnymi rękami przygotował coś na kształt mussaki, co wzbudziło prawdziwy entuzjazm gości. Poza tym zaprosił parę dodatkowych osób, i wieczór, którego Janek się tak obawiał, mijał w zupełnie miłej atmosferze. Zuza po paru drinkach szalała, obtańcowując wszyskich chłopaków.

– Kocham cię – wyszeptała mu do ucha Ala i pocałowała go w szyję. – Jak to było po grecku? *Se agapo?*

– Jesteś pewna? Przestałaś już chodzić z Johnem Lennonem? – zażartował, przyciągając ją do siebie.

– Rzuciłam go. Jesteś od niego fajniejszy.

– Lepiej śpiewam niż on?

– On nie zna greckiego. – Zaśmiała się. – Nie umiałby mi powiedzieć w tym języku, że mnie kocha.

– Kiedyś pojedziemy razem do Grecji.

– A dokąd?

Sam dobrze nie wiedział, przecież nigdy tam nie był. Swój ojczysty kraj znał jedynie z książek i fotografii, no i oczywiście z opowieści ciotki Vasilissy, która, był święcie przekonany, konfabulowała w tej materii aż miło. Ale miał przecież swoje marzenia, a od kiedy uwierzył, że mogą się one realizować w najmniej oczekiwanym momencie, nabrał przekonania, że także i to ma szansę na spełnienie.

– Na Korfu – odpowiedział.

– Bo to miejsce wygnania Prospera i Mirandy? – spytała Ala.

Janek zastanowił się chwilę. Takich bogów ani herosów chyba nie było w mitologii, której uczył się w szkole, ale nie chciał się przyznać do niewiedzy i szybko dodał:

– Bo to najbardziej zielona wyspa. Najpiękniejsze plaże, zabytki, słynni ludzie, spędzają tam zimę. Tam będzie nam dobrze.

– Możemy gdziekolwiek, ty sam wiesz. Już nie mogę się doczekać. Nie mogę uwierzyć, że nam się tak udało.

– Wiem. – Nie musiał niczego dodawać.

W tym momencie przerwał im rozmowę Nastek, który zapragnął robić zdjęcia swoim nowym zenitem, przywiezionym z wycieczki do Związku Radzieckiego.

– Chodźcie, zrobimy sobie zbiorową fotkę. – Wyciągnął ich z kąta kanapy, gdzie postanowili z Alą przesiedzieć całą prywatkę, i pogonił na środek pokoju.

– Sam wywołujesz? – zainteresowała się Zuza i fachowym okiem oceniła możliwości aparatu.

Była zadziwiająca jak zwykle. Szkoda byłoby, żeby taka niegłupia dziewucha zmarnowała się przez narkotyki, pomyślał Janek i postanowił jak najszybciej się z nią rozmówić.

Tymczasem jednak został zmuszony do pozowania według koncepcji Nastka. Wszyscy byli już trochę podpici, więc każda próba ustawienia ich trwała bardzo długo i wzbudzała paroksyzmy śmiechu.

– Kończ, Nastek, bo chce mi się siusiu! – zawołała na koniec jedna z asystentek i w tym momencie usłyszeli dzwonek do drzwi.

– Kogo jeszcze niesie? – zdziwił się brat Janka, pewien, że przyszli już przecież wszyscy, którzy mieli się pojawić, i ruszył w kierunku korytarza.

– Alu, chciałbym, żebyśmy byli tylko we dwoje. – Kassalis objął swoją dziewczynę, żeby zaprowadzić ją z powrotem na kanapę.

– Janek!

W pierwszej chwili go nie usłyszał, bo głośno grała muzyka, ale potem obrócił się i zobaczył zmienioną twarz brata. Wyglądał na przerażonego. Pewnie przyszedł wkurzony sąsiad i braciszek się spietrał, pomyślał Janek i ruszył w jego kierunku.

W przedpokoju stało dwóch mężczyzn. Jeden łysiejący w skórzanej kurtce, drugi w tweedowej marynarce, trochę zbyt ciepłej jak na tę porę roku. Miał ciemne, zrośnięte brwi. Od razu się domyślił, kim są. Zawsze rozpoznawał ich na kilometr.

– Obywatel Jannis Kassalis?

Skinął głową.

– Zabieramy was na przesłuchanie.

– Mnie? – Nagle przyszło mu do głowy, że popełnił błąd i nie zameldował się u Nastka, choć taki był obowiązek.

– Tak – odpowiedzieli. – W charakterze podejrzanego.

– Podejrzanego? O brak meldunku? – zdumiał się, narzucając kurtkę. Przez moment jego wzrok spotkał się z zielonymi oczami Ali. Było w nich przerażenie.

– Nie. To nie nasza sprawa. My jesteśmy z sekcji zabójstw.

Trzy godziny później Janek zajechał taksówką na Wzgórze Nowotki. Kazał taryfiarzowi zatrzymać się na początku ulicy i tam mu zapłacił. Potem wysiadł z wozu i czekał, aż ten się oddali. Dopiero wówczas poszedł w stronę domu teściów Alicji. Cały czas się zastanawiał, czy dobrze robi, czy nie powinien jednak pojechać do Nastka, ale wybrał to, co dyktowało mu serce. I słusznie zrobił, jak się po chwili przekonał. Nawet nie musiał dzwonić, bo drzwi się otworzyły i Ala znalazła się w jego ramionach.

– Wiedziałam, że to nic poważnego! Nawet się tak bardzo nie martwiłam. W tym czasie skończyłam się pakować. Już jutro możemy się przenosić do Kostka.

Nie martwiła się? Tym razem jej nie uwierzył. Jej oczy wyglądały tak, jakby dopiero przed chwilą przestała płakać.

– A jak impreza? – spytał, jak gdyby nigdy nic. Jakby pojawienie się dwóch milicjantów po cywilnemu w środku prywatki było zupełnie normalne i możliwe do przewidzenia.

– Wszyscy od razu się rozjechali. Mnie i Zuzę Kostek odwiózł taksówką.

Janek pokiwał głową.

– Nikt nawet się nie domyślał, o co może chodzić. Bo nie o walutę, prawda?

Zawsze się zastanawiał, ile Ala wie o nim i o jego prawdziwym życiu. Oczywiście opowiadał jej, że zaczynał od makulatury i butelek. Potem, że handlował różnymi luksusowymi zachodnimi towarami, ale w sprawę cinkciarstwa jej nie wtajemniczył. Obawiał się, że podobnie jak Nastkowi ta działalność mogłaby jej się bardzo nie spodobać. Chyba... chyba że ktoś jej o tym powiedział. Nie był to jednak dobry moment, żeby pytać o takie sprawy, przecież musiał coś jej odpowiedzieć.

– Nie. Ktoś zginął. Ustalają, czy było to zabójstwo czy samobójstwo. To się jeszcze wyjaśni – westchnął i sięgnął do lodówki po butelkę coli. – Tymczasem przesłuchują świadków.

– Ale oni... oni mówili, że w charakterze podejrzanego.

– Eee. Powiedzieli tak, żeby mnie trochę wystraszyć. – Janek próbował zachować pogodną twarz. – Kto ich tam wie? – Wypił duszkiem zawartość butelki. Poczuł, że zimno płynu niemal rozsadza mu zęby. Czekał na pytanie, kto zginął, ale Alicja go nie zadała. Patrzyła tylko na niego z uwagą, tak jakby chciała odgadnąć jego myśli. – W każdym razie wszystko już sobie wyjaśniliśmy.

A on zaryzykował. Jako adres kontaktowy podał już mieszkanie Kostasa, do którego się przeprowadzali. Gdyby przyszło im na myśl teraz go szukać, mógłby mieć kłopoty. Nieważne. W każdym razie nie mógł podać adresu Ali ani wymienić jej nowego czy też starego nazwiska. Cały czas pamiętał słowa mecenasa Mirosińskiego, by za wszelką cenę unikać skandalu. Dlatego też jego alibi dotyczące tego, co robił w tamtą noc, było nieprzekonujące. Miał tylko nadzieję, że Nastek nie będzie idiotą i potwierdzi, że nie ruszał się z domu, a w zasadzie ze swojego pokoju. Już raz mu tak uratował tyłek w sprawie przemytu. Janek nie miał z tym nic wspólnego, ale widziano go w towarzystwie mężczyzny, którego potem zatrzymali.

Teraz też ktoś go widział. W towarzystwie Megi.

– Czy obywatel znał niejaką Małgorzatę Wawrzyn? – pytał śledczy i przyglądał mu się uważnie, udając, że bawi się długopisem.

Janek się zastanowił, szukając w głowie nazwiska, a potem pokręcił przecząco głową.

– To prostytutka z Sopotu. Znana w środowisku jako Megi.

– Megi? – Przełknął ślinę. – Wiem, kto to jest.

– Czyli się zgadza. Odpowiecie nam na parę pytań.

– Janek, słyszysz, co do ciebie mówię? – Głos Ali dochodził z daleka. Twarz jasnowłosej, uśmiechniętej blondynki, która pojawiła się w jego myślach, powoli zmieniała się w intensywnie wpatrzoną w niego szatynkę.

– Alu, jestem skonany. Przepraszam cię.

– To ja przepraszam. Jest pierwsza w nocy. Masz prawo być zmęczony po takich przeżyciach.

Ale jej oczy były urażone, a on nie mógł nic zrobić, żeby patrzyła na niego w inny sposób. Nie tej nocy.

Gliniarze nie chcieli mu podać żadnych szczegółów. Spisali tylko jego zeznanie. Akurat tu nie miał nic do ukrycia. Wszyscy go w „Zorbie" widzieli, wiedzieli pewnie nawet, ile kosztował ten cholerny śledź, którego wówczas zjadł. Ale dlaczego ktoś podał milicji jego nazwisko? O co chodziło z tą Megi? Czy wpakowała się w jakieś tarapaty? Tak musiało być, bo przecież widział, w jakim stanie była w środę. Ale po co im jego zeznanie? Czy mogli sprawdzać wszystkich klientów knajpy? Jej klientów? A może to ten alfons...?

I nagle sobie przypomniał. Przecież to on sam dał Megi adres Nastka, ale numer telefonu należał do Ali! Zrobiło mu się gorąco.

– Alu, czy nikt tu nie dzwonił?

– Kto?

– Ktoś obcy?

– Nie, nikt nie dzwonił – odpowiedziała, a on odetchnął z ulgą.

Nie powinien nawet myśleć, że Megi miała przy sobie jego

kartkę. Z pewnością w obawie przed Waldkiem natychmiast ją wyrzuciła. Przytulił się do Ali, kiedy po powrocie z łazienki położyła się przy nim. Pachniała tak świeżo i tak rozbrajająco niewinnie. Poczuł jej drobną dłoń na włosach i twarzy. Wdychał jej zapach i powoli się uspokajał.

– Wierzysz mi? – spytał nagle i ręka Ali znieruchomiała.

– I tobie, i w ciebie. I kocham cię. Nie wiedziałam, że to jest tak dziwne uczucie. W jednej chwili przepełnia cię euforia, a w drugiej tak boli, jakby ktoś zadawał fizyczne cierpienie. A najbardziej boli wtedy, kiedy nie ma cię przy mnie.

– Jesteś dla mnie wszystkim. Nikt oprócz matki nie był dla mnie taki ważny

– Cii, kochany, śpij już. Jutro porozmawiamy. To będzie znacznie lepszy dzień. I wiesz co? Nasz drugi wspólny tydzień. – Uśmiechnięta, pocałowała go w kącik ust i przylgnęła do niego jak najbliżej. Nikt by się już tam nie zmieścił... oprócz duchów przeszłości.

Mimo upiornego zmęczenia Janek nie spał jeszcze przez parę godzin i wpatrywał się w sufit. Dopiero gdy położył głowę na piersi Ali i zaczął oddychać w takt spokojnego bicia jej serca, zasnął.

– Napisałam list do Jarka – oznajmiła Ala, smarując bułkę. Siedziała na tle kuchennego okna. Przez gałęzie kwitnącego migdałowca przebijały się promienie ciepłego majowego dnia.

– Jesteś pewna? – spytał Janek i mocniej ścisnął kubek z herbatą.

– I tak bym to zrobiła wcześniej czy później. Bez ciebie chyba jednak później. – Uśmiechnęła się. – Teściowie wracają jutro. Będę musiała się z nimi spotkać.

Skinął głową. Tak bardzo nie chciał jej narażać na tę rozmowę, ale nie było innego wyjścia. Ala musiała odbyć ją sama. On powinien być dyskretny i do czasu jej rozwodu zniknąć z horyzontu. Przynajmniej na tyle, by go z nią nie łączyli.

– Nie martw się. Dam sobie radę – powiedziała, jakby zgadując jego myśli, i wgryzła się w bułkę z twarogiem i dżemem. A przełknąwszy kęs, dodała: – I będę na ciebie czekać. Jak Penelopa. Tylko że zamiast tkać całun, będę sprawdzać setki klasówek i testów. Też jakieś zajęcie – Zaśmiała się. – Janek, spójrz na siebie w lustrze. Jeszcze cię takiego nie widziałam!

Wykrzywiał twarz, przybierając jak najgłupsze miny. Musiał ją rozśmieszyć i nie pokazać po sobie, jak bardzo się przejmuje.

– Idziemy do roboty. Twoi uczniowie czekają na swoją porcję pał.

– Eee tam. Oni są bardzo fajni. I zdolni.

– Nie mają przy tobie wyboru – dodał, ale Alicji już przy stole nie było.

Zgarnęła torbę z książkami i zeszytami i poprawiała fryzurę przed lustrem w przedpokoju.

W ciągu zaledwie dwóch dni udało jej się uwić domowe gniazdko w starej sopockiej willi. Kostas pokazał im pokój, do którego mogli się wprowadzić, a oni oprócz łóżka, szafy, biurka i paru krzeseł niczego w tej chwili więcej nie potrzebowali. Alicja w okamgnieniu wyjęła z torby jakieś obrazki i plakaty, które nigdy nie ujrzały światła dziennego w mieszkaniu teściów, i zawiesiła je na ścianach. Kilka kolorowych szmatek, parę damskich drobiazgów i pokój wyglądał, jakby mieszkała w nim od dawna.

– Przyjedziesz po mnie do szkoły? – spytała, kiedy zamykał drzwi na klucz.

– Pewnie. Będę po czternastej, tak jak się umówiliśmy. Ale nie pod samą szkołą, tylko poczekam na ciebie w „Newskiej".

Skinęła głową i ruszyli w stronę przystanku kolejki. Jechali razem, bo Janek umówił się, że wpadnie do Nastka. Musiał się z nim jak najszybciej rozmówić. Mimo wszystko to było dziwne, że jego brata jeszcze nie przesłuchiwali. A może on przesadzał i sprawa już została rozwiązana? Może Megi brała narkotyki? Nie byłoby to dziwne, w tym środowisku było to na porządku dziennym. Powinienem porozmawiać z Zuzą przed wyjazdem, przypomniał sobie. Tylko że tamte wydarzenia, choć niedawne, wydawały mu się tak odległe jak wojna trojańska.

Kolejka wystrzeliła go na oliwski peron jak korek z butelki szampana. Był taki tłok, że nie zdążył nawet pożegnać się z Alą. A potem tłum porwał go ze sobą w dół peronu. Zobaczył tylko, jak przez okno posyła mu całusy.

Na jego twarz wróciło napięcie. Teraz nie musiał już udawać beztroskiego. Po kilkunastu minutach zapukał do mieszkania brata.

– Spóźniłeś się! Zaraz muszę lecieć na uczelnię.

– Tylko dziesięć minut. Nie przesadzaj.

Nastek rzeczywiście szykował się do wyjścia. Na stole leżały teczki pełne papierów.

– Co to za sprawa, o której nie chciałeś rozmawiać przez telefon? Znowu wdepnąłeś w jakieś gówno?

– Na pewno gliny do ciebie nie dzwoniły? Nie pytali, co robiłem w środę wieczorem i w nocy?

– Nie. O co chodzi? O tę samą sprawę, w związku z którą zabrali cię w piątek? – Nastek pośpiesznie pakował teczki do aktówki.

– To jakaś dziwna historia. Ale przysięgam ci, że nie miałem z tym nic wspólnego. Nie mam bladego pojęcia, o co może im chodzić.

W tej samej chwili rozległ się dzwonek u drzwi. Obydwaj

drgnęli i spojrzeli na siebie czujnym wzrokiem. Janek pełen złych przeczuć poszedł otworzyć. Czuł, jak jego nogi stają się nagle ciężkie, jakby miał do nich przyczepione stalowe liny. Za drzwiami czekali na niego ci sami dwaj smutni panowie co w piątek wieczór.

– Dzień dobry! – zaczął uprzejmie, ale po chwili już wiedział, że to nie na wiele się zda.

– Jest obywatel aresztowany jako główny podejrzany w sprawie o zabójstwo Małgorzaty Wawrzyn.

A na jego rękach pojawiły się nagle kajdanki.

– Kurwa, kurwa, kurwa! – To nie mogło się dziać naprawdę.

Siedział w areszcie na Kurkowej dopiero od paru godzin i czuł, że za chwilę eksploduje. Przypomniał sobie, jak ciotka Vasilissa opowiadała mu, że jego ojciec siedział w więzieniu aż dwa lata. Może nie powinien się więc dziwić, że dostał kota. On sam był tego bliski, szczególnie kiedy po raz enty tłumaczył przesłuchującym, że nie miał z Megi nic wspólnego. W środę spotkał ją po raz pierwszy od ponad roku. Nie miał pojęcia, kim była, co robiła ani gdzie mieszkała. I kto ją zabił! Bo dla niego nie ulegało wątpliwości, że Megi musiał ktoś sprzątnąć. Czy bała się na tyle, żeby sama odebrać sobie życie? Życie, do którego się przygotowywała, zbierając każdy grosz i ucząc się angielskiego? Nie była starsza od niego. Co za koszmar!

Tym razem gliniarze już na początku powiedzieli mu, że jest podejrzany o zabójstwo Megi, która w nocy ze środy na czwartek wypadła z okna Grand Hotelu na kamienny taras. Zginęła na miejscu.

Kiedy to usłyszał, tak go zamurowało, że przez dłuższy czas nie był w stanie zrozumieć zadawanych mu pytań.

– Świadkowie zeznali, że kiedyś pobiliście się o nią w restauracji.

To i o tym słyszeli? Co za bzdura! Ochrypłym z emocji głosem wyjaśniał całą sprawę, oczywiście pomijając wątek wymiany walut. Mimo wszystko nie chciał się pogrążać inną sprawą.

– To po co przychodziliście do tej knajpy?

– Żeby się spotkać z kolegami Grekami. Panowie chyba się doskonale orientujecie, że jako dzieci komunistów do niedawna nie mogliśmy wyjeżdżać do naszego kraju. Panowała tam junta. Dopiero od niedawna zmienił się tam system.

Jego gadka edukacyjna nie zrobiła na śledczych żadnego wrażenia. Spojrzeli na siebie z pełną obojętnością i powrócili do zadawania pytań:

– O której spotkaliście się w środę w Grand Hotelu?

– Przecież mówiłem, że nie widziałem jej w Grand Hotelu.

– A gdzie?

– W restauracji „Zorba" o osiemnastej. Chyba...

– Jak to chyba? Byliście wcześniej pewni.

I tak w kółko, aż w końcu dali mu spokój i odprowadzili go do śmierdzącej celi, w której chrapało już trzech innych towarzyszy niedoli.

W ubraniu położył się na wolnej górnej pryczy i zamknął oczy. Nie był jednak w stanie zasnąć. Wpatrywał się w mdłe światło żarówki osadzonej na suficie w metalowej osłonie i dopiero teraz mógł pozwolić krążyć myślom, które już po chwili pobiegły w przerażającym, chaotycznym galopie. Nastek musi mnie stąd wyciągnąć. Chyba nie wierzy, że on mógłby kogoś zabić. I Alicja! Miał nadzieję, że oni się nią zajmą. Tylko czy ona mimo wszystko uwierzy, że nie miał z tą sprawą nic wspólnego? Janek czuł, jak jego krtań ściska się od powstrzymywanego krzyku wściekłości, lęku i rozpaczy.

Zawsze starał się żyć jak wolny człowiek, nieskrępowany żadnymi więzami. Przyzwyczaił się do otwartej przestrzeni, do dalekiego horyzontu, do myśli, które nieustannie biegły w przód, a nie, jak u jego ojca, do tyłu, a teraz... Teraz stał się zagonioną w kąt zwierzyną. Za wszelką cenę musi się stąd wydostać. Musi!

Obudziło go walenie do drzwi celi i dopiero wówczas zrozumiał, że jednak zasnął. Miał wrażenie, że jest na jakimś kosmicznym kacu. Okazało się, że tylko jeden z aresztantów miał dłuższy staż na Kurkowej, reszta podobnie jak on nie wiedziała, co robić ani jak się zachować. Po chwili wszystko się stało jasne za pomocą wrzasku i obelg jednego z klawiszy.

– Co wy tu, kurwa, tyłki wygrzewacie? Myślicie, że jesteście w pierdolonym hotelu?! Pobudka była!

Janek przemył twarz w wodzie z miski, która wyglądała jak minihodowla dżumy i cholery, i tłumiąc odrazę – tak bardzo był spragniony – wypił kilka łyków letniej kawy zbożowej z metalowego kubka. Inni aresztanci z celi próbowali rozmawiać, on z ponurą miną wpatrywał się w swój kubek. Kiedy zagadał do niego ten z dłuższym stażem, wyraźnie szukając zaczepki, odpowiedział mu błyskawicznie, wywalając z siebie cały zapas tłumionej frustracji i agresji. Dodał do tego, żeby się zamknęli, bo on jest podejrzany o zabójstwo. Zawsze byłem elokwentny, jak jakiś Demostenes, pomyślał z satysfakcją, widząc, jakie wrażenie zrobiły jego słowa na innych. Teraz, kiedy dał upust emocjom, poczuł się znacznie lepiej i ponownie pogrążył w ponurych myślach. Nie musiał długo czekać. Po niecałej godzinie klawisz wyprowadził go z celi na kolejne przesłuchanie.

Odbywało się tym razem w innym pomieszczeniu niż poprzednio, a oprócz dwóch „znajomych" gliniarzy, siedziało w nim kilka innych osób. Wszyscy byli w cywilnych ubraniach, a nawet jeden z nich w garniturze. Mężczyzna kogoś mu przypominał. Próbował sobie przypomnieć, ale szybko musiał przestawić pamięć na inne tory.

– Kiedy poznaliście Małgorzatę Wawrzyn?

Znowu to samo. Ale nagle padło nowe pytanie.

– Czy to wy dostarczaliście jej narkotyki?

– Słucham?

– Chyba mówię wyraźnie. Ustalono, że denatka znajdowała się pod wpływem narkotyków. W jej torebce znaleziono pustą strzykawkę po heroinie.

Janek zacisnął usta. Mimo iż po historii z Zuzą okazało się, że nie jest żadnym znawcą ćpunów, mógłby przysiąc, że Megi nie była narkomanką.

– Nie dostarczałem jej żadnych narkotyków. Nie wiem, o czym mówicie. To jakieś potworne nieporozumienie.

– Otrzymaliśmy informacje, że pomagaliście przy przemycie narkotyków od zagranicznych marynarzy. I to właśnie wy przekazywaliście je dalej na południe Polski.

– To bzdura. Kompletna bzdura – powtórzył Janek, zastanawiając się, czy mimo wszystko nie przyznać się do handlu walutą. Decyzja pojawiła się błyskawicznie. A niech się w dupę pocałują. Niczego im nie powie. Jak da im pretekst, to wymyślą dalszy ciąg. – Nie mam z tym nic wspólnego. Jak już powiedziałem, jestem zatrudniony przez agencję z Londynu. Wozimy statki na remonty, w tym do Polski. Ale nie byłem tu od roku! Jak więc mogłem zajmować się przemytem?

– A od kiedy znacie Leiba Weissa?

– Kogo? – Janek czuł, że to ciągłe zdziwienie staje się już męczące.

– Znany jest bardziej pod imieniem Leon.

– Znam. – Zastanowił się przez chwilę i skinął głową, zaniepokojony kierunkiem, w którym zmierzała rozmowa. – Spotkałem go parę razy w Krakowie. – To Leon miał na imię Leib? No proszę!

– Podobno niedawno się pokłóciliście. Gdzie i kiedy?

– To był hotel „Cracovia", nie pamiętam dokładnie, kiedy to było, to znaczy nie pamiętam daty, ale to musiało być drugiego dnia mojego pobytu w Polsce.

– Czyli to dobry znajomy.

– Nie do końca. Chciał, żebym załatwił mu pewną sprawę. Kupił... aparat fotograficzny, jak będę w Wiedniu. Powiedziałem mu, że nie wybieram się do Austrii. Myślę, że czuł się zawiedziony i pewnie dlatego powiedział mi kilka ostrych słów.

Janek mówił, ale miał wrażenie, że przesłuchujący wcale nie słucha, tylko patrzy na mężczyzn siedzących pod oknem, za jego plecami. W pewnej chwili skinął nieznacznie głową.

– Sprawdziliśmy wasze alibi. Nie trzyma się ono kupy. A zeznanie waszego brata... no cóż... jest niewystarczające. Powiedz prawdę, gdzie byłeś – przesłuchujący przeszedł nagle na „ty" – bo stopniowo tracimy tu cierpliwość. Wiesz, co ci grozi?

Nic im nie powie. Jeszcze nie stracił resztek nadziei i nagle usłyszał:

– Tylko zapomnij o tej historyjce z bratem. Nie myśl również, że Alicja Langer ci pomoże.

Alicja? Czy on przed chwilą wymienił jej nazwisko?

– Dlaczego nie mam kontaktu z adwokatem? Przecież mówiłem panom już kilkakrotnie, mecenas Mirosiński...

– Wyprowadzić! – Usłyszał, zanim otrząsnął się z oszołomienia i zdołał pojąć, co się dzieje. Już po paru minutach znalazł się z powrotem w swojej celi.

Przez kilka następnych dni nie brali go na przesłuchanie, pozostawiając go sam na sam z jego myślami. Na początku wcale mu nie zależało na tym, by go ponownie maglowali, ale stopniowo zaczął się coraz bardziej denerwować. Był już piątek, a on po południu miał się zamustrować na statek. Jeśli się nie pojawi, straci pracę i już nigdy nie będzie mógł pływać.

Janek wykopcił już tyle podłych papierosów, że dym wypalił mu wnętrzności. W areszcie kosztowały go więcej niż w Baltonie, a pieniądze zaczynały mu się powoli kończyć. Adwokat do tej pory się z nim nie skontaktował. Czy to było legalne, że go tak przetrzymywali?

Co tu jest grane? Przecież nie mogą go zapudłować za morderstwo! To był jakiś absurd! A może mogą? Najbardziej nurtowało go jednak pytanie, kto im powiedział o Ali. Jednak jeśli ją przesłuchiwali, to przecież od razu musiała się przyznać, że tę noc spędził razem z nią! To był pewnie błąd, że nie powiedział tego od razu. Może spowodowałoby to dodatkowe problemy przy rozwodzie, ale sytuacja zostałaby ostatecznie rozwiązana.

Za pięć dwunasta zabrali go na przesłuchanie. Tym razem było ich tylko dwóch. Łysiejący i ten drugi o zrośniętych brwiach.

– Twoja sytuacja, Kassalis, jest bardzo trudna. Rozmawialiśmy z twoim bratem i znajomymi. Nie wnieśli niczego do sprawy.

Janek był już wówczas zdecydowany.

– Alicja Langer wie, gdzie byłem tej nocy.

– Tak, z nią też rozmawialiśmy.

– Tak?

– Mówi to co inni.

Z Janka uszło powietrze. To niemożliwe! Jakim cudem?!

W tej chwili do pokoju przesłuchań wszedł umundurowany funkcjonariusz i szepnął coś na ucho jednemu ze śledczych. Ten wstał od stołu i wyszedł. Po paru minutach zniknął także ten drugi. Janek dałby się teraz pokroić za papierosa. Kiedy wrócili w asyście trzeciego starszego mężczyzny, który wcześniej uczestniczył w przesłuchaniu, Janek był bliski obłędu.

– Ucieka wam statek, Kassalis – stwierdził ten starszy gość.

Janek zacisnął tylko usta.

– Być może moglibyśmy jeszcze raz porozmawiać z panią Langer. Ona wygląda na wystraszoną. Boi się pana?

Pokręcił głową.

– Powiem, jak wygląda sytuacja – odezwał się śledczy. – Nasz kolega pojedzie porozmawiać z Alicją Langer. I zobaczymy, czy da ci alibi. I na ile będzie ono przekonujące. A nawet jeśli będzie, ty nadal jesteś w gronie podejrzanych. Do tego dochodzi nielegalny handel walutą i innymi towarami. Tak, Kassalis, trochę się tego nazbierało. Myślałeś, że tak bezkarnie będziesz mógł naciągać nasze państwo, które udzieliło schronienia twoim rodzicom?

– O co tu chodzi? – spytał, czując, że przesłuchujący chcą mu coś zaproponować. Jakiś kolejny kwit o współpracy do podpisania? W porządku, może podpisać. I tak nie sprawdzą, w jakim miejscu ich wszystkich ma. I to głęboko.

I rzeczywiście na stole pojawiła się kartka.

– Napiszesz nam o swoich nielegalnych interesach i się pod tym podpiszesz. Masz na to dziesięć minut. Potem zawieziemy cię na twój statek. – Przesłuchujący spojrzał na zegarek. – Powinieneś zdążyć bez problemów. Tam przekażesz nam tę kartkę. I się rozstaniemy.

Janek patrzył na niezapisany papier, próbując zrozumieć podstęp.

– Cwaniak z ciebie, ale nie taki znowu wielki – odezwał się

przesłuchujący. – Żebyś lepiej zrozumiał, wytłumaczę ci, co to oznacza. Będziesz wolny i wrócisz do pływania.

– Ale... – Wiedział już, o co im chodzi.

– Ale nie będziesz już mógł tu wrócić. Chyba to jasne? I to już nigdy – po raz pierwszy odezwał się ten trzeci, najstarszy z nich.

Rozdział XVIII

Korfu, sierpień 2010

– Ja tego, tato, w ogóle nie rozumiem. Co się z tobą dzieje? Łatwiej było cię złapać, gdy prowadziłeś biznesy w Nowym Jorku, niż teraz. Nawet nie zadzwonisz. – Głos Nicka był pełen pretensji.

– Przyjedź, to sam zobaczysz, jak absorbujące jest życie na wsi.

– Mam przyjechać? I kto to mówi, co? Miałbym brać kolejny urlop? – Jannis usłyszał nieczęsty u Nicka ton sarkazmu.

– Widzę, że w banku ci znów dopiekli i się złościsz. Może jednak czas, byś popracował ze starszym bratem?

– A on oczywiście czeka z otwartymi ramionami na mnie i moje rady. Tak mówisz, tato, jakbyś nie znał Aleksa. Niech mu to przekażą inni za pieniądze, skoro mi nie wierzy.

– Afrodyty słucha.

– Raczej się jej boi.

Jannis pokiwał głową i wziął łyk wody mineralnej. Wyciągnął wygodnie nogi na pufie przy kanapie.

– To za miesiąc widzimy się w Krakowie? – spytał Nick.

Jannis oblizał usta, zastanawiając się, co ma odpowiedzieć synowi. Musiał jeszcze przemyśleć pewne sprawy. Wprawdzie od kiedy spotkał Ninę, niemal wyłącznie tym się zajmował. Miał wrażenie, że wystrzelił korek, który hamował jego pamięć – wszystko zaczęło wypływać, a on stracił już nad tym kontrolę.

– Tak, mam nadzieję, że do tego czasu uda mi się załatwić pewne sprawy.

– Jakie, tato? Chyba nam nie zrobisz jakiegoś numeru, co? A może lekarz ci zakazał? – zafrasował się Nick.

– Nie. Jest taka dziewczyna... – Nie zdążył ugryźć się w język. Starzał się, bez dwóch zdań. I w zasadzie było z góry wiadomo, co synek sobie pomyśli.

– Dziewczyna, tato, ty? Kto to jest? Od dawna ją znasz? – Pytania padały z prędkością karabinu maszynowego.

– Córka mojej dawnej znajomej z Polski. Przyjechała tu do pracy. – Musiał beztroskim tonem ugasić w zarodku nagłe zainteresowanie Nicka. Chociaż w zasadzie on jeden by go zrozumiał. Alex i Afrodyta zaczęliby natychmiast się z nim wykłócać i wyciągnęliby mylne wnioski. – Opowiadam jej dawne historie, o jej matce, o Polsce.

– No tak, jej opowiadasz? A kiedy z nami o tym rozmawiałeś?

– A kiedy was to interesowało?

– Wiesz, że mnie zawsze.

To prawda, tylko Nick przejawiał jakiekolwiek zainteresowanie przeszłością rodziny. Pod tym względem przypominał mu Nastka.

– To porozmawiamy następnym razem.

– I co z tą dziewczyną?

– Sympatyczna jest. Chcę ją namówić, żeby się z nami spotkała na weselu Szarlotki. Będzie wówczas w Polsce.

Po drugiej stronie słuchawki nastąpiła cisza. Synek pewnie zastanawiał się nad tym, czy ojciec przywiezie im kandydatkę na macochę. Jannisa bardzo rozbawił przebieg tej rozmowy.

– Może ją polubisz.

– Ja? Dlaczego ja?

– Bo Alex z pewnością! – oznajmił, tłumiąc chichot, i szybko pożegnał się z synem.

Albańczycy kończyli już wykładanie kamieniem fasady domu gościnnego, więc trzeba było sprawdzić, czy wszystko gra. Następnego dnia miał się umówić z projektantką wnętrz. Przy poprzednim domu nie dopuścił nikogo do żadnych konsultacji. Wszystko musiało być takie, jak on sam zaplanował. Teraz uszła z niego para i chciał po prostu jak najszybciej zakończyć to budowlane przedsięwzięcie. Za parę miesięcy będzie zbiór oliwek, potem święta, na które miały przybyć wszystkie dzieci, trzeba więc było się spieszyć. Tym bardziej, że jego myśli nadal były niepozbierane.

Nawet nie wiedział, kiedy zasnął. Od kiedy zamieszkał na wyspie, przyzwyczaił się do godzin sjesty, ale tym razem zdarzyło mu się przysnąć znacznie wcześniej.

– Jannis? Co się dzieje? – Zobaczył przed sobą twarz kobiety. Krótko ostrzyżonej szatynki o zielonych oczach. Ala? Przyszła do niego. Wiedział, że kiedyś to nastąpi, bo inaczej jego życie nie miałoby sensu.

Tyle lat rozłąki i cierpienia. Wysyłane listy nie dochodziły do niej, wracały z adnotacją: „Adresat nieznany". I nikt, absolutnie nikt, nie wiedział, co się z nią stało. Po prostu zniknęła bez śladu. Jej teściowie mieszkali dalej na Wzgórzu Nowotki, mąż wrócił z Algierii i ożenił się po raz drugi, a potem trzeci. W Krakowie również niczego nie wiedzieli. Ojciec Alicji zmarł, a matka wyjechała za granicę, nie wiadomo dokąd.

A on... Czuł się kompletnie bezsilny. Nie mógł wrócić do Polski. Nie przebierając w słowach, oznajmiono mu wyraźnie, co się stanie, gdyby kiedykolwiek wpadł na taki pomysł. I jakie będą tego konsekwencje, i to nie tylko dla niego. Dla brata, siostry, ojca i pozostałej rodziny.

Czasem myślał, że ten tydzień spędzony z Alą w Gdańsku nie zdarzył się naprawdę, że go sobie wymyślił. Po raz pierwszy w życiu tak bardzo się otworzył przed drugą osobą, po raz pierwszy czuł tak wielkie zaufanie i poczucie bezpieczeństwa, iż później przez długie miesiące miał wrażenie, że wyrwano mu serce.

Wyrwano mu serce? Zastanowił się nad słowami, które mu przyszły do głowy.

Poruszył się na kanapie i otworzył oczy. Nikogo nie było. Poczuł tak silne rozczarowanie, że aż zapiekło go pod powiekami.

– Jannis?

A jednak ktoś był. Spróbował się podnieść na łokciu, ale czuł, że jego ciało waży zbyt dużo. Jego głowa, na której również spoczywał jakiś mokry ciężar, opadła bezsilnie na poduszkę.

– Jannis, pomogę ci. – Klęczała przy nim Nina. – Chyba zapomniałeś o swoich lekarstwach. Lekarz już tu jedzie.

Co ona mówi? To nie była drzemka? Zapadł w śpiączkę cukrzycową? Nadawał się już więc tylko grabarzowi pod łopatę. Taki jest rezultat zbyt intensywnego życia, powiedział jeden z tych zarozumiałych konowałów. Może. Ale przynajmniej żył kiedyś naprawdę, a nie był jednym z tych eksponatów muzeum figur woskowych, którymi przeludniona była ziemia.

– Weszłam tu, bo nie odpowiadałeś ani na telefon, ani na dzwonek u drzwi. Na szczęście nie były zamknięte. Lepiej się już czujesz? Dałam ci zastrzyk. Tak mi kazał ten lekarz, z którym rozmawiałam.

– Umiesz dawać zastrzyki?

Nina wzruszyła ramionami.

– Wiele rzeczy umiem. W szpitalu też pracowałam.

Jannis wziął głębszy oddech.

– Jest znacznie lepiej. Zwłaszcza kiedy jesteś tu przy mnie. – Poklepał ją po dłoni i poczuł, jak Nina ją ściska w swojej.

– Martwiłam się o ciebie.

Pod wieczór czuł się tak dobrze, jakby ta sytuacja z przedpołudnia nigdy się nie wydarzyła. Kiedy tylko pozbył się z domu doktorka, poczuł natychmiastową ulgę. Powinien przywiązywać większą wagę do jego słów i ostrzeżeń, ale w tym momencie nie miał na to najmniejszej ochoty.

Nadal polegiwał na kanapie, przez głośniki sączyła się grecka muzyka, którą wybrała Nina. Ona sama siedziała w fotelu przy lampie i oglądała stary album ze zdjęciami. Marszczyła śmiesznie brwi w jakimś nabożnym skupieniu.

– Fajny ten mój starszy chłopak, prawda? – przerwał milczenie Jannis.

– Jako sześciolatek? Z pewnością. – Zamknęła album i odstawiła go na półkę przy kominku. Zauważył, że wzdrygnęła się lekko.

– Zimno ci? To przez ten wiatr. Jutro pogoda się zmieni. Ci, którzy przyjechali tu tylko na parę dni, nie użyją. Woda w morzu też się oziębi.

– Na szczęście. Było już zbyt duszno. Napijesz się jeszcze herbaty z cytryną?

Jannisowi na zawsze pozostała słabość do tego napoju, więc uśmiechnął się z wdzięcznością.

– Przez dwa dni rozmyślałam o tych twoich ostatnich dniach w Polsce w siedemdziesiątym piątym roku. – Nina podała mu kubek prosto do rąk.

On poświęcił temu jeszcze dwie noce. Nic dziwnego, że w końcu wszystko mu się pokręciło w głowie i zapomniał o lekach.

– Pewnie często zadawałeś sobie pytanie, kto cię w to wszystko wkopał?

– Nieraz. – Skinął głową.

– Czy to był Leon?

– Leon? – zastanowił się Jannis. – To dość nieszczęśliwa i ponura postać. W pewnym momencie przerzucił się na inną działalność. Zmontował nową ekipę, która zajmowała się kradzieżą samochodów na Zachodzie. Początkowo dobrze im szło, bo, jak ci mówiłem, kontakty miał przeróżne. Ale to wszystko się skończyło w połowie lat dziewięćdziesiątych.

Leon nigdy by nie przypuszczał, że ktoś będzie śmiał na niego donieść i że zrobią z tego użytek. Ale do policji przyszli nowi ludzie spoza Krakowa, którym nazwisko Weiss niewiele mówiło. Leon został aresztowany i wylądował w więzieniu na dziesięć lat. Tam też zmarł w dość dziwnych okolicznościach.

– Nie, to nie był Leon – zaprzeczył.

Nina siedziała zasłuchana i zagryzała dolną wargę. Zerkał na nią przez chwilę i uznał, że bardzo wyładniała, od kiedy widział ją po raz pierwszy. Jej włosy pojaśniały od słońca, cera pociemniała, a poza tym wyglądała na mniej zestresowaną. I... co dopiero teraz zauważył, miała na sobie apetyczną kolorową bluzkę, która podkreślała kształt jej piersi. Naprawdę niezłe!

– I nigdy już jej nie spotkałeś?

– Nie – odparł i pociągnął łyk herbaty. – Wiele razy zadawałem sobie pytanie, czy dobrze zrobiłem. Może nie powinienem się wówczas dać zastraszyć, przecież nic złego nie zrobiłem. Ale to były inne czasy. To nie był normalny demokratyczny kraj, a w sprawiedliwość to tak naprawdę nigdy nie wierzyłem.

– Myślę, że nie miałeś wyboru. Jeśli chcieli cię usadzić i zrobić z ciebie kozła ofiarnego, toby się pewnie tak stało.

Jannis przez chwilę milczał. Przypominał sobie, jak przez wiele lat, za każdym razem kiedy mijał sklep muzyczny, przypominała mu się Ala. Bardzo, bardzo długo to trwało. Ożenił się, urodziły się dzieci, a on w odbiciu sklepowej witryny widział dziewczynę grającą na gitarze. Być może ich miłość prędko by się skończyła, rozstaliby się lub codziennie mijali, nie mając sobie nic do powiedzenia, przekonani, że zmarnowali swoje życie. Tylko że już nigdy się o tym nie dowie. Jednak teraz myślał o tym z pewną tęsknotą, dawny ból już stracił na ostrości pod grubą warstwą życiowych doświadczeń.

Spojrzał na pogrążoną w myślach Ninę. Opowiedział jej wprawdzie o matce, ale ta historia była mocno ocenzurowana. Uznał, że tak będzie lepiej. Poza tym, mimo swych różnych ekscesów seksualnych w młodości, stał się chyba zbyt pruderyjny, by o nich mówić. I czemu to zresztą miałoby służyć?

Dziewczyna spojrzała na niego, jakby odgadując jego myśli.

– Matka przez tyle lat walczyła z nałogiem. A właściwie z kilkoma. Nie potrafiła tego udźwignąć.

Pokiwał głową.

– I tego najbardziej żałuję. Że wówczas nie rozmówiłem się z Zuzą. Nie zrobiłem nic, mimo iż podejrzewałem ją o branie narkotyków.

– Jannis, nie bądź naiwny. Nic by to nie pomogło. Przez ten tydzień? Żarty?! Tyle razy była u psychologów, w psychiatryku, na detoksie i nic. Myślę, że inaczej nie dawała sobie rady z rzeczywistością. Z pewnością nie pomogło jej to, że jej ojciec postanowił nie wracać do Polski i ożenił się drugi raz. Była wówczas ze mną w zaawansowanej ciąży – dodała nieco ochrypłym głosem.

Wstała z fotela i odwróciła się do niego plecami. Zauważył, że podeszła do szafki z rogiem trytona i zaczęła go delikatnie gładzić, zupełnie tak jakby był żywym organizmem.

Jannis westchnął i zanurzył wzrok w kubku po herbacie. Leżał tam tylko wyciśnięty plaster cytryny. Wróżyć z tego akurat się nie dało, ale słuchając Niny, już dawno stwierdził, że dziewczyna sobie poradzi. Mimo okropnego dzieciństwa potrafiła walczyć i nie poddawała się, wybierając najlepsze rozwiązania. Podobnie jak on. Do pewnego czasu działał samodzielnie i na własną rękę. A potem? A potem przyjął niemoralną propozycję.

– Nina?

– Tak?

– Chciałbym cię o coś prosić. Wprawdzie mówiłem już o tym, ale ty nie chciałaś wówczas słuchać, ale myślę, że to byłoby dla ciebie ważne.

– Co takiego?

– Chciałbym, żebyś poleciała do Skopie porozmawiać z Anastazym.

Skrzywiła się z niechęcią.

– Wybacz, Jannis. To, że skontaktowałam się z tobą, wyczerpało już chyba moje wszystkie siły w tej zabawie: „kto jeszcze spał z moją matką".

– Nie chodzi tylko o to. Chciałbym, żebyś mu powiedziała, żeby przyjechał na ślub Karoliny do Krakowa. To najstarsza córka naszej siostry Bożenki.

Jego przyrodnia siostra wyszła dość wcześnie za mąż, i to za chłopaka, którego nie wpuściłby za próg, gdyby to od niego zależało. Wieloletnie kłopoty z alkoholem, ze znalezieniem stałej, sensownej pracy i utrzymaniem rodziny rozwiązały się, gdy opuścił ziemski padół. Kiedy Bożenka owdowiała, Jannis bardziej skutecznie zajął się pomocą siostrze i jej dwóm córkom. Starsza, Karolina, zwana przez rodzinę Szarlotką, zdała międzynarodową maturę i uzyskała dyplom London School of Economics. Młodsza, Klara, kończyła właśnie biotechnologię w Atenach. Był z nich dumny, również z siostry, która po śmierci męża się pozbierała, dokończyła dawno przerwane studia i prowadziła teraz trzy sklepy pamiątkarskie w Krakowie. Jannis pragnął, by wyjechała do Grecji, ale siostra nie chciała. Podejrzewał nawet, że musi mieć romans z żonatym mężczyzną i to ją skutecznie odstręcza od wyjazdu. Jannis w końcu stwierdził, że jest zbyt łatwowierna, by jej związki z płcią przeciwną mogły się zakończyć sukcesem, i przestał ją namawiać.

– Wychodzi za mąż za greckiego chłopaka z Salonik. Spotkali się w Londynie. Wprawdzie jego ojciec jest politykiem, a ja nie lubię tej hołoty, ale cóż zrobić. Miłość to miłość – skomentował Jannis dumny z wymyślonej przez siebie tautologicznej definicji.

Nina zbliżyła się do kanapy, na której leżał, i przykucnęła koło niego.

– Jannis? O co ci chodzi? Coś kręcisz! Nie możesz sam zadzwonić do brata i go zaprosić? Albo ta Karolina, skoro to jej ślub?

– No właśnie. Szarlotka go zaprosiła, ale jej nie odpowiedział. A ja... no cóż... nie rozmawiałem z Nastkiem od pogrzebu ojca.

– I ja...?

– I ty masz do niego pojechać, posłuchać, co on ci powie, a lubi gadać, i go zaprosić. Chyba to jasne i proste, prawda?

Rozdział XIX

Morza i oceany, 1975

Początkowo niczego nie rozumiał. Najpierw była ulga, że w ostatniej chwili udało mu się uciec z zamykającej się klatki, że znów był wolny, mógł wdychać wilgotne powietrze przesycone zapachem sali. Czy tamci durnie myśleli, że mu zaszkodzą? Napisze do Ali i wyśle jej zaproszenie. Najlepiej byłoby, gdyby przyjechała od razu do Londynu. Tam jej się najbardziej spodoba, choć niektórzy mówią, że miasto robi teraz przygnębiające wrażenie brudnego. Ale nie dla nich, ludzi „zza żelaznej kurtyny"! Oni będą tu szczęśliwi i się pobiorą, kiedy tylko załatwi rozwód. Miał trochę oszczędności w Halifaksie, więc na początek powinno im wystarczyć, tym bardziej że jak znał Alę, to na pewno będzie chciała podjąć pracę.

Minął jednak miesiąc, a ona jakby się pod ziemię zapadła. Żaden z jego znajomych i przyjaciół nie wiedział nic na jej temat. Jannis posunął się nawet do tego, że z każdego portu wydzwaniał do jej teściów, ale ich telefon był odłączony. Ogarnęła go wówczas tak wielka bezradność, jakiej jeszcze nigdy nie doświadczył. Nie mógł wrócić do Ali! I co z tego, że jego cela stała się teraz wielka i niezmierzona jak wszystkie morza i oceany, skoro nie było do niej powrotu.

To był okropnie bolesny czas. Jannis, bo dawny Janek zniknął wraz z polskim życiem, upijał się albo na smutno, albo na ponuro.

– Nieźle cię wzięło, „trzeci" – zagadał do niego kiedyś pierwszy oficer, nie mogąc rozpoznać w tym ponuraku niegdyś pełnego energii i zapału młodego człowieka.

Siedzieli sami w mesie. Pavlos przeglądał greckie gazety, a Jannis gapił się tępym wzrokiem przed siebie.

– Nie mogę wrócić do Polski – wydusił Kassalis.

– No wiem, zgłaszałeś do agencji. Szkoda, bo miałeś tam świetne kontakty i mówisz po polsku. Przydałbyś się.

– Tam jest moja dziewczyna i cała rodzina. – Nagle musiał to komuś powiedzieć.

– Trzeba czekać. Jeszcze do niedawna myśleliśmy, że junta będzie wieczna, a tu... niespodzianka. Może przyjdą inne czasy. Musisz być cierpliwy, a tymczasem zająć się czymś, co ci da jakąś przyjemność.

Jannis spojrzał na starszego kolegę, jakby tamten spadł z księżyca. Jakie inne czasy? Czekać? Pavlos miał posiwiałe skronie i chyba był w wieku jego ojca, choć wyglądał znacznie młodziej od niego. Nagle przyszło mu do głowy, że jeśli on i ojciec byli w jednym wieku, to pewnie stali po różnych stronach barykady. I dlatego zdumiało go, co za chwilę powiedział Pavlos:

– Pomyśl sobie, jak musieli się czuć twoi rodzice i krewni, kiedy opuścili swój kraj. Część z nich pewnie umarła na obczyźnie i nigdy więcej nie zobaczyła swoich narzeczonych, żon, rodziców ani rodzeństwa. Polityka to jedno wielkie kurewstwo, Jannis. Trzymaj się od tego gówna z daleka. To sieje większe spustoszenie niż broń palna.

I wówczas Jannis zaczął płakać. Potem się cieszył, że w czasie tego napadu płaczu nie wszedł kapitan ani nikt z załogi. Łzy leciały mu po policzkach, z nosa mu kapało i w żaden sposób nie był w stanie przestać. Pavlos patrzył na niego pełnym współczucia wzrokiem, można by powiedzieć nawet ojcowskim, gdyby nie to, że u Jorgosa Jannis nigdy nie widział takiego spojrzenia.

Kiedy po kilku minutach Jannis przestał płakać, choć jego ciałem jeszcze wstrząsały łkania, Pavlos podał mu czystą chustkę i poszedł do barku, z którego wyjął butelkę ouzo i dwa kieliszki.

– Pij, Jannis, pij. Pamiętaj, że według Platona czas jest zamknięty w kole, a historia to wieczne powroty. – Kiedy Kassalis rzucił mu spłoszone spojrzenie, zaśmiał się i wyjaśnił: – Jak się zaczęła wojna domowa, studiowałem filozofię. I oczywiście zostałem komunistą. Na szczęście udało mi się uniknąć tej nieszczęsnej rozłąki, gdyż mój wuj niemal siłą wcielił mnie do załogi i zabrał z Salonik.

Jannis zaczął zadawać mu pytania, jedno za drugim, zaskoczony wiedzą Pavlosa. Od dawna nie spotkał na statkach tak dobrze wykształconej osoby. Od tego dnia rozmawiali ze sobą codziennie po parę godzin. „Pierwszy" dyskretnie wskazywał mu książki, które powinien przeczytać, pomagał planować karierę.

Jannis nie mógł odżałować, kiedy po dwóch tygodniach się rozstali. To był ich ostatni wspólny rejs. Pavlos kończył pracę na morzu. Wracał do rodziny i swojego pomysłu kupienia małej restauracji na jednej z greckich wysp.

Być może, gdyby dłużej pływali razem, życie Jannisa potoczyłoby się inaczej. Ale i o tym zadecydował los. Lub raczej jego boginie, Mojry.

Minął rok, nadszedł kolejny; Jannis dochrapał się stopnia pierwszego oficera. Ból związany z rozłąką z najbliższymi nieco zelżał, a jemu coraz bardziej otwierały się oczy, gdy stopniowo poznawał świat i ludzką naturę. Handel walutą i interesy robione na zlecenie Leona wydawały mu się teraz zabawą. Pewnie to zrozumienie przyszło wraz z jego wyższą funkcją i większym zaufaniem, którym go obdarzano. Jannis podobnie jak dawny Janek po prostu dawał się lubić, choć potrafił być też ostry, gdy tego wymagała sytuacja. Poza tym był bystrym obserwatorem. Początkowo tylko się przyglądał, jak w pozaeuropejskich portach ładowano na statki więcej towaru kosztem wody pitnej i paliwa, uzupełniając te braki przy następnych postojach. Potem sam tym zarządzał, doskonale kalkulując cenę ryzyka. Wiedział też, jak często nieplanowany postój na wodach eksterytorialnych, lecz niedaleko lądu, oznacza odbiór przewożonej nielegalnie broni. Przypływano po nią pod osłoną nocy na barkach i małych statkach, a on czasami kierował przeładunkiem.

Za wiedzę i umiejętne przewożenie nadwyżki „czarnego" towaru przemyconego zamiast paliwa zawsze należała się premia i w tamtym okresie właśnie wyciągi bankowe dawały mu największy powód do radości. Nie było Nastka, który prawiłby mu kazania na temat moralności, nie było Alicji, dla której kiedyś postanowił zostać prawym człowiekiem. Mógł robić, co chciał, bo tak naprawdę na niczym mu już nie zależało.

W 1977 roku, kiedy statek dopływał do Plymouth, Jannis otrzymał depeszę telegraficzną, że ma się jak najszybciej stawić w biurze armatora w londyńskim Chelsea. Nie ucieszył się, gdyż krzyżowało mu to plany. Podczas tygodniowego postoju zamierzał pojechać do Liverpoolu i powłóczyć się po tym mieście śladami ukochanych Beatlesów, ale oczywiście życzenie armatora było dla niego priorytetem.

Trochę się zdziwił, że biuro załatwiło mu nocleg w tak dobrym hotelu i w dodatku niemal w samym sercu miasta. Nie zdążył nawet się nacieszyć otaczającym go luksusem, kiedy zadzwonił telefon. I był to kolejny powód do zdumienia, gdyż była to główna sekretarka samego właściciela Hellenic Shipholding & Trading.

– Nie musi pan jednak przychodzić do biura. Pan Christopoulos chciałby zaprosić pana do „Diogenes Club" na lunch. Czy godzina trzynasta byłaby dla pana odpowiednia?

Jannis z wrażenia przełknął ślinę. Czy on się przypadkiem nie przesłyszał? Lunch w klubie z największym z największych? No nie, trochę przesadził. Christopoulos nie należał do czołówki greckich armatorów. Wprawdzie zaczął karierę podobnie jak inni Grecy w tej branży, którzy po wojnie kupili od Amerykanów niepotrzebną nadwyżkę statków transportowych, ale w obecnej chwili miał tylko dwanaście dość zdekapitalizowanych jednostek, z których niemal połowa była wyczarterowana dla konsorcjów. Nie była to więc pierwsza liga, lecz z obserwacji poczynionych przez Jannisa podczas tych kilku lat wynikało, że armator mocno kombinuje, by dołączyć do największych rekinów tego biznesu. Pozostawało pytanie, czego mógł chcieć od zwykłego pierwszego oficera, bo to, że czegoś chce, nie ulegało żadnej wątpliwości.

Jannis został poprowadzony do stolika w wydzielonej części restauracyjnej o godzinie trzynastej. Niewiele razy w życiu udało mu się być aż tak punktualnym. Już z daleka rozpoznał siwą grzywę Christopoulosa – miał sześćdziesiąt lat i nie wyglądał nawet o dzień młodziej.

– A oto nasz młody człowiek. – Skierował swą pobrużdżoną twarz w jego stronę, ale nie podał Jannisowi ręki na powitanie.

– Kassalis.

– Słyszałem już o tobie z różnych stron. Dzielny młody człowiek.

– Tak? – Jannis wiedział, że to czcze pochlebstwo, lecz mimo wszystko te słowa sprawiły mu przyjemność.

– Mówią, że nie boisz się podejmować trudnych decyzji.

Pewnie dowiedział się od kapitana, któremu podczas ostatniego rejsu zwrócił uwagę, dzięki informacjom od agentów, że jest do zabrania lepszy ładunek z Ceuty. Nie przypuszczał, że ktokolwiek dowie się o tej sytuacji, która mimo wszystko wskazywała na niewystarczające kompetencje dowódcy statku. Kiedy jednak Christopoulos rozwijał wątek, zachwycając się postawą Jannisa, ten zaczął mieć podejrzenia, że cały ten epizod został być może zaaranżowany przez samego kapitana, aby to jego kompetencje sprawdzić. Grecy są cwani jak całe stado lisów, stwierdził, przyglądając się złotym oprawkom okularów armatora.

– Zwróciliśmy na ciebie uwagę, synu.

Słowo „synu" ostatecznie go przekonało, że ten bogacz może rzeczywiście czegoś od niego chcieć.

– Oglądałem twoje papiery. Twoja matka była z domu Zarras?

– Tak.

– Córka Konstantina. A pamiętasz, jak się nazywała jej matka? I skąd była?

Warto było jednak słuchać niekończących się opowieści ciotki Vasilissy o przodkach.

– Chyba Ninou. Ze Smyrny? Nie jestem pewien.

– Oj, ta młodzież. Zero szacunku do tradycji. Jednak trudno z kolei się dziwić. Kto ci miał to wszystko przekazać, skoro ojciec komunista. – To ostatnie słowo było jak pogardliwe splunięcie i Jannis, mimo iż nigdy nie akceptował postępowania swego ojca, w tym momencie poczuł dziwną z nim solidarność. Zachował jednak kamienną twarz, chociaż z każdą kolejną minutą tyrady Christopoulosa było to coraz trudniejsze. Nagle zmienił się w ciotkę Vasilissę, a słowa, które padały z jego ust, łączyły się w tak dziwne kombinacje niczym rodowód bogów olimpijskich.

– I siostra mojej babki wyszła po raz pierwszy za mąż za Ninou. On prędko umarł, ale mieli ze sobą dziecko, córkę.

Ktoś rzeczywiście wspominał mu, że ten stary potentat miał coś wspólnego ze Smyrną. Podobno jego rodzina była w jakiś sposób powiązana z Onassisami.

– Wygląda więc, synu, że możemy nawet być spokrewnieni.

Chyba powinien się ucieszyć? W sumie ciekawa historia, ale według Jannisa nieco naciągana, bo niby dlaczego armator miałby się zainteresować jego rodowodem do tego stopnia, żeby mu grzebać w papierach. Postanowił się mimo wszystko uśmiechnąć.

– To byłby dla mnie wielki zaszczyt.

– Wiesz, że więzy krwi są najważniejsze, prawda? – Przerwał, bo nagle kelner postawił przed nimi przystawki zamówione przez Christopoulosa. Jannis nawet nie dostał karty dań. – Rodzina musi sobie pomagać – kontynuował mężczyzna po chwili. – Mam do ciebie taką sprawę... – przeszedł w końcu do rzeczy.

Brytyjski frachtowiec m/s *Sky* mijał Sycylię, by dotrzeć do kolejnego portu przeznaczenia. Szedł z Gibraltaru do kilku portów północnej Afryki.

Na pokładzie panowała wyborna atmosfera. Była to w zasadzie podwójna okazja. Dziewczyna pierwszego oficera zgodziła się wyjść za niego po paru latach nieustannych wątpliwości. Taką depeszę dostał z samego rana. Mimo iż nie mógł pojąć, co skłoniło ją do zmiany decyzji, prawie natychmiast zaczął świętować, włączając w celebrację swego szczęścia połowę załogi. Druga połowa piła z innego powodu, gdyż był to również dzień urodzin starszego mechanika, który od rana przekazał obowiązki swemu zastępcy, by się odpowiednio zrelaksować.

To był doskonały dzień na odpoczynek. Dzień jakich mało.

Pogodne popołudnie, widoczność dwadzieścia mil, zaledwie dwójka w skali Beauforta. Można więc było świętować.

Równie pogodna, choć w tym przypadku nieco rozlazła atmosfera panowała na mostku statku *Achilles II* należącego do armatora greckiego. Przewoził dość drogi ładunek, bo aż piętnaście tysięcy ton minerałów, ubezpieczonych na trzy i pół miliona funtów.

Pierwszy oficer pełniący właśnie wachtę dostrzegł „anglika" już z daleka. Szedł z lewej burty, więc jego obowiązkiem było wyminięcie *Achillesa II*, który płynął na autopilocie.

Oficer przeszedł do znajdującej się obok kabiny nawigacyjnej, by sprawdzić mapy i wyznaczyć kursy. Razem z oficerem wachtę powinien pełnić stojący na oku marynarz, ale tym razem nikogo przy nim nie było. Bo przecież cudowny dzień, piękna pogoda... Takie drobne, ale zrozumiałe uchybienie regulaminowe.

„Pierwszy" podniósł głowę znad mapy i rozejrzał się po pomieszczeniu, jakby je widział po raz pierwszy. Wyglądał na zamyślonego. Nie trwało to jednak zbyt długo, gdyż rozległ się potężny huk, który niemal wyrzucił go z fotela.

– Co do kurwy? – krzyknął w nieznanym załodze języku i natychmiast zrozumiał, że doszło do kolizji.

Uderzenie nastąpiło z lewej, nie ulegało więc wątpliwości, kto ponosi winę. Angielski statek musiał wybić w lewej burcie pokaźną dziurę, gdyż woda gwałtownie wdzierała się do środka, prawdopodobnie nastąpiło też przemieszczenie ładunku. Statek szedł na dno w zawrotnym tempie.

„Pierwszy" po początkowym nerwowym wybuchu opanował się i uruchomił system alarmowy dla załogi, jak również nadał sygnał wzywania pomocy Mayday. Zabrał ze sobą dziennik okrętowy oraz pas ratunkowy, po czym pośpieszył na pokład.

Kiedy tam dotarł, stali już tam niektórzy członkowie załogi. Za chwilę dołączył do nich kapitan. Trzymał w ręku teczkę. Zawierała dokumenty statku i załogi oraz pistolet.

– *Shit!* Jak to się stało?! – wrzasnął do niego kapitan, nakazując pierwszym osobom, by wsiadły do szalupy.

– Nie mam pojęcia, jak mogli nas nie zauważyć. Taka widoczność! – odparł „pierwszy" i uruchomił silnik spuszczający łódź ratunkową na wodę.

– Jeszcze sobie o tym pogadamy! – Zabrzmiało to jak groźba, ale „pierwszy" dobrze wiedział, że mogą to być z jego strony jedynie czcze pogróżki. To ich statek miał pierwszeństwo! Wina tego drugiego statku była bezsporna.

Dopiero gdy pierwsza szalupa z częścią załogi znalazła się na wodzie, na pokładzie pojawili się marynarze arabscy.

Każdy z nich dźwigał walizkę sporych rozmiarów. Wyglądali jak turyści udający się na wakacje na Costa del Sol. Brak im tylko było okularów przeciwsłonecznych i czapek z daszkiem.

– Won z tym! – „Pierwszy" wyszarpnął walizkę z rąk jednego z Arabów i bez chwili zastanowienia wyrzucił ją za burtę. – Do łodzi! Natychmiast! Bez żadnego bagażu!

Arabowie cofnęli się i przytulili do siebie walizki w obronnym geście. Nie zamierzali się z nimi rozstawać. Ale już za chwilę za burtę wyleciała kolejna walizka wyrzucona przez starszego mechanika. Po paru minutach spuszczono drugą szalupę z lamentującymi Arabami. Ich zachowanie tak zdenerwowało marynarzy, że kiedy tylko odpięto liny od łodzi, wrzucili jednego z histeryzujących Arabów do wody.

– Przestańcie natychmiast! – zareagował ostro kapitan, lecz zanim jego słowa doleciały uszu załogi, wciągano już mokrego chłopaka z powrotem do łodzi. Po chwili w szybkim tempie oddalała się od statku. W pobliżu zaczęły się pojawiać inne jednostki, które usłyszały wołanie o pomoc. Od razu zrobiło się raźniej. Nie byli sami.

– Brakuje jednego. – Dopiero teraz na twarzy „pierwszego” widać było prawdziwe zdenerwowanie. – Mają go na liście. To jeden z pomocników kucharza.

– Nie możemy dłużej czekać! Statek zatonie lada moment.

– Zobaczę! – Zanim kapitan zdążył zareagować, mignęły mu tylko plecy „pierwszego”, który zniknął.

Statek był już mocno przechylony na lewą burtę, kiedy oficer przedzierał się przez poszczególne pomieszczenia, przebiegając je szybko wzrokiem w poszukiwaniu młodego Araba. Pamiętał dobrze tego smukłego dzieciaka. Zawsze taki roześmiany i sympatyczny. Tylko że w stresie nie był w stanie przypomnieć sobie, jak chłopak ma na imię, choć jeszcze przed chwilą patrzył na jego nazwisko na liście.

– Gdzie jesteś?! – wrzasnął po angielsku i prawie natychmiast odpowiedział mu krzyk.

– W prowiantowni!

Chłopak leżał przygnieciony szafką, która – zwykle przytwierdzona do ściany – musiała się oderwać pod wpływem wstrząsu. Sam nie był w stanie się spod niej wydostać.

„Pierwszy” chwycił oburącz za obudowę i z trudem przepchał szafkę na bok. Arab przesunął się na drugą stronę, lecz nie wstawał.

– Wstawaj!

Spróbował się podnieść, ale dopiero teraz oficer zobaczył, że jego noga od kolana w dół jest cała we krwi. Pewnie złamana, pomyślał i kazał chłopakowi zarzucić sobie ręce na szyję.

„Siedemnaście minut, siedemnaście minut już minęło”, powtarzał sobie oficer, dźwigając pomocnika kucharza na pokład. Ile czasu jeszcze zostało? Ile? Muszą przecież jeszcze zdążyć odpłynąć od tej tonącej krypy.

Na pokładzie już nikogo nie było. Kapitan czekał na nich na drabince linowej mniej więcej w połowie drogi do szalupy.

Z rannym chłopakiem nie dało się jednak schodzić w ten sposób.

– Nie bój się. Wyrzucę cię za burtę, a oni cię tam wyciągną – powiedział „pierwszy" nienaturalnie spokojnym głosem, widząc przerażenie w czekoladowych oczach chłopaka. – Masz mój pas ratunkowy.

A potem to były sekundy. Najpierw chłopak, potem on sam w morzu. Słona woda wdzierająca się do gardła. Kurwa, przecież umiem pływać. Myśl, która pozwoliła mu zebrać wystarczającą siłę, by zacząć poruszać rękami i nogami. Był wyczerpany.

Marynarze wciągnęli go do łodzi jak bezwładną kukłę, a kiedy doszedł do siebie na tyle, że był w stanie rozejrzeć się wokół, zobaczył, że zdążyli już sporo odpłynąć od tonącego statku.

– A... – Nagle przypomniał sobie imię tego szczeniaka. – A gdzie Tim?

– Jest w drugiej szalupie – odpowiedział kapitan. – Wygląda na to, że go urato... – Przerwał, gdy silna fala wstrząsnęła niewielką łodzią.

„Pierwszy" przetarł piekące od soli oczy i spojrzał w kierunku statku. Już go nie było. Zerknął na swój wodoodporny zegarek i zanotował czas. Dwadzieścia dwie minuty od kolizji. Nie mógł oderwać wzroku od miejsca, na którym jeszcze przed chwilą znajdował się jego drugi dom, ubezpieczony na taką kwotę, że można było za to kupić jeden nowy statek lub dwa stare.

Nagle dostrzegł unoszące się na powierzchni wody plastikowe pojemniki.

– To nasze fajki i whisky – zaniósł się ze śmiechu jeden z marynarzy. – Wracamy po nie?

W maju 1978 roku Jannis Kassalis wyszedł z okazałego gmachu Towarzystwa Ubezpieczeniowego Lloyds i dopiero na zewnątrz, stojąc przed zgrabnie przyciętymi krzewami, był w stanie wypuścić powietrze z płuc. Opuszczał ten budynek najszybciej jak się dało. W przelocie pożegnał się z adwokatami, kapitanem, starszym mechanikiem i księgowym armatora, który po tym, jak zapadła decyzja o przyznaniu ubezpieczenia, wydawał się najważniejszą figurą w tej całej zabawie. Miał co robić. Jako stronie poszkodowanej przyznano im przecież pełne ubezpieczenie.

Jannis potrzebował teraz wódki, dużo wódki, która złagodziłaby stres ostatnich dni i godzin. W tym samym momencie uświadomił sobie, że chwilowo ma wszystkiego dość, czuje się zmęczony po kilku nieprzespanych nocach i najchętniej zacząłby swoje życie od nowa. Po raz który? Pokaźna suma przekazana na jego konto założone na wyspie Man dawała mu teraz znacznie większe możliwości dokonywania wyborów niż kiedykolwiek.

Przez chwilę się zastanawiał, czy sięgnąć po papierosa, ale miał je w teczce, a nie w kieszeni, więc postanowił poczekać z paleniem, aż dojdzie do najbliższego pubu.

Wolnym krokiem przemierzał City. W pewnym momencie zauważył, że paręnaście metrów od niego zatrzymał się bentley. Jannis poczuł ponowny zastrzyk adrenaliny. Był na siebie wściekły, że nie wyszedł bocznym wyjściem, że tak długo zwlekał. Teraz jednak musiał iść naprzód.

Z bentleya wysiadł szofer w uniformie i w czapce z daszkiem i zagadnął go z uśmiechem na twarzy.

– Pan Jannis Kassalis?

Skinął głową.

– Pan Christopoulos prosi pana do środka.

No i to by było na tyle, jeśli chodzi o wybór, przemknęło mu przez myśl, gdy wsiadał przez uchylone przez szofera drzwi do limuzyny.

– Jannis! Już wszystko wiem. Gratuluję! Świetnie się spisałeś. Doskonała robota. – Armator promieniał ze szczęścia.

– Dziękuję.

– No, ale rozchmurz się. Po co taka mina? Wiem, czego ci teraz potrzeba. – Pochylił się nad minibarem i wyjął małą buteleczkę wódki, której zawartość wlał do kryształowej szklaneczki. – Pij, chłopie! To na początek, bo będzie też szampan. – Do drugiej szklanki nalał dla siebie odrobinę whisky.

– Czy mogę zapalić?

– Cygaro?

Jannis wybrał jednak swoje marlboro i zaciągnął się tak mocno, że papieros zażarzył się aż do jednej czwartej długości.

– Żona się na mnie wścieknie, że nie wróciłem do domu, by przygotować się do przyjęcia, ale musiałem się przecież spotkać z krewniakiem po tak ważnym dla niego dniu.

Krewniakiem? Ten stary znowu czegoś od niego chce? Radar Jannisa chwilowo znieczulony alkoholem aktywował się ponownie i zaczął rejestrować niuanse w wypowiedziach Christopoulosa.

– I powiem ci więcej, zabieram cię na to przyjęcie.

– Przyjęcie? W pana domu?

– Tak. Moja żona i dzieci przyjechały ze Stanów w zeszłym tygodniu i oczywiście postanowiłem przygotować im małą rozrywkę. To takie garden party w ścisłym gronie. Bardzo się cieszę, że do nas dołączysz.

A czy ktoś pytał mnie o zdanie? – pomyślał Jannis. Chętnie wypaliłby drugiego papierosa, ale nie chciał uchodzić przy „starym" za nerwowego.

– Powtórzę jeszcze raz, świetna robota – powiedział. – I najważniejsze, że jesteś całkowicie czysty. Odczekamy jeszcze parę tygodni i popłyniesz jako „pierwszy", a po paru miesiącach awansujesz na kapitana.

Przez ponad pół roku oczekiwania na koniec śledztwa i wyrok sądu Jannis był zawieszony w obowiązkach i nie pływał. Nie narzekał jednak, gdyż rekompensata, jaką otrzymywał za pracę biurową była tej samej wysokości co wcześniejsze wynagrodzenie. A poza tym sporo się przy tym nauczył... i dowiedział. Zarówno o samym Christopoulosie, jak i prowadzonych przez niego interesach. Wcale mu się to nie podobało.

Kassalis zwrócił głowę w stronę twarzy lekko zasnutej dymem z cygara.

– Najważniejsze, że nikt nie ucierpiał. I że wszystkich udało się uratować, prawda?

I wówczas zobaczył to lekkie zwężenie źrenic Christopoulosa i już wiedział. Tego ten stary lis mu nie zaproponował, ale tak naprawdę to właśnie o to chodziło mu od samego początku. Żeby ktoś ucierpiał, żeby zginął, a najlepiej ci „czarni" podle opłacani Arabowie. Bo wówczas ubezpieczenie byłoby znacznie większe. Tak właśnie Stavros Christopoulos robił interesy. Jannisowi przedefilował w myślach cały zestaw znanych mu szwarccharakterów, ale musiał przyznać, że Christopoulos zostawiał ich wszystkich daleko w polu. Jak mógł być tak naiwny, żeby tego nie przewidzieć? Teraz już wiedział, o co toczyła się ta gra. Każda śmierć warta była mnóstwo pieniędzy. Dwa miliony funtów za jedną osobę. Ha, ludzie ginęli za znacznie mniej forsy, prawda? A ile było czystego zysku, kiedy się odliczyło te marne pięćdziesiąt lub sześćdziesiąt tysięcy funtów dla rodziny? Dużo, prawda? A w wypadku „czarnych", bo tak ich nazywali, czasem bywało i sto procent, bo nikt nawet nie próbował odszukać ich rodzin.

Jannis poczuł dreszcze, jak przed chorobą. Przypomniał sobie dziadków, którzy zginęli dawno temu w katastrofie morskiej, przypomniał sobie ciemne oczy uratowanego pomocnika stewarda, a pytanie, które go nurtowało od miesięcy, dotyczące tego, w jaki sposób armator załatwił sprawę z Anglikami, przestało go nagle interesować. Miał już tego serdecznie dość.

Dlaczego poszukiwanie wolności kończyło się dla niego zawsze kolejnym uzależnieniem? Czy to był pech, czy jakiś feler tkwiący w nim samym? W tym momencie zrozumiał dobitnie, że został właśnie człowiekiem Christopoulosa od mokrej roboty. Następnym razem nie będzie już żadnych niedomówień. Jego szef przedstawi Jannisowi dokładną kalkulację zysku od każdej głowy, a on nie będzie w stanie mu odmówić, bo tkwił w tym gównie po uszy. Z pewnością armator się jakoś zabezpieczył, na wypadek gdyby on chciał zmienić zdanie lub się wycofać ze współpracy. Może miał nagranie ich rozmowy? To nie było ważne. Sytuacja, w której się znalazł, przypomniała mu ulubiony wiersz z dzieciństwa, legendę o Panu Twardowskim, który zawierając pakt z diabłem, zobowiązał się oddać mu swoją duszę jedynie wtedy, gdy znajdzie się w Rzymie. Oczywiście nie miał zamiaru tam jechać, bo prawdę mówiąc, chciał tylko diabła nabrać i wykorzystać. Ten jednak okazał się przebieglejszym graczem.

I co, Janek, mądralo? – pomyślał o sobie jak o dawnym Janku. Zagrałeś za wysoko.

Ponownie spojrzał na Christopoulosa. Jego ciemne oczka zwęziły się w szparki, przybierając iście diabelski wyraz. Tak, on wiedział, co się dzieje w głowie Jannisa. Ten kuty na cztery nogi Grek, pochodzący z niezamożnej rodziny, nie przypadkiem siedział teraz w bentleyu. I wiedział, że droga, którą teraz powiezie tego Greka mówiącego z polskim akcentem, będzie doprawdy piekielna.

To był rzeczywiście idealny dzień na garden party. Kiedy koła bentleya zachrzęściły na podjeździe wyłożonym żwirem, Jannis zobaczył w końcu alejki pokaźny edwardiański dom. Stało przed nim kilka wozów dostawczych firm zajmujących się cateringiem i rozstawianiem namiotów ogrodowych. Bentley wyminął je i zatrzymał się niemal przed samymi drzwiami wejściowymi.

– Zamelduję się mojej pani, a potem pójdziemy sobie na spacer – zaproponował Christopoulos i zostawił Jannisa w gabinecie.

Kassalis patrzył na rzędy pięknie oprawionych książek, na skórzane fotele i stylowe meble. Nigdy jeszcze nie był w takiej rezydencji – jedynie czytał o nich lub oglądał w kolorowych czasopismach. Westchnął. Jeszcze nie tak dawno byłby podniecony obecnością w takim miejscu, ale po rozmowie z armatorem najchętniej by stąd uciekł. Znowu miał ochotę na papierosa, ale nie wiedział, czy w tym pomieszczeniu można palić.

Nagle zza fotela wychyliła się jasna głowa kobiety.

– *Good afternoon!* – Ukłonił się uprzejmie, udając, że wcale się nie dziwi, iż pierwszym widokiem w domu jego armatora są leżące pokotem niewiasty.

– Masz ogień? – odezwała się z amerykańskim akcentem kobieta, która okazała się dość pulchną dziewczyną w koktajlowej sukience.

– Proszę. – Ruszył w jej stronę również z papierosami, ale ona miała własne. Paliła cienkie dunhille.

– Jesteś gościem? – spytała, mocno się zaciągając. – Impreza już się zaczęła?

– Przyjechałem tu z gospodarzem. Tak, mam zostać na przyjęciu. – Jannis zauważył, że w głębi fotela, za którym siedziała blondynka, leżały rozbebeszone aparaty fotograficzne. Coś przy nich musiała majstrować. Dziennikarka? I tak ją wpuścili do domu?

– Film mi się zakleszczył – powiedziała, podchwytując jego spojrzenie. – Zdjęć nie będzie.

– Może pomogę? – zaofiarował się.

– Spróbuj. – Schyliła się i podała mu jeden z aparatów. W tej samej chwili zza otwartych drzwi dobiegł ich podniesiony kobiecy głos. Miotał on same przekleństwa w języku greckim, i to takie, których sam Jannis by się nie powstydził.

A zatem przemówiła pani domu, domyślił się Kassalis. Podczas swojej ponadpółrocznej pracy w biurze słyszał sporo plotek na temat rodziny armatora. Żona Christopoulosa, była aktorka, należała do najbardziej wdzięcznych tematów. Kiedy czasem, choć nieczęsto, zdarzało się, że przyjeżdżała z Nowego Jorku do Londynu i przychodziła do biura, wszyscy pracownicy musieli mieć się na baczności. Potrafiła być wredna, złośliwa, ale czasem także nieoczekiwanie serdeczna i pełna empatii. Ten nieustanny emocjonalny rollercoaster sprawiał, że armator chodził pokornie na jej pasku i we wszystkim jej ulegał, choć oczywiście nie przeszkadzało mu to w tym, że kiedy tylko wyjeżdżała, regularnie ją zdradzał. Wiadomo jednak było, że jej pozycja jest zbyt silna, by mógł ją kiedykolwiek wymienić na młodszy i sympatyczniejszy egzemplarz. Stavros Christopoulos był jej całkowicie podporządkowany.

– Jesteś Grekiem? – spytała pulchna blondynka, widząc, jak jego brwi unoszą się ze zdumienia.

– A nie widać? – odpowiedział trochę bezczelnie. – A ty jesteś fotografką?

Dziewczyna się zmieszała. Dopiero teraz, z bliska, zobaczył, że jest trochę starsza, niż myślał. Mogła być w jego wieku.

– Jeśli uda mi się dzisiaj zrobić dobre zdjęcia, to „Cosmo" obiecało mi, że je weźmie. Ale pewnie nic z tego nie wyjdzie. Stale mam pecha.

– Poczekaj chwilę. – Jannis przez moment sprawdzał, co mogło stać się przyczyną zaklinowania rolki z taśmą. – A masz nowy film? Bo ten mógł się prześwietlić.

– Jasne. – Sięgnęła do torebki.

Nagle usłyszał ciche kliknięcie i rolka wypadła. Udało mu się złapać ją tuż nad ziemią.

– Zręczny jesteś – zauważyła z uznaniem, a potem podeszła do drzwi i nasłuchiwała przez chwilę; Jannisowi udało się w tym czasie umieścić nową rolkę w aparacie.

– Wygląda to na dłuższą dyskusję. Ciekawe, czy skończą, zanim zacznie się przyjęcie. Mam przynajmniej taką nadzieję, bo komu będę robić zdjęcia? Czy to nie okropne, że wszyscy chcą oglądać twarze bogatych ludzi zamiast twarzy tych, którzy rzeczywiście mają coś do powiedzenia? Niestety na tym przyjęciu wielu takich nie będzie.

Jannis spojrzał na dziewczynę z zainteresowaniem.

– Dobrze znasz gospodarzy?

– Jesteśmy jakby rodziną.

– Jakby?

– Bo to mocno naciągane określenie.

Ta rozmowa stawała się coraz bardziej interesująca. Ciekawe, co chciał stary Stavros od tej miłej, trochę roztargnionej dziewczyny, że ją wrabiał w rodzinę? Miała dość apetyczne kształty, ale nie wyglądała na odpowiedni towar do przelotnego seksu. Bo tylko na taki można było liczyć w kontaktach z Christopoulosem.

– Pójdziemy zobaczyć, jak wyglądają przygotowania?

Miała ujmujący głos. Prawie jak... Alicja.

– Chętnie – odpowiedział i zobaczył, jak blond nieznajoma zanurkowała ponownie pod fotelem, skąd wyjęła parę butów na bardzo wysokim obcasie.

– Gotowe! – Kiedy stanęła przy nim, była tylko nieznacznie niższa od niego.

Wymknęli się z domu głównym wejściem i od razu skręcili w stronę ogrodu. Jannis zauważył duży basen, osłonięty od reszty ogrodu rododendronami. Po prawej stronie stał namiot z bufetem, na którym rozstawiono teraz smakowicie wyglądające potrawy.

– Chodź, może dadzą nam coś do picia – zaśmiała się blondynka i pociągnęła Kassalisa za rękę.

– Nie wiem, czy to wypada. Przyjęcie jeszcze się nie zaczęło, ale bardzo chce mi się pić – próbował protestować, ale dość słabym głosem. Ten łyk wódki wypity w samochodzie na długo mu nie starczył.

– O, mnie też! – powiedziała, ale potem, kiedy barman przyjął od nich zamówienia, okazało się, że dziewczyna wybrała coca-colę.

– Nie mogę pić alkoholu – wyjaśniła, widząc jego nieco zdziwione spojrzenie, i otworzyła mikroskopijną torebkę. Wyjęła z niej parę tabletek, a potem wsadziła do ust i popiła colą. – Nie, nie, to nie to, co myślisz – zachichotała, widząc jego minę. – Lekarz mi je przepisał. Na nerwy.

Z napojami w dłoni przeszli obok pergoli, zajętej przez kwartet strojących instrumenty muzyków, i usiedli na ławce w pobliżu basenu.

– Pewnie jesteś marynarzem? – spytała blondynka i ponownie zrzuciła buty. Widać, że chodzenie na wysokim obcasie sprawiało jej problem. – Ale czy greckim? Masz dziwny akcent jak na Greka.

– Urodziłem się w Polsce.

– Rozumiem, jesteś z tej greckiej diaspory po wojnie domowej?

Może ona była również dziennikarką, a nie tylko fotografką. Chyba miała dość poukładane pod tą jasną grzywką. Co było nawet bardziej interesujące niż te urzekające dołeczki, które zdobiły jej policzki przy każdym uśmiechu. Na szczęście nie skąpiła ich.

– Tak jest. Mój ojciec był komunistą. Mam nadzieję, że ci to nie przeszkadza.

– Nie musisz mnie straszyć inną rodziną. Mój własny ojciec, niekomunista, zmusił mnie do małżeństwa z najgorszym palantem tego świata. To właśnie przez niego łykam te świństwa.

Nagle z lewej strony zaczęła dochodzić muzyka Beatlesów *If I Fell in Love with You*. Garden party mogło się rozpocząć.

– A czy warto? Skoro wiesz, że jest palantem?

Dopiero teraz uświadomił sobie, że nie zna nawet imienia dziewczyny, a już udziela jej dobrych rad.

– Jakoś wolno przyswajałam tę wiedzę. Przez dwa lata czułam, że jestem do niczego. Brzydka, gruba, nietowarzyska i w dodatku nie zachodzę w ciążę. Przepraszam cię, to chyba zbytek informacji – dodała szybko. – Na szczęście się skończyło. Pigułki też się wkrótce skończą. Wiem, jaka jestem, ale nie chcę, żeby ktoś mi o tym cały czas przypominał.

– Hej, dziewczyno! – Jannis odstawił opróżnioną szklankę na ziemi i uniósł podbródek blondynki. – Myślę, że niewiele o sobie wiesz.

Zarumieniła się, ale nie odsunęła głowy.

– Jesteś śliczna i atrakcyjna. I... potrafisz zawrócić w głowie każdemu facetowi – powiedział i pod wpływem nagłego impulsu zbliżył usta do warg umalowanych na delikatny koralowy kolor. Rozchyliły się bez sprzeciwu.

Pierwszy pocałunek był jak delikatne muśnięcie, ale Jannis natychmiast uznał, że to nie wystarczy. Czuł, że trafił na kogoś niezwykle subtelnego i wrażliwego. Teraz już nie żałował, że ten bogaty kryminalista go tu zaprosił. Spotkanie tej dziewczyny wydawało mu się prawdziwą nagrodą za ostatnie lata tęsknoty i poniewierki. Skąd ona się tu wzięła, zastanawiał się, całując jej przymknięte powieki.

– A, tu jesteś? – usłyszał nagle za sobą czyjś głos. Oderwał się od dziewczyny, odwrócił i ujrzał Christopoulosa. Był czerwony na twarzy i Kassalisowi przeszło przez głowę, że jeśli facet dostanie udaru, to będzie miał go już na zawsze z głowy. – I widzę, że zdążyłeś poznać moją córkę – warknął Stavros, a Jannis pomyślał, że może byłoby lepiej, gdyby ten udar przytrafił się jemu samemu.

Rozdział XX

Korfu, wrzesień 2010

Samolot ze Skopie był opóźniony o pół godziny. Jannis ze złością patrzył na tablicę przylotów. Piękna pogoda, doskonałe warunki do latania, a nikomu nie chce się pracować. Kupił gazetę i przeglądał ją w barze poza terminalem lotniska. Może znowu jakiś włoski strajk kontrolerów lotów? Mimo iż wiedział, że nie może się denerwować doniesieniami na temat kryzysu w Grecji, za każdym razem, kiedy wysłuchiwał wiadomości lub czytał prasę, trafiał go po prostu szlag. Co to się z tym krajem zrobiło? Powinni jak najszybciej skończyć z tym całym euro i przejść znowu na drachmy. Po co zresztą wchodzili do tej strefy?

Odłożył pogniecione strony i wziął łyk latte.

Nie mógł się doczekać powrotu Niny. Zżerała go ciekawość, w jakim nastroju wróci od Nastka i co mu powie. Kiedy odwoził ją na samolot, była mocno zaniepokojona, mimo iż zarezerwował jej dobry hotel w Skopie, do końca nieprzekonany, czego można się po bracie spodziewać. Swoje zdenerwowanie Nina maskowała nadmierną gadatliwością. Gdyby jej już nie znał, może by uwierzył. Zadawała mu wiele pytań związanych z jego ostatnimi dniami w Polsce. Próbowała też pytać, co robił później.

Tym razem Jannis opowiadał jej bardzo lakonicznie. Zauważył, że do im bliższych czasów sięga, tym mniej szczegółowa staje się jego relacja. Ciężar świństw i podłości był tak wielki, iż czuł, że tym razem Nina go nie rozgrzeszy, a w jakiś niepojęty sposób bardzo zależało mu na jej dobrej opinii. Sprawa *Achillesa II* powinna na wieki spocząć na dnie oceanu. Będzie ona dręczyć tylko jego własne sumienie, bo taka jest właśnie jego kara. Cena, którą zapłacił za swoją głupotę i pazerność. Nie przerzuci tego ciężaru na innych. Ani na swoje dzieci, ani na młodą przyjaciółkę, dzięki której tegoroczne wakacje zyskały dodatkowy smak i urok.

I nagle, nie wiadomo skąd, wyrosła przed nim Nina. W dżinsach, jasnozielonej bluzce w serek i z torbą podróżną przerzuconą przez ramię.

– A, tu jesteś? Tak myślałam, że pewnie na mnie czekasz.

Wsadził okulary w kieszonkę koszulki i wstał. Ruszyli w stronę zaparkowanego jeepa.

– Przecież samolot był opóźniony.

– Tak, ale widać nadrobił. – Uśmiechnęła się do niego.

– I... jak tam podróż? Wszystko w porządku? Nie dzwoniłaś, więc pomyślałem, że jest okej.

Skinęła głową, ale nic nie powiedziała.

– A jak tam Nastek? Czy... mówił coś na temat twojej matki?

– Tak. Był oczywiście zszokowany, że śmiem myśleć, iż jest moim ojcem – mówiła teraz głosem, który doskonale naśladował ton brata, i Jannis się roześmiał. – Bo wiedział zawsze, co robi i jak unikać tego typu problemów.

– Ha! Profesorek mądrala.

– I nie przyjedzie do Krakowa – oznajmiła Nina, wrzucając torbę na tylne siedzenie samochodu.

– Tego się obawiałem – mruknął Jannis i przekręcił kluczyk w stacyjce.

– Ale ty dobrze wiesz, dlaczego on nie chce przyjechać.

– Tak ci powiedział?

– Owszem. I jeszcze to, że jak się rozstaliście na pogrzebie ojca, to powiedziałeś mu, że nie chcesz go nigdy widzieć.

No to dużo jej powiedział, przyznał w myślach Jannis, żałując mimo wszystko, iż nie porozmawiał z bratem przed wyjazdem Niny do Skopie. Kilka razy sięgał już po telefon komórkowy – numer brata miał tam wbity od zawsze – i nie był w stanie się przemóc. Teraz rozumiał, jak głupio postąpił. Pragnął odkupienia, a sam nie potrafił wybaczać.

– A czy ci powiedział dlaczego?

– Tak, Jannis! – Głos Niny stał się nagle głośniejszy i ostrzejszy. – Bo do końca życia będzie żałować tego, co ci zrobił. To przecież przez niego zostałeś zmuszony do opuszczenia Polski. Dlaczego mi o tym nie powiedziałeś?

Dopiero kiedy dotarli do Eleotrivio i zasiedli na tarasie, Jannis zdecydował się mówić. Czasem jego głos przechodził w szept, zagłuszany przez oszalałą pieśń cykad, ale brnął dalej:

– Powiem ci najpierw o tym, co sam słyszałem od niego. Potem uzupełniłem sobie pewne fakty.

– W jaki sposób?

– Moja droga. Nie chcę, żebyś odebrała to jako przechwałki, ale jestem dość zamożny, a pieniądze wielu ludziom otwierają usta i odświeżają pamięć. Nawet po latach. Poskładałem sobie do kupy tę historię.

Kiedy Jannis pojawił się w Polsce w 1975 roku, Nastek nie przyznał mu się do jednej bardzo istotnej sprawy – do tego, że zaczął się zajmować wymianą walut na własną rękę. Było mu wstyd, że on, taki pełen moralnych skrupułów, miał się zniżyć do poziomu swojego narwanego brata. Początkowo był to czysty przypadek – akurat trafił się Grek, któremu pomógł kupić złotówki – stopniowo jednak zaczął działać na nieco szerszą skalę, jak również odwiedzać lokale, w których przebywali cudzoziemcy. Nie robił tego często ani regularnie. Tyle, ile było konieczne, by dorobić do nędznej asystenckiej pensji.

W maju 1975 Nastek przyszedł do sopockiego Grand Hotelu. Tym razem otrzymał informację, że ma się zgłosić do pewnego pokoju na ostatnim piętrze. W zasadzie to nie był pokój, tylko wielki apartament składający się z połączonych pokoi. Człowiek, z którym miał załatwić interes, otworzył drzwi o umówionej godzinie i bez słowa komentarza wpuścił go do pierwszego pomieszczenia. Zza przeszklonych drzwi dochodziła dość głośna muzyka i gwar prowadzonych rozmów. Widać było tańczące sylwetki. Co jakiś czas brzęczało szkło. Było oczywiste, że impreza odbywała się tam od dawna.

Nastek wyjął pieniądze z marynarki i przeliczył je, a mężczyzna podszedł do stojącej na barku teczki i wyjął plik dolarów. Nadal nic nie mówił, ale Kassalisowi wydawało się, że mimo zachodnich ubrań jest on Polakiem.

Kiedy miał już odebrać walutę, otworzyły się drzwi i wbiegła przez nie blondynka. W pierwszej chwili Nastek pomyślał, że to kolejna faza zabawy, ale wówczas zobaczył jej zapłakaną twarz. Biegła na oślep w kierunku wyjścia, po drodze strącając ze stolika szklankę. Gdy była już na zewnątrz, drzwi otwarły się po raz drugi i w ślad za blondynką wybiegł mężczyzna.

Nastek spojrzał na faceta, który go wpuścił do pokoju, ale ten nie okazywał po sobie żadnego zdziwienia. Z nieruchomą twarzą odliczył z pliku należną kwotę i bez słowa wskazał wyjście. Cała transakcja przebiegła w całkowitym milczeniu. Za przeszklonymi drzwiami muzyka nieco ucichła i słychać było podniesione głosy. Kassalis ruszył do wyjścia, szczęśliwy, że już po wszystkim. Zrobił zaledwie kilka kroków, kiedy zobaczył, że mężczyzna, który pobiegł za blondynką, prowadzi ją z powrotem do pokoju. Jedną ręką trzymał ją mocno w pasie, a drugą, wczepioną we włosy dziewczyny, odchylał jej głowę do tyłu tak mocno, jakby chciał złamać jej kark. Mężczyzna nawet nie spojrzał na Nastka – czuł się swobodnie i beztrosko, jakby szli na spacer brzegiem morza.

Kassalis, idąc schodami w dół, zastanawiał się gorączkowo, co ma zrobić. Jeśli zgłosi sprawę w recepcji, wmiesza się sam w tę historię. Poza tym, sądząc po nieskrępowanym zachowaniu tych osób, można było się domyślić, że mają w hotelu specjalny status. Postanowił więc nic nie robić. I do dziś uważa, że zrobił słusznie. Ale tylko do tego momentu.

Następnego dnia z samego rana obudziło go walenie do drzwi. Odwiedzili go ci sami panowie, którzy parę dni później aresztowali Jannisa. Ale na początku to właśnie jego, Nastka, zabrali na przesłuchanie. I to wtedy po raz pierwszy dowiedział się o śmierci Małgorzaty Wawrzyn, znanej w półświatku jako Megi.

Nastek był przerażony – nigdy nie przypuszczał, że kiedykolwiek znajdzie się w takiej sytuacji – a panowie wiedzieli, jak stosować nacisk. Po dwóch godzinach wypuścili go, zobowiązując do milczenia, żeby w nocy ponownie zabrać go na przesłuchanie.

– Wiemy, że nie masz z tą sprawą nic wspólnego – powiedział jeden z nich, ten ze zrośniętymi brwiami. – Ale musisz nam odpowiedzieć na parę pytań.

I wówczas pokazali mu zdjęcie Jannisa, mówiąc, że widziano go z Megi w dniu jej śmierci.

– Chyba sam rozumiesz, że nie masz żadnego wyboru. Albo nam powiesz, co o nim wiesz, co robi, czym się zajmuje i z kim się spotyka, albo pożegnasz się z doktoratem. A sam wiesz, co się wtedy stanie. Wywalą cię z uczelni z wilczym biletem.

Nastek początkowo niechętnie zaczął mówić o wcześniejszych interesach brata. Ale gdy jego słowa raz przerwały wewnętrzną tamę, im dłużej mówił, tym większą czuł ulgę. Wypływały wszystkie jego frustracje, poczucie niższości i kompleksy w stosunku do Jannisa; nie mógł przestać opowiadać. Wspomniał o jego kumplach, ulżył też swojej zazdrości, mówiąc o Zuzie i o Alicji, a przesłuchujący z rosnącym zainteresowaniem zapisywali każde jego słowo. Kiedy upodlił się do granic możliwości, jeden z milicjantów oznajmił:

– Wszystko wskazuje jednak na to, że ta śmierć to nieszczęśliwy wypadek. Prostytutka była narkomanką, więc to wiele tłumaczy.

Nagle zrobili się dla niego bardzo mili. Podali mu kawę, poczęstowali papierosem. Rozmawiali z nim jak starzy kumple. Przyznali, że Nastek został zauważony, kiedy wychodził z hotelu, więc w zasadzie jest czysty od podejrzeń. Jednak również towarzystwo, które bawiło się tego dnia w hotelowym pokoju, miało żelazne alibi. Wszyscy przebywali razem, kiedy prostytutka wypadła z okna w drugim pokoju. Milicja musiała jednak zbadać wszystkie tropy i dlatego będzie musiała przesłuchać również jego brata. Nastek nie powinien się jednak tym przejmować, gdyż nic złego mu się nie stanie. To są takie rutynowe działania.

– Gdzie możemy znaleźć twojego brata?

I to także Nastek im powiedział.

– Nadal tego nie rozumiem. – Powiedziała Nina i się wzdrygnęła.

– Ja też tego nie pojmowałem. – Jannis wstał od stolika

na tarasie, by za chwilę wrócić z dwiema lampkami metaksy. – I dlatego skontaktowałem się z dawnym znajomym z Gdańska. Były cinkciarz, obecnie jeden z czołowych trójmiejskich przedsiębiorców – ciągnął. – Ma swoje kontakty i wejścia i czegoś się dowiedział.

Kiedy milicjanci usłyszeli nazwisko Alicji i dowiedzieli się, gdzie mieszka, natychmiast powiązali ją z jej teściem, który był na Wybrzeżu bardzo wpływową figurą. Skontaktowali się z nim.

– Był jednym z tych mężczyzn, którzy uczestniczyli w moim przesłuchaniu. To był chyba ten stary w garniturze. – Jannis zanurzył usta w bursztynowym płynie. Wiedział, że nie powinien pić, ale ten dzień był wyjątkowy. Zbliżał się do końca wiwisekcji swojego życia. – Oczywiście po tym wszystkim nie został nawet ślad na papierze. Wszystko odbywało się niezgodnie z prawem, ale tacy ludzie jak stary Langer tak właśnie działali. Myślałem, że jestem pierwszym cwaniakiem, ale w porównaniu z nimi... Wystarczył szantaż i zastraszenie i pozbyli się mnie jak ostatniego śmiecia. Moje oświadczenie było dla nich gwarancją, że już nie wrócę. Bardzo sprytne.

– A kto zabił Megi?

– Tego nie udało mi się dowiedzieć. Ci ludzie potrafią zachować tajemnicę nawet po latach. Mój dawny znajomy coś o tym słyszał. O grupie gangsterów powiązanych ze służbami, którzy handlowali narkotykami i walutą. To ponoć było takie preludium do działań, które rozkwitły w Trójmieście w latach osiemdziesiątych. Ktoś powiedział mojemu znajomemu, że był to „wypadek przy pracy". Obawiam się jednak, że Megi usłyszała coś, czego nie powinna. I próbowała mi o tym powiedzieć, kiedy ją po raz ostatni widziałem.

– Opowiedziałeś o tym bratu?

– Nie. – Jannis chrząknął. – Ja nie miałem pretensji o to, że im o mnie powiedział, ale o to, że mnie o tym nie uprzedził.

– Nadal tak boli?

Jannis się skrzywił.

– Nie. Pewne sprawy sobie przemyślałem. Chyba jednak zadzwonię do niego.

– I mu przebaczysz? – Nina wpatrywała się w niego tak intensywnie, jakby próbowała go zahipnotyzować. – Przebaczysz Nastkowi, mimo iż nie jest twoim bratem?

Piętnaście minut później jedli odgrzewaną zapiekankę warzywną. W milczeniu i nie patrząc na siebie. Policzki Niny były nadal zaczerwienione od emocji. Jannis wiedział, że była na niego zła, że nie powiedział jej prawdy o Nastku przed jej wyjazdem do Skopie. Sam teraz nie wiedział, dlaczego tak zrobił. Zarzuciła mu manipulację i być może miała rację. Uczył się przecież u samych mistrzów. O Leonie Weissie i Stavrosie Christopoulosie powinni wykładać na uniwersytetach! Jego świadomość została ukształtowana już dawno. Teraz jedynie oddawał to, czym się kiedyś napełnił.

– Widzisz, Nino, ja Nastka zawsze traktowałem jak brata. Nawet po tym, jak mnie zdradził. I nigdy nie powiedziałbym komukolwiek, że nim nie jest.

Nina otarła usta serwetką i odłożyła z brzękiem sztućce.

– Ale jakbyś mi powiedział, że nie jest twoim bratem, tobym do niego nie pojechała.

– A dlaczego? Przecież szukasz swego ojca.

– Ach, ty nic nie rozumiesz.

Teraz była na niego zła i on nie miał pojęcia o co. Postanowił mówić dalej, bo wiedział, że jego słowa ją interesują i tak naprawdę to tylko ona jedna potrafi go słuchać.

– Nastek dowiedział się, że nie jest moim bratem, od mojego... ojca jeszcze przed moim przyjazdem w siedemdziesiątym piątym. Jorgos był wtedy pijany. W pierwszej chwili Anastazy nie mógł zrozumieć, o co mu może chodzić.

Nina wstała od stołu i zaczęła nerwowo krążyć po pokoju. Jannis zauważył, że znów podeszła do rogu trytona, który zaczęła machinalnie głaskać, jakby był żywą istotą.

– Czy on był synem twojej matki i tego oficera OSS?

– Nie. – Jannis pokręcił głową. – Ale jego losy to kolejny nieszczęsny rozdział naszej greckiej historii. Słyszałaś kiedyś o *paidomazomie*, zabieraniu dzieci? Za czasów otomańskich tak nazywano to porywanie dzieci przez Turków i wcielanie ich do oddziałów janczarów.

– Czytałam kiedyś o tym. O! – Nagle oczy Niny rozbłysły. – To ja już wszystko wiem. Twój brat napisał o tym książkę. Została nawet przetłumaczona na angielski. Teraz rozumiem, dlaczego tak bardzo podkreślał, że powinnam ją przeczytać.

Jannis pokiwał głową.

– On tam napisał pełno bzdur. Szaweł nawrócony! Idiota, a nie historyk, ale musiał pewnie odreagować tę własną biografię. Tam nie było bieli i czerni, tylko samo piekło! Czy wiedziałaś o tym, że Amerykanie używali przeciwko partyzantom napalmu? Nie tylko przeciwko partyzantom zresztą, bombardowano całe wioski.

Północna Grecja, 1949

Dwie siły, dawni kombatanci komunistycznego ruchu oporu i siły rządowe, starły się w bratobójczej walce na śmierć i życie. Po początkowych sukcesach komunistów w 1948 roku zostali oni wyparci w góry, gdzie kontynuowali walkę, stopniowo odkrywając, że znaleźli się w potrzasku, atakowani z jednej strony przez armię rządową, z drugiej zaś cierpiąc wskutek nalotów amerykańskich, które między innymi zrównały z ziemią wioskę sąsiadującą z tą, w której stacjonował oddział Jorgosa. Dowódca zgodnie z rozkazem z góry zadecydował o ewakuacji do Albanii, a ponieważ zabierano ze sobą kobiety i dzieci, wysłał Kassalisa, by zebrał wszystkich do wymarszu. Ismena stała się opiekunką dzieci, które wcześniej były jej uczniami. Ich rodzice albo nie żyli, albo też byli wcieleni do partyzantki. Wraz z dwiema starszymi kobietami była odpowiedzialna za dziesięcioro dzieci, jednak z każdym dniem liczba ich rosła. Rząd tymczasowy z siedzibą na górze Witsi zadecydował o ewakuacji wszystkich dzieci w wieku od dwóch do czternastu lat ze wszystkich kontrolowanych przez niego terenów. Wkrótce liczba podopiecznych Ismeny wzrosła do trzydziestki, a potem spadła. Dzieci zaczęły umierać z powodu niedożywienia i chorób.

Z każdym dniem wędrówki Jorgos coraz bardziej obawiał się o swoją młodą narzeczoną. Wydawało się mu, że od ucieczki Suskina stawała się coraz bardziej zamknięta w sobie i niedostępna. Jej twarz była coraz bledsza, a ona sama wprost nikła w oczach. Gdy któregoś wieczoru przysiadł się do niej z menażką burej cieczy, która udawała zupę, Ismena odwróciła od niego twarz.

Wiedział, że go nie kocha, ale w tym momencie uświadomił sobie, że młoda kobieta nie może również ścierpieć jego obecności. Wiedział, że jest w tak złym stanie psychicznym, że wystarczy banalna infekcja złapana od któregoś dziecka i wymknie mu się na zawsze.

Tego dnia partyzanci mijali wieś zamieszkaną przez Słowian, a raczej to, co z niej pozostało po nalotach. Musiały nastąpić niedawno, bo wszędzie jeszcze unosił się dym i tliły resztki spalonych domów. Jorgos szedł w rozpoznaniu, sprawdzając, czy nie ma zagrożenia dla grupy, która nadchodziła za nim. Widząc spustoszenie wywołane przez naloty, ogarniała go wściekłość. To pewnie znów Amerykanie, jak rodacy tego jasnowłosego mordercy, któremu udało się uciec tylko po to, żeby ponownie zabijać. To przez takich jak on musieli teraz opuszczać własny kraj, który wyzwolili od okupanta podczas wojny.

Nagle za wypaloną stodołą usłyszał cichy jęk. Momentalnie się skoncentrował i wyciągnął przed siebie broń. To mogła być pułapka. „Rządowi" stosowali różne triki, żeby się z nimi rozprawić raz na zawsze. Z pistoletem gotowym do strzału skręcił za róg zapadających się zgliszcz.

Najpierw poczuł obrzydliwy smród spalenizny, a potem jego oczom ukazał się makabryczny widok młodej kobiety, której ciało od pasa w dół było niemal spalone. Jeszcze żyła, gdyż jej wzrok spoczął na Jorgosie. Zajęczała – to właśnie jej jęki Kassalis słyszał wcześniej.

Zbliżył się do niej, nie bardzo wiedząc, co ma zrobić. Kobieta konała. Zauważył, że próbuje coś powiedzieć. Kucnął obok niej i pogładził jej rękę. Tylko tyle mógł zrobić.

Jej usta znowu się poruszyły, ale Jorgos niczego nie mógł zrozumieć. Mówiła po macedońsku:

– *Spasi go moje deto. Mazet ove somatu.*

– Nie rozumiem.

– Ty – wyszeptała teraz po grecku. – Ratuj dziecko. Jego ojciec... w lesie.

Dziecko? Jakie dziecko?

Wypowiedzenie tych kilku słów kosztowało ją zbyt dużo. Dłoń zacisnęła się na ręce Jorgosa, ale uścisk trwał zaledwie moment. Nagle zelżał, a jej ciało znieruchomiało.

Kassalis zamknął jej powieki, podniósł się i rozejrzał dokoła. Czy dobrze zrozumiał umierającą? Dziecko? Czy jest gdzieś tu ukryte? Z pewnością nie miała na myśli stodoły, gdyż z niej nic już nie zostało. Dalej były chaszcze i coś, co przypominało dawny ogród warzywny, którego nikt od dawna nie uprawiał.

Bzdury. Nie ma żadnego dziecka. Jak by przeżyło ten nalot? Tracił tu tylko czas. Musi wracać do swoich. Za chwilę zacznie zmierzchać. Mogli spokojnie przejść przez tę wioskę i zanocować przy skałkach, które widział teraz z góry. Wyglądało na to, że jest też tam woda pitna.

Jorgos odwrócił się, by odejść, i nagle coś mu zaświtało w głowie. Przypomniał sobie, jak wołała go matka, kiedy chciała, żeby do niej przyszedł. I zanim się zorientował, z jego gardła zaczął się wydobywać modulowany głos przypominający gruchanie i słodkie słowa. To było takie dziwne, jakby wniknęła w niego inna osoba. Kiedy dźwięki zamilkły, zauważył małą figurkę sunącą ku niemu od strony chaszczy i kiwającą się na boki.

– Chryste! – Oczy Jorgosa wypełniły się łzami, kiedy złapał dziecko na ręce.

– Mama! Mama! – płakał dzieciak, który niedawno chyba nauczył się chodzić. Miał na głowie czapkę i Kassalis nie miał pojęcia, czy to chłopiec czy dziewczynka.

– Mama śpi. Chodź, wujek ci pokaże coś ciekawego.

Po dziesięciu minutach dotarł ze swym nieoczekiwanym ciężarem do czekających na niego ludzi. Już wcześniej ktoś musiał potwierdzić, że wioska jest bezpieczna.

– Jorgos! – Nagle wyrosła przed nim Ismena. – Kogo tam masz?

W jej oczach dostrzegł błysk zainteresowania, którego nie widział od tygodni.

– To dzieciak. Sierota.

– Rodzice nie żyją?

– Tak. Oboje nie żyją – odpowiedział i sam nie rozumiał, dlaczego tak powiedział.

– Dzidziuś. Jaki malutki. – Ismena natychmiast wzięła dziecko z jego rąk. – Ma takie jasne włosy. I oczy niebieskie jak niebo. – Zdjęła malcowi czapeczkę. – Śliczny jest. Mogę się nim zająć? – Spojrzała na niego z błaganiem w oczach.

– Myślę, że go musimy wziąć. – Jorgos odchrząknął. – Może być nasz, jak chcesz. Nie wiem tylko, czy dasz radę.

Wiedział, że postąpił jak należy, gdyż w tym samym momencie Ismena pocałowała go w policzek. Nagle dostała rumieńców, jej oczy płonęły dawnym blaskiem.

– Dam radę, Jorgos. Tak bardzo ci dziękuję. Gdyby nie ty...

A potem się rozpłakała, a on wreszcie mógł ją przytulić.

– Po wojnie domowej z Grecji ewakuowano około trzydziestu tysięcy dzieci, ponad trzy tysiące z nich trafiło do Polski. Komuniści uważali, że jest to ewakuacja podyktowana ich dobrem, ich przeciwnicy traktowali to jako porwanie. Część tych dzieci wróciła po wojnie do swoich krewnych, część została w Polsce lub zaczęła wracać w latach osiemdziesiątych, jak Nastek. Jak się domyślasz, sprawa ta budzi wiele emocji i ma wiele odcieni – relacjonował Jannis, teraz już zmęczonym głosem. Czuł się tak, jakby wystawił własne wnętrzności na widok publiczny.

– A twój brat jak to widzi?

– On oczywiście uważa, że gdyby Jorgos go wtedy nie porwał, świetnie by sobie poradził. Ugotowałby sobie żarcie i picie, a potem powędrował w góry i odnalazł prawdziwego ojca – odparł Jannis z sarkazmem. – A tak musiał żyć z nienawidzącym go potworem.

– To Jorgos go tak nienawidził?

– Myślę, że nie cierpiał jego jasnych włosów i oczu, i tej miłości, którą dawała mu nasza matka. Ale, co dziwne, on nigdy nie powiedział mi, że Nastek nie jest moim bratem. Dowiedziałem się o tym po jego śmierci ze starych papierów.

Natomiast sam Anastazy bardzo przeżył tę rewelację zasłyszaną od ojca, choć ten następnego dnia wszystkiego się wyparł. Postanowił więc pojechać do Macedonii i odszukać swoich krewnych. Zrobił to prawie natychmiast po tym, jak Jannis został zmuszony do opuszczenia Polski.

– Kogoś tam znalazł. Podobno. Ze zdumieniem odkrył, że nie są oni profesorami ani inżynierami, jak to sobie wymyślił na użytek swojej urojonej autobiografii, tylko prostymi wieśniakami pracującymi na roli. Ludzie ci nie mieli nawet zamiaru go szukać przez Czerwony Krzyż. Nie wiem, czy potrafili czytać!

– A on taki zdolny, w dodatku profesor!

– Dziw genetyki, prawda? A po kim ty, moja droga, jesteś taka zdolna? – zaśmiał się Jannis, zadowolony, że może wreszcie zmienić temat. Miał już dość tych tragicznych historii, w które wplątany był on sam i jego rodzina.

– Z tego wynika, że tylko po matce. – Po raz pierwszy Nina pozwoliła sobie zażartować ze swojego pochodzenia.

– Ale może jednak uda nam się ustalić tatusia. Wiesz co, zastanawiałem się przez chwilę, czy to nie mógłby być Kostas. Pamiętam, że na tej ostatniej imprezie u Nastka przyczepił się do Zuzy. Tyle że on podobno umarł. Dawny znajomy z Gdańska mi opowiadał, że Kostek wyjechał do Ameryki, zarobił sporo szmalu na ciuchach, tak jak to sobie obiecał, ale zginął w jakimś banalnym wypadku drogowym w połowie lat dziewięćdziesiątych.

– Czyli wynika, że jestem pełną sierotą. – Nina pokiwała głową.

Jakże inaczej ona teraz wygląda. Jannis nie mógł tego pojąć. Ale to nie była tylko kwestia urody. Ta dziewczyna była uśmiechnięta i wyluzowana. Wyglądało to tak, jakby i ona podczas pobytu na Korfu pozbyła się jakiegoś dręczącego ją problemu.

– A więc, moja droga, musimy pomyśleć o jakiejś korzystnej dla ciebie adopcji!

Rozdział XXI

Choć tydzień później temperatura powietrza była jeszcze wyższa, morze jeszcze cieplejsze, zieleń jeszcze bardziej soczysta, a wokół panował znacznie większy porządek, gdyż firmy wywożące odpady zdecydowały się ostatecznie przerwać strajk, Nina kończyła już swoją pracę w hotelu.

– Myślałam, że zostaniesz tu jeszcze dwa tygodnie – żaliła się Mirela, spoglądając na pakującą się koleżankę.

– Mam jeszcze parę spraw do załatwienia, zanim zacznę szukać stałej pracy.

– Masz już na oku coś konkretnego?

– To zależy. Myślę o studiach doktoranckich. Chyba muszę się już trochę ustatkować. A ty – zwróciła się do koleżanki – nawet nie zauważysz, że mnie nie ma. Kolejki się do ciebie ustawiają.

– Ha, tak ich chyba zachęciło, że pogoniłam Petera – zaśmiała się Mirela. – Jak dobrze się poradzić kogoś starszego i mądrzejszego!

– Z tym drugim określeniem tobym nie przesadzała. Zadzwonię do ciebie z Gdańska. Opowiesz mi o szczęśliwym zakończeniu.

– Ja? Szczęśliwe zakończenie? Nie wierzę, że takie istnieją.

– Mirela. Masz dwadzieścia jeden lat i jeśli ty nie wierzysz w happy endy, to kto? Daj mi samej odrobinę nadziei.

Ucałowały się serdecznie i wyściskały, i Nina przy pomocy Mireli zniosła na dół sporą walizkę.

Jeep Jannisa stał już po drugiej stronie ulicy.

– O nie, ty nie będziesz dźwigał. My to zrobimy. – Dziewczyny włożyły bagaż do samochodu.

– Teraz dopiero czuję się jak inwalida – powiedział Jannis, kiedy pożegnali się już z Mirelą. – Dwie piękne młode dziewczyny dają sobie radę beze mnie. Czas mi na wysypisko historii.

– Nie przesadzaj! Pamiętasz, o czym rozmawialiśmy wczoraj? Proszę cię, zrób to jak najszybciej.

– A przyjedziesz do nas na święta?

– Przecież tak się umawialiśmy. Nie złamię danego słowa.

– I ja za ten przelot zapłacę, jasne?

Nina machnęła rękami z rezygnacją.

– Skoro tak się upierasz.

Jannis odwrócił się lekko w jej stronę i spojrzał na nią.

– A najgorsze jest to, że myślałem, że będzie ci choć trochę przykro, że wyjeżdżasz, a ty cała w skowronkach. Tak to się mówi? W skowronkach? Boże, skąd mi to nagle przyszło do głowy?

– Wiesz, to tylko ekscytacja przed podróżą. Z pewnością już jutro zacznę za tobą płakać. I tak, już się domyślam, o czym chcesz mi przypomnieć. Natychmiast kupuję laptop.

– No, to trochę pamiętasz.

Jannis zajechał na parking lotniska. Ponownie zawoził Ninę na samolot, ale tym razem było mu rzeczywiście smutno z powodu jej wyjazdu. Miał wrażenie, że po rozmowach z nią opadły z niego całe pokłady życiowego cynizmu i zaczął się stawać sentymentalny. Chyba mimo wszystko jestem prawdziwym Grekiem, pomyślał z pewną dumą i wyjął z tylnego siedzenia niewielki przedmiot zapakowany w papier.

– Mam nadzieję, że uda ci się zabrać to ze sobą na pamiątkę – bąknął z pewnym onieśmieleniem.

Nina wzięła paczkę w ręce. Nie była ciężka.

– Mogę zajrzeć do środka?

– Nie musisz. To jest róg trytona, który tak bardzo ci się podobał. Chciałem, żebyś go miała.

Łzy popłynęły z oczu Niny niespodziewanie i tak obficie, że musiała wyciągnąć z torebki chusteczkę. Jannis również wyglądał na wzruszonego, aż wreszcie założył okulary przeciwsłoneczne i oddalił się na chwilę po wózek bagażowy.

– Nawet nie masz pojęcia, Jannis, jak bardzo... jak bardzo...

– Idź już, mała, bo się spóźnisz. Jeszcze się przecież spotkamy. A jak mnie teraz zobaczy ktoś znajomy, to pomyśli sobie nie wiadomo co. Że doprowadziłem taką młodą do płaczu!

Nina przytuliła się do niego na chwilę, ucałowała go w policzek, a potem zniknęła wewnątrz terminalu.

Rzeczywiście zrobiło się dość późno. Przyjmowano ostatnich pasażerów do odprawy biletowej, nie musiała więc stać w długiej kolejce. Funkcjonariusza kontrolującego bagaż podręczny poprosiła, żeby uważał, prześwietlając paczuszkę z rogiem trytona. Zrobił taką minę, jakby nie wiedział, o co Ninie chodzi. Uspokoiła się dopiero, kiedy przedmiot wrócił do jej rąk.

Lotnisko było wypełnione po brzegi i nie można było znaleźć żadnego miejsca do siedzenia. Podróżujący rzucali się na sklepy bezcłowe, z obłędem w oku próbując znaleźć ostatnie prezenty, które i tak mogły zapewne ucieszyć tylko samych darczyńców.

Nina nie musiała robić żadnych zakupów. I tak wyjeżdżała z tego miejsca tak hojnie obdarowana jak nigdy. Sama wyspa, po grecku zwana Kerkirą, była wspaniała, ale ją urzekło tu zupełnie co innego niż Miltona, Durella czy nawet Herberta, którzy tu niegdyś gościli. Poznała fascynującego człowieka, który zupełnie nieświadomie diametralnie zmienił jej życie. Zrozumiała nagle, że życie jest jak unijny projekt. Wymaga wkładu własnego, pracy i zaangażowania. I jest objęte ryzykiem, bo tak naprawdę nigdy nie wiadomo, jaki będzie jego wynik. A to ryzyko należy mimo wszystko podjąć, bo bez niego żadna wygrana nie będzie nigdy możliwa.

– Czy wiesz, Nino, co to jest róg trytona? – spytał Jannis poprzedniego wieczoru, kiedy wracali jego jachtem z Paksos do Gouvia, mariny w Korfu.

W końcu udało mu się namówić ją na przejażdżkę i był to jeden z najpiękniejszych dni jej życia. Dzięki Jannisowi czuła się jak w bajce, przemierzając szmaragdowe wody i odwiedzając pobliskie wysepki, a on robił wszystko, by te widoki stały się dla niej niezapomnianym przeżyciem.

Zahipnotyzowana otaczającym ją pięknem, powoli zwróciła twarz w stronę Kassalisa:

– Rozmawialiśmy przecież o nim pierwszego dnia, gdy do ciebie tu trafiłam. Służy do ostrzegania. Należał do bóstwa morskiego.

– Nie, nie chodzi mi o mitologię. Czy wiesz, co to jest za organizm?

Nina obrzuciła go zdziwionym wzrokiem. Co ten Jannis znowu wymyśla?

– To mięczak. Gatunek ślimaka, który buduje sobie taką grubą skorupę, żeby się w niej schronić. Całe życie tkwi przyczepiony do skały. Na świat wystawia tylko czułki i każdy widzi jedynie tę fantazyjną grubą muszlę. A on jest tam w środku. Taki mały, delikatny i podatny na wszelkie zranienia.

Nina siedziała w samolocie przy oknie, patrząc na znikającą zieleń wyspy, na majaczącą gdzieś w oddali górę Pantokrator, na migoczącą miriadami iskierek taflę wody, a jej dłoń nie przestawała gładzić ukrytego w paczce rogu trytona.

Natychmiast po powrocie do Eleotrivio Jannis wziął leki nasercowe. Czuł się tak, jakby wspiął się na górę na własnych nogach, a nie wjechał jeepem. Ogarnął go niepokój, jak zwykle gdy przychodziły takie stany. Przez chwilę rozważał, czy zadzwonić do lekarza, jednak myśl o spędzeniu nawet minuty w klinice była odstręczająca. Napije się wody, odpocznie trochę na kanapie, powinno wkrótce przejść.

Rzeczywiście po kwadransie ból w klatce piersiowej nieco zelżał, a on poczuł się na tyle silny, żeby poczłapać do półki z książkami i zabrać z niej album ze zdjęciami, który ostatnio oglądała Nina. Stare fotografie. Nie zaglądał tu od wieków. Najczęściej zadowalał się przeglądaniem swojej imponującej kolekcji widokówek. Nigdy nie przestał ich zbierać.

Pierwsze było zdjęcie ślubne jego i Jany Christopoulos. Wszystko wydawało się wówczas takie niewiarygodne i wspaniałe. On i córka armatora! Tupała nogą i walczyła o to małżeństwo z taką mocą, że Christopoulos musiał dać za wygraną.

Początkowo to był świetny pomysł. Zagrać na nosie staremu lisowi i wyrwać się w ten sposób z jego macek. W dodatku Jana była śliczna i rezolutna, nie było więc mowy o żadnym zmuszaniu się do czegokolwiek. Przyjście na świat Aleksa dziewięć miesięcy po ślubie rozczuliło Stavrosa do łez, ale również zagwarantowało Jannisowi udział w rodzinnych interesach prowadzonych przez Christopoulosa i jego syna.

Dopiero po pewnym czasie, a właściwie wtedy, kiedy Jana po raz pierwszy trafiła do kliniki psychiatrycznej z nasiloną depresją, Jannis, łącząc poszczególne fakty, zrozumiał znacznie więcej. I musiał przyznać przed sobą, że Stavrosowi udało się nabrać go w sposób zaiste mistrzowski. Nigdy o tym nie rozmawiali, spotykali się jedynie na imprezach rodzinnych, a w interesach obchodzili się z czujnością godną zawodników sumo. Kassalis, zadowolony, że teść zostawił go w spokoju z jego spedycyjną działką, koncentrował się wyłącznie na swojej pracy i powiększającej się rodzinie. Wydawało mu się, że jego życie się stabilizuje, a on po raz pierwszy od dawna ma na nie realny wpływ.

I raptem wszystko znów się wywróciło. Kiedy Jana była w ciąży z Nickiem, jej starszy brat i główny spadkobierca, jadąc po pijaku, zginął w wypadku samochodowym. Po raz pierwszy Kassalis widział wówczas swego teścia kompletnie zdruzgotanego. Nic i nikt nie był w stanie ukoić jego rozpaczy. Rok później dostał rozległego zawału i żadna pomoc lekarska nie zdołała go już uratować.

Jannis z pozycji outsidera rodzinnych interesów stał się wtedy głównym rozgrywającym w Hellenic Shipholding & Trading. Musiał się bardzo szybko uczyć i wykazywać sprytem jak nigdy w życiu.

Starszy mężczyzna wziął do ręki zdjęcie pracowników firmy zrobione w Nowym Jorku z okazji uroczystości czterdziestolecia firmy. Wówczas kierował nią od pięciu lat. Był to dla niego szczególny dzień, bo właśnie wodowano jego drugi, zbudowany w wietnamskiej stoczni, statek. Hellenic Shipholding przestał być kojarzony z pływającym złomem. Jannis wzmocnił jej markę, zbudował rzetelną reputację. Przerzucił środki do innych, bardziej rokujących branż i tam także odniósł sukces. Teraz inni mogą się tym bawić, pomyślał i z westchnieniem odłożył album ze zdjęciami.

Nagle przed domem usłyszał warkot skutera. Przez moment poczuł dziwną radość, myśląc, że to Nina. Dopiero po chwili przypomniał sobie, że ona wyjechała.

Podszedł do drzwi i wyjrzał na podjazd. To były dwa skutery. Z jednego zsiadała właśnie Ifigenia. Mimo iż jak zwykle była wystrojona w kolorową spódnicę w kwiecisty wzór, wyglądała jakoś inaczej. Wprost promieniała, jakby połknęła jakiś odmładzający specyfik.

– *Jasu* Jannis! Można ci zająć chwilę?

– Moja droga, jestem całkowicie do twojej dyspozycji.

Kierowcą drugiego skutera był siwowłosy mężczyzna w granatowym polo. Zbliżył się do Ifigenii i Jannisa z nieco spłoszoną miną.

– To jest Thomas Runge. Mój... przyszły mąż – oświadczyła gospodyni Kassalisa z błyskiem w oku.

– Twój... co? Przyszły mąż? – wyjąkał Jannis. – Niemiec? – Spojrzał na gościa w polo.

– On jeszcze nie rozumie po grecku, ale się nauczy. Rozmawiamy po angielsku.

– Za Niemca chcesz wyjść? Ifigenio, skąd ty go wzięłaś?

Wzruszyła ramionami.

– Z Internetu. Pełno jest tam takich, ale ten wydał mi się najlepszy. Nie wiem jeszcze, czy za niego wyjdę. Zobaczę, czy jest tak samo miły w rzeczywistości. I właśnie dlatego chciałam cię prosić o dwutygodniowy urlop. Niestety do ostatniej chwili nie wiedzieliśmy, czy Thomas będzie miał wolne. Wiem, że cię zaskakuję, ale załatwiłam ci na ten czas inną pomoc.

– Moja droga. Oczywiście, że możesz. Jestem tylko nieco zaskoczony. Daj mi trochę ochłonąć.

Jannis podał rękę Thomasowi i spytał go po angielsku, od kiedy znają się z Ifigenią.

– Od pół roku.

– I już się zdecydowaliście?

– Oboje jesteśmy wolni. Nie ma co marnować życia – odparł Thomas w dobrej angielszczyźnie. – Możemy mieszkać w Niemczech albo tu. Wszystko zależy od nas. Zrobimy tak, jak nam się będzie najbardziej podobało.

Jannis wiedział, że Ifigenia zakończyła swoje poprzednie małżeństwo jako właścicielka zaledwie jednej walizki, z którą przybyła na wyspę przed pięcioma laty. I to właśnie tu zaczęła nowe życie. Miał nadzieję, że wcześniejsze doświadczenie pozwoliło jej teraz na wybór właściwego mężczyzny. Thomas wyglądał na porządnego gościa. Również to, co mówił, brzmiało zupełnie rozsądnie.

– Mogę zaproponować wam coś do picia? Nie będziemy chyba tak stali na zewnątrz, co?

– Chętnie, ale może przy innej okazji. Teraz jedziemy do Kasiopi. Mamy tam zjeść kolację ze znajomymi.

Umówili się na następny dzień i przelotni goście dosiedli skuterów. Po chwili ich koła zachrzęściły na żwirze i podjazd zrobił się ponownie pusty.

Wszyscy ode mnie odjeżdżają, stwierdził Jannis i zamiast dotychczasowego poczucia spokoju i wolności odezwało się w nim jakieś dziwne pragnienie i tęsknota, jak niegdyś za zachodnimi sklepami muzycznymi, za podróżami w nieznane i... za Alą. I nagle pozazdrościł Ifigenii jej nowego początku.

Wrócił do domu i zaczął zbierać porozsypywane fotografie. Uważnie i pieczołowicie umieścił je w albumie. Przez chwilę przyjrzał się portretowi Jany. Nie żyła od trzech lat, ale na zdjęciu nadal była piękną trzydziestolatką, którą niegdyś poznał. Bardzo ją lubił i cenił, ale na myśl, że nigdy jej nie kochał, jeszcze teraz czuł dojmujący smutek.

Nagle drgnął, przypomniawszy sobie, co obiecał Ninie poprzedniego wieczoru. Sięgnął po telefon.

– Cześć, tato! Co słychać? – Głos Nicka był tym razem radosny.

Jannis przełknął ślinę i chrząknął.

– Zdecydowałem się.
– Zdecydowałeś się na operację?
– Tak. Nie wiem, ile czasu trwa ta procedura, ale chyba będę musiał na jakiś czas wrócić do Stanów.
– Tato! Wiedziałem, że podejmiesz taką decyzję. Nawet nie masz pojęcia, jaki jestem szczęśliwy. Zobaczysz, jak się wszystko zmieni! Będziesz miał nowe serce. Jutro postaram się sprawdzić, jak to wygląda w Wielkiej Brytanii. Może tutaj czeka się znacznie krócej?
Nikolas powiedział coś jeszcze, ale zagłuszyły go jakieś odgłosy.
– Synu, nic się nie dzieje. Nie ma paniki. Porozmawiamy później. Słyszę, że jesteś zajęty.
– Jestem poza domem. Mam spotkanie. Tato, zadzwonię do ciebie jutro. Nie masz pojęcia, jak się cieszę. Odpowiedz mi tylko na jedno pytanie. Czy to wpływ tej dziewczyny, o której mówiłeś?
Jannis wyłączył telefon i odetchnął z ulgą. Z pozostałymi porozmawia później. Tak jak powiedział, nie spieszy się. Leki łagodziły ból, a w najbliższym czasie nie zamierzał fundować sobie żadnych stresów. Przeszczep serca? I on się na to zdecydował? Tak nagle? Czy to przez tę jasnowłosą Polkę, która potrafiła wywoływać duchy przeszłości. I dla której gotów był zrobić tak wiele, gdyż w pewnej chwili jej obraz zlał się w tajemniczy sposób z obrazem jego dawnej ukochanej. Coś jednak musiało spowodować to, że niemal po półtora roku uporczywych odmów nagle zmiękł i postanowił się poddać operacji.
Kassalis spojrzał na zegarek. Nina musiała już chyba dolecieć. Ciekawe, czy się do niego odezwie, tak jak obiecała. Chciał się o tym przekonać osobiście. I dlatego transplantacja stała się nagle koniecznością.

Nina najpierw włożyła do wózka bagażowego walizkę, a dopiero na niej ostrożnie umieściła paczkę z muszlą. Na lotnisku Gatwick panował duży ruch, co chwila lądowały samoloty, wyrzucając ze swoich trzewi tłumy opalonych i nieco pomiętych turystów.

Pchała wózek do wyjścia, zastanawiając się, czy od razu go zobaczy i co zrobi, jeśli nie będzie na nią czekał. Nie widzieli się niemal od roku, a wcześniej znali zbyt krótko. Jednak jej niepokój trwał tylko ułamek sekundy, gdyż już przy samych drzwiach czyjeś ramiona porwały ją, uniosły w powietrze i obróciły dokoła, aż zawirowało jej w głowie.

– Zdążyłeś – wyszeptała, zanim usta zamknął jej gorący pocałunek, który trwał i trwał, a oni stali, blokując drogę innym przechodzącym.

– A czy mogło być inaczej? – Patrzyła w ciemne oczy Nikolasa Kassalisa, mając wrażenie nierealności.

– Nina, dlaczego mi nie powiedziałaś, że byłaś na Korfu? Musiałaś być taka cholernie tajemnicza? Wiem, że załatwiałaś jakieś ważne rodzinne sprawy, ale Korfu...? Przecież tam mieszka mój ojciec. Mogłem mu ciebie przedstawić. Zaopiekowałby się tobą.

– Wiem, Nuno. To moja wina, ale postaram ci się to wszystko wytłumaczyć. Nie jesteś już na mnie zły, że nie pojechałam z tobą do Indii?

– Bez ciebie wszystko było bez sensu. Tyle wspólnych planów, a potem... ta nieoczekiwana decyzja. Uciekałem stamtąd jak najszybciej, obiecując sobie, że wrócę tam tylko z tobą.

Zaraz mu powie, że nie była to jej wina. A może jego? Co mu przyszło do głowy, żeby się jej przedstawiać jako Nuno Kass? I jakie szczęście, że to zrobił! Bo przecież gdyby nie to, nigdy by się w nim nie zakochała.

To będzie długi wieczór, pomyślała Nina i mimo uczucia

niezwykłego szczęścia ogarniał ją lęk na myśl o reakcji Nuna na jej rewelacje. Chyba też źle zrobiła, że nie wyjaśniła Jannisowi całej sprawy. Tym bardziej iż zgodziła się przyjechać na to krakowskie wesele Szarlotki.

Lęki jednak mijały, bo Nina postanowiła się już mimo wszystko nie bać. Ani życia, ani ludzi. Szła przytulona do Nuna, a z nią wędrowały historie Ismeny, Ralpha, Jorgosa, Janka i Ali. Przypadki losu czy świadome działania greckich prządek, które potrafiły posplatać nici w niewiarygodne wprost wzory? Ich nieubłaganym wyrokom musieli się podporządkować nawet olimpijscy bogowie. Nie było jednak sensu rozmyślać, co te antyczne tkaczki uknuły sobie na jej temat. Trzeba było żyć! I to jak najpiękniej i najradośniej!

– Kocham cię, Nick! – powiedziała i spojrzała w uszczęśliwione jej wyznaniem czarne oczy.

Epilog

Nowy Jork, 2010

Jannis obudził się z drzemki z przeczuciem, że zapomniał o czymś ważnym. W tej samej chwili do jego pokoju weszła pielęgniarka z przenośnym zestawem do pobierania krwi.

– Dzień dobry. Jak samopoczucie?

– Dziękuję. W porządku. – Przy Amerykanach nie będzie narzekał, poczeka na swoich.

Kiedy pielęgniarka już go skutecznie pokłuła, a on przykładnie ponarzekał, Jannis przypomniał sobie o czekającej go rozmowie telefonicznej. Tak, to była ta ważna sprawa, o której nie chciał zapomnieć. Gdy pielęganiarka przetarła mu miejsce ukłucia, spojrzał na wyświetlacz telefonu komórkowego. Nie było żadnych nieodebranych rozmów.

– Za chwilę przyjdzie do pana lekarz. Wygląda na to, że mamy już wszystkie potrzebne badania – powiedziała pielęgniarka i wyszła z sali.

Zanim przyjdzie, to ja na wszelki wypadek odpalę swój tablet, pomyślał Jannis i sięgnął do szafki.

Nigdy by nie przypuszczał, że będzie uczestniczyć wirtualnie w weselu Szarlotki, ale nie było w tej sprawie innego dobrego wyboru. Lekarz z nowojorskiej kliniki, w której leczył się do czasu, kiedy oznajmiono mu, że jedynym ratunkiem dla niego jest wykonanie w ciągu najbliższych kilku lat transplantacji serca, kazał mu jak najszybciej przyjechać. Trzeba było zrobić komplet badań, bo czasem to właśnie te szczegółowe wyniki lub grupa krwi decydowały o pierwszeństwie. Dokładnego sprawdzenia wymagała również jego cukrzyca, która wprawdzie nie stanowiła zagrożenia dla życia, ale mogłaby wykluczyć operację. Więc jeśli nie zrobi tego teraz, to kiedy? Sprawa się odwlecze, potem nie zdąży na zbiór oliwek albo na święta, na które już wszystkich zaprosił. Trzeba było się na coś zdecydować, i to szybko, więc Jannis postanowił iść za ciosem i po raz pierwszy od roku pojechał do Stanów.

Niemal rozminąłby się z Afrodytą, która już następnego dnia wyjeżdżała na konferencję do Londynu, skąd wraz ze swoim mężem i braćmi miała polecieć prosto do Krakowa.

– Przyślę ci, tatusiu, twoich przyjaciół. Nie będziesz się nudził.

– Ani mi się waż! – warknął mało przyjemnym tonem.

Nie miał zamiaru spotykać się z kimkolwiek. Zwłaszcza w klinice. A już na pewno nie miał ochoty na to, by listę gości ustalała za niego Afrodyta.

– Dam sobie radę. Mam telefon i komputer. Będziemy w kontakcie.

Teraz przygotował sobie łącze. Tego dnia specjalnie się ogolił, żeby mogli go oglądać w pełnej krasie.

Najbardziej żałował, że nie spotka ciotki Vasilissy, która przyleciała z Aten, gdzie osiedliła się z wujem po wyjeździe z Polski w 1985 roku. Dopiero kiedy rząd grecki podpisał umowę z Polską o zaliczeniu okresu zatrudnienia do emerytury lub renty, odważyli się wrócić do swojej ojczyzny i odzyskać obywatelstwo. Przez długi czas Jannis odczuwał potworny żal, że wujostwo wcześniej konsekwentnie odmawiali przyjęcia pomocy, którą im oferował, uważając jego majątek za coś chwilowego i zapewne niezasłużonego, i większą wagę przywiązywali do swoich przepracowanych lat. Nie był w stanie zrozumieć tego rodzaju myślenia. Jednak i te uczucia minęły i wszystko zostało wybaczone, zwłaszcza gdy się okazało, że ZUS, instytucja, której tak ufali, nie naliczyła im tych emerytur, tak jak powinna.

Vasilissa skończyła osiemdziesiąt lat. Wuj, znacznie starszy od niej, umarł jeszcze w latach dziewięćdziesiątych. Ciotka nadal była bardzo sprawna i pełna wigoru. To właśnie u niej mieszkała na początku Klara, młodsza córka Bożenki, gdy rozpoczęła studia w Atenach.

Telefon nigdy nie dzwoni, gdy się patrzy na wyświetlacz. Kiedy tylko Jannis odwrócił wzrok, wpatrując się w czubki wieżowców na Manhattanie, natychmiast rozległ się upragniony dźwięk.

– Tato! Jesteś podłączony?

– Tak, zaraz się zobaczymy przez Skype'a. – Jannis połączył się z komputerem Aleksa. Syn obiecał, że podejdzie do wszystkich gości, żeby Jannis mógł się z nimi wirtualnie przywitać.

Po chwili zobaczył uśmiechniętą twarz syna.

– Film ze ślubu wysłałem na twoją pocztę – odezwał się Alex. – Co za świetna impreza, tato. Ponad sto osób. Lokal jest super. Jedzenia całe stosy. O piciu nie mówię. Angielska część gości już leży po kątach.

Tych pijaków to sam przywiózł, więc po co narzeka. Tyle razy latał z nimi z Londynu do Krakowa na wieczory kawalerskie, że w końcu wcisnęli mu się na rodzinną uroczystość.

– Goście pana młodego są zachwyceni Polską!

Jannis poczuł wzruszenie. Bo to był jego drugi kraj. Tam się urodził, wychował i wykształcił. To on dał mu doświadczenia młodości i wielką miłość. Mimo iż niegdyś go brutalnie odrzucił, Jannis mu wybaczył, gdyż nieodwołalnie stanowił ważną część jego życia. I bardzo pragnął do niego wrócić. Zobaczyć go jeszcze raz.

– Tato, *daddy*! – Afrodyta próbowała zdominować ekran. – *We love you.* – Machała do niego, jakby znajdował się w jakimś cholernym pociągu, a nie po drugiej stronie ekranu.

– Ja was też kocham. – Jannis chrząknął i poczuł, jak podchodzą mu do oczu łzy. No nie może się przed nimi teraz rozkleić! – Opowiadajcie, kto tu jest, z kim rozmawialiście.

– Jest ciocia Vasilissa. I nawet tańczyła.

– Co? A z kim?

– Z jakimś starym grzybem! – zachichotał Alex. – Jeszcze się okaże, że to jej ślub będzie następny.

– Przestań mnie denerwować. Jak rodzice pana młodego? Podoba im się?

– Jeszcze takiej kombinacji kultur nie widzieli w życiu.

– Gdzie jest Nick? – zainteresował się Jannis.

– Poczekaj, podejdę z kamerą. Rozmawia z jakąś babką. Przykleił się do niej na cały wieczór. O, patrz!

Obraz był niewyraźny, gdyż w filmowanym pomieszczeniu było przyćmione światło, ale Kassalis bez trudu rozpoznał młodszego syna. I jego towarzyszkę.

– Alex, nie przeszkadzaj im. Poszukaj Bożenki – powiedział i zatrzymał obraz trzymającej się za ręce pary. Zadowolony z siebie westchnął i dotknął małego krzyżyka wysadzanego diamentami, który od śmierci ojca stale nosił na szyi.

Leonie Weissie i Stavrosie Christopoulosie, mistrzowie oszustwa i przekrętów. Jestem waszym godnym następcą. O, jak dobrze znał się na ludziach. Od razu mógł przypuszczać, którego z jego synów zainteresuje Nina, ale oczywiście jej trzeba było wskazać kogoś innego. Wiadomo, że kobiety są przewrotne i zrobią coś zupełnie na odwrót. A on od samego początku wiedział, że jego młodszy syn i ta dziewczyna natychmiast się polubią, jeśli tylko da się im szansę. Byli do siebie tacy podobni w swych zawikłanych emocjach. Ta cecha przez dłuższy czas dawała Jannisowi niemal stuprocentową pewność, że Nina jest jego córką. Na szczęście może będzie... synową. Jest wprawdzie parę lat starsza od Nicka, ale to akurat będzie dobre dla jego małego Nuna, jego syneczka, którego sam wyniańczył na rękach. Już on dopilnuje, by był w życiu szczęśliwszy niż jego ojciec.

– Janek! – Bożenka konsekwentnie nazywała go po staremu. – Jak ja się za tobą stęskniłam!

– Siostrzyczko, kochana moja. – Znów łzy podeszły mu do oczu.

– Dzwonił do mnie Nastek. Mówił, że zaprosiłeś go na święta i zamierza przyjechać. Tak się cieszę! – Bożena ryczała jak bóbr. Jannis widział, jak rozmazuje się jej makijaż. – Wszyscy cię tak serdecznie pozdrawiają. I trzymają kciuki. Wszystko dobrze się skończy, braciszku.

– Tak, Bożenko. Ja też mam taką nadzieję.

– Jedna pani o ciebie pytała. Z Ameryki.

– Z Ameryki?

– Tak. To wdowa po twoim starym kumplu, Skoliasie. Przyszła z ich starą ciotką, którą zaprosiła Vasilissa.

– Skoliasie? – Jannis próbował skojarzyć nazwisko. Było ich tyle w jego życiu, że zaczynały mu się już plątać. – Żona Kostka. – Przypomniał sobie nagle. – Amerykanka?

– Nie, Polka. Podobno kiedyś w młodości się przyjaźniliście. Chyba tak powiedziała. Nie pamiętam jej, ale byłam wtedy chyba za mała.

I nagle Jannis poczuł, jak jego serce zamienia się w rozpędzającą się lokomotywę, a on ma coraz większy problem ze złapaniem oddechu.

Kostas, który wyjechał do Ameryki, żeby zrobić karierę

w branży odzieżowej, ten sam Kostek, u którego zamieszkali razem z Alicją. Nagle wszystko połączyło się w całość i nabrało logicznego sensu. Nowy Jork. Czy to możliwe, że tyle lat mieszkała tak blisko niego!

– Gdzie ona jest? Chcę z nią porozmawiać. To jest dla mnie bardzo ważne.

– Chyba już wyszła. Jej ciotki też już nie ma.

Paznokcie Jannisa, trzymające kurczowo tablet, zaczęły sinieć. Nawet nie zauważył, kiedy przewrócił szklankę z wodą. Szklanka się nie rozbiła, natomiast cała woda wylała się na podłogę.

– Tato. – Zobaczył na monitorze twarz Aleksa. – Ona już wyszła, ale mogę ci wysłać jej zdjęcie. Tylko musisz poczekać, bo to chwilę potrwa.

Serce Jannisa galopowało. Zastanawiał się przez chwilę, czy wezwać lekarza, ale zrezygnował. Po co marnować czas? Zanim Alex odnajdzie zdjęcie, on sam poszuka informacji o Ali w Google. Teraz już znał jej nazwisko!

Jego palce skakały jak oszalałe po klawiaturze. Czuł się jak żeglarz, który wreszcie zobaczył wejście do macierzystego portu. Jeszcze tylko chwila, a dopłynie do celu, który oddalał się od niego przez tyle lat. Bo przecież był absolutnie pewien, że to jest właśnie ona. Jego Ala. I dlatego wszystko musi się dobrze...

Gdańsk, 2 kwietnia 2013